Sichtwechsel

Elf Kapitel zur Sprachsensibilisierung

Ein Deutschkurs für Fortgeschrittene

von

Martin Hog, Bernd-Dietrich Müller und Gerd Wessling

Ein Mensch lernt eine neue Sprache und erhält dadurch, wie wir sagen, eine neue Seele. Er versetzt sich in die Haltung jener, die diese Sprache verwenden. Er kann die Literatur nicht lesen, nicht mit den Mitgliedern dieser Gemeinschaft sprechen, ohne ihre spezifische Haltung einzunehmen. In diesem Sinn wird er zu einem anderen Menschen. Man kann eine Sprache nicht als reine Abstraktion übermitteln; man übermittelt bis zu einem gewissen Grad auch das hinter ihr stehende Leben.

George H. Mead

Für Alexandra, Jan, Marie und Uli

Ernst Klett Verlag

Sichtwechsel
Elf Kapitel zur Sprachsensibilisierung

Ein Deutschkurs für Fortgeschrittene

von Martin Hog, Bernd-Dietrich Müller und Gerd Wessling
unter Mitwirkung der Verlagsredaktion Weiterbildung Fremdsprachen.
Mitarbeit an diesem Buch: Eva-Maria Jenkins, Verlagsredakteurin.

Zu diesem Buch gibt es eine **Compact-Cassette**, Klettnummer **55697**. Die auf der Cassette enthaltenen Texte und Lieder aus dem Buch sind im Buch mit dem Zeichen ▣ gekennzeichnet.

ISBN 3-12-556900-1

1. Auflage   1⁶ ⁵ ⁴ ³ ² | 1989 88 87 86 85

Alle Drucke dieser Auflage können im Unterricht nebeneinander benutzt werden. Die letzte Zahl bezeichnet das Jahr dieses Druckes.

Umschlaggestaltung: Harald Stetzer, Fachhochschule für Gestaltung, Schwäbisch Gmünd.
Zeichnungen, Fotos und Cartoons: siehe Bildnachweis Seite 6.

Druck: Gutmann + Co., Heilbronn.

Printed in Germany.

Inhalt der 11 Kapitel

Bildnachweis

Fotos

S. 8 Erika Sulzer-Kleinemeier, Gleisweiler/Pfalz. **S. 13** Gisela Schwab, Göppingen. **S. 26** Lothar Bladt, Stuttgart. **S. 36, 68, 83, 108, 114, 120, 154, 177, 195** (Fotoserie: In der Bundesrepublik Deutschland…) Eckart Mennicken, Köln. **S. 50** oben, Foto: Aloys Spill © stern-Archiv, Hamburg. **S. 50** unten, Foto: Jacob © stern-Archiv, Hamburg. **S. 51** oben, Norbert O. Strobel, Frankfurt/M. **S. 51** unten, Inge Werth, Frankfurt/M. **S. 52** oben, Peter Rondholz, Berlin. **S. 52** unten, Foto: Wolfgang Rattay © Associated Press Feature Bilddienst. **S. 53** oben, Wolfgang Kunz, Hamburg. **S. 53** unten, Foto: Mario Pelizzoli © stern-Archiv, Hamburg. **S. 58** Mauern 1–4: Gerd Wessling, Tübingen. **S. 60** © Deutsche Presse-Agentur GmbH (dpa), München. **S. 69** Paul Taussig, Frankfurt/M. **S. 89** Familie 1956: Gisela Schwab, Göppingen. Familie 1980: Ernst-Klett-Archiv. **S. 91** stern-Archiv, Hamburg. **S. 93** Inge Werth, Frankfurt/M. **S. 122** Marita Müller – Schwedes werbe-foto-grafik-service, Oberstenfeld. **S. 167** Foto: Anders © stern-Archiv, Hamburg. **S. 178** Eva-Maria Jenkins, Stuttgart. **S. 187** Aus: I.-M. Greverus, Denkmalräume-Lebensräume. Wilhelm Schmitz Verlag, Lahn-Wissmar 1976.

Zeichnungen und Abbildungen

S. 7 Caspar David Friedrich: Melancolie. Holzschnitt. Mit freundlicher Genehmigung der Staatsgalerie Stuttgart (Graphische Sammlung). **S. 9, 12, 21, 25, 37, 97, 115, 124, 130, 157, 158** Knut Junker, Remscheid. **S. 11** „Streitgespräch" aus: Claus Langheinrich, Unterrichtsmodelle Deutsch. Konkrete Poesie, Visuelle Texte. Franz Ehrenwirth Verlag, München 1979. **S. 74/75** Schülerzeichnungen. © Gerd Wessling/Martin Hog, Tübingen. **S. 76/77** „Haus" Christian Harold, Grenoble/Frankreich. **S. 95** Zeichnung: Sepp Buchegger, Tübingen. **S. 138** Frau mit Blumenstrauß: Mobil Oil, Hamburg. Zwei Frauen (Asti Sekt-Werbung): Westag Werbeagentur, Köln. Frau mit langer Schärpe (Fiat Ritmo-Werbung): Lürzer, Conrad u. Leo Burnett GmbH, Frankfurt/M. **S. 139** J. Walter Thompson GmbH, Frankfurt. **S. 141** Mit freundlicher Genehmigung der KKH Geschäftsstelle, Stuttgart. **S. 142/143** Henkel KGaA, Düsseldorf und Colgate-Palmolive GmbH, Hamburg. **S. 147** Dietrich Lange, Pforzheim. **S. 153** „Würden Sie dieser Frau ein Zimmer vermieten?" Klaus Staeck, Heidelberg. **S. 200** Sepp Buchegger und Elke Rothmund, Tübingen. **S. 213** Aus dem Katalog zur Ausstellung: Hakenkreuz und Butterfly. Japanische Schüler sehen uns. Deutsche Schüler sehen Japan. © Institut für Auslandsbeziehungen, Stuttgart 1981.

Cartoons

S. 55 Quino © Bulls Pressedienst, Frankfurt/M. **S. 59** Jupp Wolter, Lohmar. **S. 88** Aus: Marie Marcks, Vatermutterkind. Quelle und Meyer, Heidelberg. © Marie Marcks. **S. 94** Ivan Steiger, München. **S. 104** Aus: stern 42/1972 © Fred Tödter, Insel. **S. 129** Aus: F. K. Waechter, Wahrscheinlich guckt wieder kein Schwein. Diogenes Verlag, Zürich 1978. **S. 137** © pardon Verlagsgesellschaft mbH, Frankfurt/M. **S. 175** Eberhard Holz, Beaulieu sur Mer/Frankreich. **S. 181** Fred Tödter, Insel. **S. 183** Manfred von Papen, München. **S. 202** Sepp Buchegger, Tübingen. **S. 211** Wilhelm Schlote, Paris.

Grafiken

S. 111 Der Freizeit-Gewinn: Globus Kartendienst, Hamburg. **S. 133** Reisebilanz 1980: Globus Kartendienst, Hamburg.

Ein Bild an der Wand

A Strichmännchen

Bitte beschreiben Sie, was die beiden Strichmännchen tun. Zum ersten Bild haben einige Leute schon Kommentare gegeben.

Liegt auf dem Bett

der pennt

der ist müde

ist schon tot

jemand sonnt sich

Frage: Was tut dieses Männchen?
Ihre Antwort:

Was haben die anderen geschrieben?

Alter Mann und Kind

B

1 Schreiben Sie unter die folgenden Bilder, was Sie sehen.

1

2

3

2 Vergleichen Sie Ihre Texte mit den Texten der anderen Gruppenmitglieder. Fragen Sie dann Ihren Lehrer oder Ihre Lehrerin, auf welcher Seite es weitergeht.

Leute beim Essen

C

1 Auf der gegenüberliegenden Seite sehen Sie ein Foto.
Beschreiben Sie möglichst objektiv, was Sie auf diesem Foto sehen

oder

betrachten Sie dieses Foto kurz und schreiben Sie dann eine Geschichte dazu.

2 Stellen Sie Ihre Ergebnisse vor.

Diskussion Sehen

Rede an die deutschen Leser
und ihre Schriftsteller

Peter Schneider

Ich versuche für einen Augenblick, den Augenschein zu beschreiben.

Wenn ich morgens den ersten Blick aus dem Fenster werfe, sehe ich keine Wäsche
5 auf der Leine, keine Kinder auf den Balkons, keine Häuserwände, auf denen zehnmal mit roter Farbe steht Castro Mao Ho Chi Minh. Ich sehe das Gärtchen des Hausmeisters, den ich nicht kenne, den ich nur von seinen
10 Schildern her kenne, Treppe sauber halten, Tür verschlossen halten, hängt euch auf, frisch gebohnert.

Ich sehe das Gärtchen des Hausmeisters, das in lauter Rechtecke eingeteilt ist und so
15 sauber gehalten wird, daß nichts darin wächst. Ich sehe die zwei Meter hohe Mauer um das zwölf Meter große Gärtchen, und auf der Mauer sehe ich Glasscherben einzementiert zum Schutz gegen die Kinder der Nach-
20 barn. Wenn ich von der Mauer weg über den Hof sehe, sehe ich eine zweite größere Mauer, ebenfalls mit Glasscherben bewaffnet, zum Schutz gegen die Kinder der Nachbarn.[...]
25 Ich sehe Autos auf dem Asphalt, die Leuten gehören, die sich nicht kennen, die ich nicht kenne, die nur ihre Autos kennen und sich nur von ihren Autos her kennen. Ich sehe Fenster, hinter denen Leute wohnen,
30 die ich nur daher kenne, daß sie die Vorhänge zuziehen, wenn sie mich am Fenster sehen, und die mich nur daher kennen, daß ich die Vorhänge zuziehe, wenn ich sie am Fenster sehe. Abends sehe ich, wie sich
35 diese Fenster manchmal öffnen und füllen mit dem Gesicht eines Menschen, der acht Stunden lang gearbeitet hat und zur Erholung aufpaßt, daß nichts geschieht. Und dies alles geschieht nicht mir, sondern uns allen.
40 Wenn ich auf die Straße hinaustrete, sehe ich keinen Verkehr zwischen den Leuten, keine Gruppen, die sich über die Zeitung unterhalten, es liegt kein Gespräch in der Luft. Ich sehe Leute, die so aussehen, als
45 lebten sie unter der Erde und als wären sie das letzte Mal bei irgendeinem dritten oder vierten Kindergeburtstag froh gewesen. Sie bewegen sich, als wären sie von einem System elektrischer Drähte umgeben, das
50 ihnen Schläge austeilt, falls sie einmal einen Arm ausstrecken oder mit dem Fuß hin und her schlenkern. Sie gehen aneinander vorbei und beobachten sich, als wäre jeder der Feind des anderen. Das ganze Leben hier
55 macht den Eindruck, als würde irgendwo ein großer Krieg geführt und alle würden auf ein Zeichen warten, daß die Gefahr vorüber ist und man sich wieder bewegen kann.

Wenn ich in die Bäckerei trete, passe ich
60 auf, daß ich mich mit den Händen nicht auf die Glasabdeckung stütze, ich bin darauf hingewiesen worden, daß sie einstürzen könnte. Wenn ich auf einen Kuchen deute, strecke ich die Hand nicht zu weit aus, ich
65 bin darauf hingewiesen worden, daß ich ihn infizieren könnte. Wenn ich bezahle, achte ich darauf, daß ich das Geld auf die Gummiunterlage lege, ich bin darauf hingewiesen worden, daß sie dafür da ist! Und dies alles
70 geschieht nicht mir, sondern uns allen.

Wenn ich gemeinsam mit jemand irgendwo warte, vermeiden wir es uns anzusehen, uns zu berühren, irgendeine Beziehung herzustellen. Ich habe einmal drei
75 Stunden in einem vollen Wartezimmer verbracht, zwischen Leuten, die alle aus den gleichen Verhältnissen kamen, alle dieselben Schwierigkeiten hatten, ohne daß ein einziges Wort gefallen wäre, aber als dann end-
80 lich einer kam und die Tür mit der Aufschrift ›Nicht eintreten‹ öffnete, da sprangen alle auf und riefen: Nicht eintreten.

apparence

Bilden Sie Kleingruppen (2–4 Leute) zu jeweils einem Textabschnitt.

1 Arbeiten Sie Ihren Textabschnitt (im Hinblick auf schwierige Wörter, Bilder, Gegenstand der Beschreibung) so genau durch, daß Sie ihn der Gesamtgruppe erklären können. Nehmen Sie bei Bedarf ein einsprachiges Wörterbuch zu Hilfe.

2 Erzählen Sie sich gegenseitig, was Sie beim Blick aus Ihrem Fenster sehen. Wie würden Sie beschreiben, was Sie dort sehen? Würden Sie ähnliche sprachliche Mittel verwenden wie Peter Schneider oder andere?

3 Diskutieren Sie, wie Sie AUTOS, MAUERN, die LEUTE auf der Straße, das WARTEN an verschiedenen Orten erleben. Versuchen Sie, das zu beschreiben.

Stellen Sie die Ergebnisse von **1** bis **3** der Gesamtgruppe vor.

4 Diskutieren Sie den Gesamttext auch unter folgendem Aspekt:
Peter Schneider lebt in einer Umgebung, in der zum Beispiel auf den Balkons und zwischen den Häusern keine Wäsche auf der Leine hängt. Es ist erstaunlich, daß ihm das plötzlich auffällt. Wie erklären Sie sich das? Warum vermißt er die angesprochenen Dinge? Was bedeuten sie für ihn?

Ernst Jandl:

fünfter sein

tür auf
einer raus
einer rein
vierter sein

tür auf
einer raus
einer rein
dritter sein

tür auf
einer raus
einer rein
zweiter sein

tür auf
einer raus
einer rein
nächster sein

tür auf
einer raus
selber rein
tagherrdoktor

streitgespräch

Malaktion

D

1 Bitte besorgen Sie sich bunte Filzstifte und große Bögen Papier und malen Sie in mehreren Gruppen jeweils gemeinsam ein Bild, das eine Situation zeigt, wo viele Menschen zusammen sind, wie z. B.:

– (Wir) Im Verkehr in einer Kleinstadt
– (Wir) Im Freibad
– (Wir) Im Unterrichtsraum
– (Wir) Im Park
– (Wir) Im Paradies
–
–

2 Hängen Sie die Bilder im Klassenraum an die Wand und schauen Sie sie gemeinsam an.

familienfoto

der vater hält sich gerade
die mutter hält sich gerade
der sohn hält sich gerade
der sohn hält sich gerade
der sohn hält sich gerade
der sohn hält sich gerade
der sohn hält sich gerade
die tochter hält sich gerade
die tochter hält sich gerade

Ernst Jandl

1912

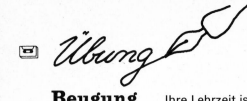

Übung

Beugung

junger
hübscher
weiblicher
dunklen
häßlichen
wackeligen
altersschwachen
ältere
untergeordnete
neuen
hellen
elektrische
perfekte
unerreichbares
schwarzes
eigenen
ältliche
Palisander
weißes
ihrem
freundliche
mittellosen
komplette
fettes
technischen
ausgestatteten
vielen

Kündigungsgedanken
Ingrid Kötter

Ihre Lehrzeit ist beendet, sie ist Industriekaufmann – ein sehr junger, sehr hübscher, sehr weiblicher Industriekaufmann. In dem dunklen, häßlichen Büro mit dem wackeligen Schreibmaschinentisch und der altersschwachen Schreibmaschine herrscht ihre ältere Kollegin, läßt sie nur untergeordnete Arbeiten verrichten. 5
Sie trägt sich mit Kündigungsgedanken –
kündigt.
In der neuen Firma hat sie einen hellen, neuen Arbeitsplatz, eine elektrische Schreibmaschine und eine perfekte Vorgängerin, die ihr täglich als unerreichbares Vorbild vorgehalten wird. 10
Sie trägt sich mit Kündigungsgedanken –
kündigt.
In der neuen Firma hat sie einen hellen, neuen Schreibtisch mit Drehstuhl, eine elektrische Schreibmaschine, ein schwarzes Telefon und einen eigenen Toilettenschlüssel. Der ältliche Chef liebt helle, neue weibliche 15
Angestellte.
Sie trägt sich mit Kündigungsgedanken –
kündigt.
In der neuen Firma hat sie ein eigenes Vorzimmer, einen Palisanderschreibtisch, eine elektrische Schreibmaschine, ein Diktiergerät, ein weißes 20
Telefon, eine eigene Toilette, die Möglichkeit, Arbeitsplatzverbesserungsvorschläge einzureichen und einen in Scheidung lebenden Chef, der in einem Wutanfall das Telefonkabel aus der Wand reißt und das Diktiergerät zertrümmert.
Sie trägt sich mit Kündigungsgedanken – 25
kündigt.
Mit dem Kündigungsschreiben übergibt sie einen Arbeitsplatzverbesserungsvorschlag, den sie mit ihrem Freund, einem Studenten, ausgearbeitet hat:
„Schafft helle, freundliche Mitarbeiter und Vorgesetzte – alle Arbeits- 30
plätze werden es euch danken!"
Ihr Chef verspricht ihr, sich zu bessern, nimmt die Kündigung an, küßt sie und bittet sie, seine Frau zu werden.
Sie trägt sich mit Kündigungsgedanken –
kündigt 35
dem mittellosen Studenten die Freundschaft, heiratet Auto, Haus, komplette Wohnungseinrichtung und ein fettes Bankkonto.

Ihre Berufstätigkeit ist beendet, sie ist Hausfrau – eine sehr junge, sehr hübsche, sehr weibliche Hausfrau. In der neuen, hellen, mit allen technischen Erleichterungen ausgestatteten Küche herrscht ihre alte, dunkle 40
Schwiegermutter, läßt sie nur untergeordnete Arbeiten verrichten.
Täglich wird ihr ihre perfekte Vorgängerin als unerreichbares Vorbild vorgehalten.
Ihr Mann liebt helle, neue weibliche Angestellte.
In vielen Wutanfällen zertrümmert er viel Porzellan. 45
Sie trägt ... ein Kind –
kündigt nicht.

1 Schreiben Sie alle Adjektive an den Rand.

2 Manche Adjektive tauchen wiederholt auf. Vergleichen Sie die Zusammenhänge.

3 Rekonstruieren Sie die Regel für die Adjektivdeklination mit dem bestimmten Artikel, dem unbestimmten Artikel und ohne Artikel.

4 Lesen Sie den Text laut vor und verändern Sie dabei das Geschlecht aller vorkommenden Personen. Also: „**Seine** Lehrzeit ist beendet, **er** ist Industriekauf**frau** – ein**e** sehr jung**e**, sehr hübsch**e**, sehr **männliche** Industriekauf**frau**…"

Projekt

Tagebücher und „Klingende Briefe"

Wenn Sie eine Reise machen oder in einer fremden Stadt oder einem fremden Land leben, müssen Sie täglich Tausende von Eindrücken aufnehmen, sie miteinander in Verbindung bringen, interpretieren, uminterpretieren. Man wird müde von dem vielen Neuen, aber gleichzeitig wird man angeregt, entwickelt selbst eine Fülle von neuen Gedanken, Ideen, Phantasiegebilden. Eine Reise in andere Länder als eine Reise zu sich selbst? Damit das Erlebte nicht so schnell vergessen wird, damit bestimmte Eindrücke oder Erlebnisse erhalten bleiben, anhand derer man weiterdenken kann, beginnen viele, ein Tagebuch zu schreiben.

Wir geben Ihnen vier Beispiele, um zu zeigen, wie verschieden man ein Tagebuch strukturieren und schreiben kann und bitten Sie, in den nächsten Tagen einen eigenen Versuch zu starten.

Beispiel 1: Eindrücke und Assoziationen, nach Begriffen geordnet.

1. das Blättern

   das suchend unsichere Blättern des Schalterbeamten im Bahnhof Zürich in anscheinend nie benützten Preislisten und Streckenverzeichnissen, weil er nur selten eine solche Fahrkarte ausstellen muß.

2. der Soldat

   der, welkgrün und eigentlich wie ein guter Soldat aussehend, sein Gewehr mit uns weiterfahren läßt, als er in Goeschenen aussteigen muß.

3. das Ganze

   das ratlose Drehen am Uhrrädchen, um den Zeiger eine Stunde vorzustellen, weil die Uhr im Schweizer Teil des Bahnhofes Chiasso 10 Uhr 23 zeigt, jene im italienischen Teil aber 11 Uhr 23; ratlos deshalb, weil ich, immer wenn ich dies tue, nie weiß, ob ich eine Stunde gewinne oder verliere, – im Blick aufs Ganze gesehen.

4. die Aufhebung

   die von den Fahrgästen selber unternommene Aufhebung der Unterteilung in Raucher- und Nichtraucherabteil, kaum daß der Zug Schweizer Boden verlassen hat.

5. das Kinderbuchklischee

   das, weil es Kinderbuchklischee geworden ist, beileibe nicht mehr erwartete Lagerfeuer im Zigeunerlager am Bahngeleise von Brescia.

6. der Tempel

   der kulissenrein getünchte griechische Tempel, welcher der Bahnhof von Lomazzo ist, wobei mich weniger der Tempelbahnhof verblüfft, als vielmehr die Art, in der er sekundenschnell wie auf einer Leinwand im Fensterrahmen aufblinkt.

7. die Aneinanderreihung

   die aus der Aneinanderreihung von Stimmbandexplosionen bestehende Stimme des Gelativerkäufers, der einzigen als auffallend wahrgenommenen Person im Bahnhof Verona, wobei zu sagen ist, daß es die *Stimme* ist, die diese Person auffallend macht.

Aus: Peter K. Wehrli **Katalog der 134 wichtigsten Beobachtungen während einer langen Eisenbahnfahrt** Regenbogenverlag

Beispiel 2: Sätze, die man hört, Eindrücke von Menschen und Situationen, Gefühle, Lebensregeln, kurz und verfremdet.

2. März

„In was hat sich denn diesmal im Traum dein Dilemma verwandelt?

In die Groß-Stadt zurückgekehrt, roch ich an der Schimütze des Kindes: Geruch nach eingetrocknetem Schneewasser

Als ob sich der Abend herabsenkt in meinem Kopf

3. März

Eine Spinne erschien mitten im Gespräch, wurde gesucht und getötet; dann wurde weitergesprochen

Liebloser Tag, ohne ziehende Wolken, die Zweige unklar vor dem formlosen Himmel, wie feindliche Tiere; der riesige Himmel als Sehstörung

„Ich will deine Meinung hören." – „Meine Meinung!" rief sie erschrocken

4. März

Immer die Frage an das Kind: „Ist etwas passiert?"
Die Leute gingen weit weg zwischen den Baumstämmen, im gelben, schräg schwebenden Nachmittagslicht, als ob sie da wandelten
Starrste Niedergeschlagenheit: und als ob doch ein Triumph unmittelbar bevorstünde (oft gegen Abend)

5. März

Beim Aufwachen lagen die Haare auf meinem Kopf wie eine fremde Hand
Der Freund erzählt, er habe seine Kinder nicht geschlagen, sondern sei ihnen auf die Füße getreten
Todesangst sei für ihn: daß die Beine kürzer würden
Der schöne Lebensinhalt von gestern vegetiert jetzt nur noch in mir als Lebensform –

Der Porzellanteller, der den Winter über im Freien war: wie kalt er ist!

Aus: Peter Handke **Das Gewicht der Welt. Ein Journal** Residenzverlag

Beispiel 3: Kleiner Erlebnisbericht mit Gedankenexkursionen (in die eigene Vergangenheit, über zwischenmenschliche Beziehungen ...)

Berlin, ich geh am frühen Morgen um den Lietzensee. Es nieselt. Ein trostloser Morgen. Ein Mann kehrt die Straße. Ich sage versuchsweise: Kali mera! Er schaut überrascht auf, er strahlt, er redet, aber leider: ich kann nicht Griechisch außer ein paar Worten, die mir im Gedächtnis blieben von der Reise 1956. Ich sage es ihm, er versteht, er sagt: Macht nix. Ich frage: Woher? Delphi? Athen? Nauplia? Er sagt: Sparta.

„Wanderer, kommst du nach Sparta, verkündige dorten, du habest uns hier liegen gesehn, wie das Gesetz es befahl." Das Gesetz, es befiehlt auch, daß dieser Mann hier den Dreck wegfegt, den wir, die Sklavenhalter, machen. Aber freilich, diese armen Luder sind froh, hier Geld zu verdienen ... Ich weiß. Das ist so. So ist die Welt nun einmal. Ich schäme mich. Es gibt eine Scham, die nie zu fühlen eine Schande ist.

Aus: Luise Rinser **Kriegsspielzeug, Tagebuch 1972–1978** S. Fischer-Verlag

Beispiel 4: Auszüge aus einem Gruppentagebuch mit Einträgen von verschiedenen Teilnehmern eines Deutschkurses.

6.3.
Die Menschen warten im Bahnhof.
Es gibt verschiedene Arten zu warten: auf den Urlaubszug und auf den Zug zur Arbeit. Die Gesichter verraten es.
Manche kommen zu spät.
Pünktlichkeit (scheinbar) ist in Deutschland anscheinend sehr wichtig. Unpünktlichkeit ist ein Laster.

13.3.
Eindrücke
Das Wetter
Hier ist immer schwer, oder Regen oder Sonne hinter Wolken.
Die Gefühle bei den Leuten hier scheinen größer zu sein.
Die Kleider der Leute in Fernsehen sind elegant, aber ohne "Finesse".
Alle Deutschen essen oft Wurst und nicht genug Fleisch.
In der Stadt dürfen Autos nur 50km/h fahren, weil die Leute so in Eile sind.
"Die Deutschen" haben die Fähigkeit, aus spontanen Bewegungen "gut funktionierende Organisationen" zu machen, die sich oft nur noch selbst verwalten.

14.3.
Gestern müßte ich 20.- DM Strafe zahlen.
Wie mag es Nela gehen?
Die Leute lieben und streiten sich.
Ich will auch mal etwas sagen.
Ich muß um 10 Uhr zu Sekretärin gehen.

17.3.
Heute bin ich schon zwei Monate in Deutschland.
In diesem zwei Monaten habe ich viele Ausländer kennen gelernt. Von den Deutschen, außer den Leuten im Institut und einer sehr netten Freundin, habe ich niemand anderen kennengelernt.
Das macht mein Leben in Deutschland ein bißchen schwer, weil ich oft allein bin.
Heute habe ich nichts besonderes nach dem Unterricht gemacht.
Ich hatte keine Lust die Hausaufgabe zu machen.
Ich habe keinen Brief an meine Familie geschrieben, und ich habe keinen Brief erhalten.

20.3.
Heute früh bin ich mit dem Vogellied aufgewacht.
Und ich habe verstanden, daß der Frühling kam.
Ich mag Frühling.
Frühling ist die schönste Jahreszeit.
Der Winter mit seinem weißen Mantel ist weg.
Nun kann man die schwere Kleidung im Schrank lassen.
Man fühlt sich leichter.
Nun ist es möglich, schöne Spaziergänge zu machen.
Das ist die Gelegenheit, die Natur zu beobachten –
Schon werden einige Blumen geboren und die grünen Stengel warten auf die Sonne, um ihre Farbe kennenzulernen.
Die Stadt ist auch fröhlicher. Ihre Einwohner entdecken den Frühling wieder und gehen durch die Straßen –
Und mit einem blauen Himmel werden die Sorgen und die Probleme weniger.
Nun ist der Frühling da – alles lächelt

Legen Sie ein Gruppentagebuch an und halten Sie Ihre täglichen Erlebnisse und Eindrücke fest.
Sprechen Sie Teile Ihres Tagebuchs auf Cassette und verschicken Sie sie als „Klingende Briefe".

Wenn Sie in Ihrem Heimatland Deutsch lernen, haben Sie keinen direkten Kontakt zum Alltag in den deutschsprachigen Ländern. Sie können aber durch Briefe oder Tonträger Kontakt aufnehmen. Schriftliche Kontakte können Sie z. B. mit bestimmten Behörden aufnehmen und sie bitten, Ihnen Plakate oder Informationen zu schicken. Politische Institutionen geben Antwort- und Informationsbroschüren zu aktuellen Themen, Reisebüros schicken Prospekte und Werbe-Plakate über Städte und Landschaften. Ihr Lehrer/Ihre Lehrerin weiß sicher einige Adressen (z. B. von der Bundesbahn, von städtischen Verkehrsbüros, von Gewerkschaften, Parteien, Krankenkassen usw.). Durch Cassetten, sogenannte „Klingende Briefe", kann man private Kontakte aufnehmen: Schulklassen, Jugendhäuser, manche Vereine sind bereit, Fragen und Eindrücke, die auf einer Cassette übersandt werden, zu beantworten, Musikstücke zu überspielen oder einfach eine Unterhaltung aufzunehmen.
Versuchen Sie es doch mal!

Spiel

Brief in Symbolsprache

Schreiben Sie einem anderen Gruppenmitglied einen Brief in Symbol-, Zeichen- oder Bildersprache, vielleicht bekommen Sie auch eine Antwort.

Beispiel:

Geliebter Peter!
Morgen fahre ich mit dem Auto nach Nürnberg!
Fährst Du mit mir? Ich bin um zehn Uhr bei Dir.

Deine Luise

Angenehm

Es ist angenehm, sich in den Sand einzuwühlen,
sich zu wälzen und faul in der Sonne zu dösen,
wenn die Brisen mit dem Sonnenbrand spielen.
Kreuzworträtsel kann man ohne Schwierigkeiten lösen,
wenn man diesen römischen Grenzwall kennt,
mit fünf Buchstaben, einer vermutlich ein S.
Es ist angenehm, sich einfach so treiben zu lassen,
und es gibt noch viel Angenehmeres.

Das ist angenehm. Das ist angenehm.

Es ist angenehm, so in den Tag reinzutrödeln,
zum Beispiel am vierten August,
oder wenn was passiert und man sagen kann:
„Also ich hab das nämlich schon immer gewußt!"
Oder man stößt in der Cordjackentasche
ganz unerwartet auf sechs Mark und vierzig,
oder wenn man einen Angeber kennt,
der zwar meint, daß er's besser weiß, aber er irrt sich.

Das ist angenehm. Das ist angenehm.

Es ist angenehm, wenn man im Fußgängertunnel
so brüllt, daß es fürchterlich widerhallt,
oder nachts einfach über die Kreuzung zu schlendern,
wo tags der Verkehr sich verknotet und ballt.
Oder man trifft einen ganz neuen Freund,
der bei uralten Witzen noch so richtig schön lacht.
Es ist angenehm, jemanden wiederzusehn,
dessen Bartwuchs wohl auch keine Fortschritte macht.

Das ist angenehm. Das ist angenehm.

Es ist angenehm, wenn man mit fast schon vergessenen
Erdkundekenntnissen glänzen kann.
Betten und Briefe und Brüste und Bach . . .
Eine Liste, die jeder ergänzen kann.
Es ist angenehm, wenn du schon schläfst, noch zu denken,
was du jetzt wohl träumst oder fühlst.
Dein Körper ist warm und sehr angenehm.
Es wär angenehm, wenn du das Geschirr morgen spülst.

Das wär angenehm. Das wär angenehm.

Aus: Thommie Bayer Band **Feindliches Gebiet**

Größenordnungen

A Was ist ARBEIT?

Bitte entscheiden Sie jeder für sich, ob es sich bei den folgenden Tätigkeiten um
ARBEIT handelt. Wählen Sie dann 5 Fälle aus und geben Sie die Kriterien für Ihre
Entscheidung an.

Tätigkeit	ja = X **Arbeit** nein = 0	Kriterium
1. Ein Priester trinkt nach einer Taufe mit der Familie Kaffee.		
2. Ein Arbeiter trägt ein Werkzeug von einer Seite der Halle zur anderen, damit der Meister nicht sieht, daß er keine Arbeit hat.		
3. Kinder bauen am Strand eine Burg.		
4. Ein Unteroffizier zielt auf einen Pappkameraden.		
5. Ein Chauffeur wartet auf den Direktor.		
6. Ein Angestellter wartet auf der Toilette auf das Ende der Arbeitszeit.		
7. Ein Deutschlehrer geht ins Theater.		
8. Eine Animierdame läßt sich zum Whisky einladen.		
9. Frau Karla S. hat Kurzarbeit und näht sich einen Rock.		
10. Bauern kippen Obst ins Meer.		
11. Schüler diskutieren in der Pause über den Unterrichtsstil des Lehrers.		
12. Ein Mann gräbt ein Loch in die Erde und schüttet es wieder zu.		
13. Ein Hund bellt den Briefträger an.		
14. Eine Ehefrau macht sich jeden Abend um 19 Uhr für ihren Mann schön.		
15. Eine Ameise repariert mit anderen ihren Bau, den ein Spaziergänger zerstört hat.		

(Nach einer Idee von Wendula Dahle)

Tourist und Fischer

B

Anekdote zur Senkung der Arbeitsmoral

Heinrich Böll

In einem Hafen an einer westlichen Küste Europas liegt
ein ärmlich gekleideter Mann in seinem Fischerboot
und döst. Ein schick angezogener Tourist legt eben
einen neuen Farbfilm in seinen Fotoapparat, um das
5 idyllische Bild zu fotografieren: blauer Himmel, grüne
See mit friedlichen schneeweißen Wellenkämmen,
schwarzes Boot, rote Fischermütze. Klick. Noch einmal: klick, und da aller guten Dinge drei sind und
sicher sicher ist, ein drittes Mal: klick. Das spröde, fast
10 feindselige Geräusch weckt den dösenden Fischer, der
sich schläfrig aufrichtet, schläfrig nach seiner Zigaret-
tenschachtel angelt; aber bevor er das Gesuchte
gefunden hat, hat ihm der eifrige Tourist schon eine
Schachtel vor die Nase gehalten, ihm die Zigarette
15 nicht gerade in den Mund gesteckt, aber in die Hand
gelegt, und ein viertes Klick, das des Feuerzeuges,
schließt die eilfertige Höflichkeit ab. Durch jenes kaum
meßbare, nie nachweisbare Zuviel an flinker Höflichkeit ist eine gereizte Verlegenheit entstanden, die der
20 Tourist – der Landessprache mächtig – durch ein
Gespräch zu überbrücken versucht.
„Sie werden heute einen guten Fang machen."
Kopfschütteln des Fischers.
„Aber man hat mir gesagt, daß das Wetter günstig ist."
25 Kopfnicken des Fischers.
„Sie werden also nicht ausfahren?"
Kopfschütteln des Fischers, steigende Nervosität des
Touristen. Gewiß liegt ihm das Wohl des ärmlich
gekleideten Menschen am Herzen, nagt an ihm die
30 Trauer über die verpaßte Gelegenheit. „Oh, Sie fühlen
sich nicht wohl?"
Endlich geht der Fischer von der Zeichensprache zum
wahrhaft gesprochenen Wort über. „Ich fühle mich
großartig", sagt er. „Ich habe mich nie besser gefühlt."
35 Er steht auf, reckt sich, als wolle er demonstrieren, wie
athletisch er gebaut ist. „Ich fühle mich phantastisch."
Der Gesichtsausdruck des Touristen wird immer un-
glücklicher, er kann die Frage nicht mehr unterdrücken,
die ihm sozusagen das Herz zu sprengen droht: „Aber
40 warum fahren Sie dann nicht aus?"
Die Antwort kommt prompt und knapp. „Weil ich heute
morgen schon ausgefahren bin."
„War der Fang gut?"
„Er war so gut, daß ich nicht noch einmal auszufahren

Verständnishilfen

. . . **döst** träumt (halb schlafend)
vor sich hin

. . . **Wellenkämme** Wellenspitzen

. . . **feindselig** feindlich
. . . **nach . . . angelt** nach . . . greift

. . . **der eifrige Tourist**
der aufmerksame Tourist

. . . **die eilfertige Höflichkeit** die eilige,
etwas überstürzte Höflichkeit

. . . **gereizte Verlegenheit** aggressive
Unsicherheit/Verwirrung

. . . **überbrücken** überwinden

. . . **nagt an ihm** quält ihn

. . . **reckt sich** streckt sich

. . . **unterdrücken** zurückhalten
. . . **sprengen** zerbrechen

brauche, ich habe vier Hummer in meinen Körben
gehabt, fast zwei Dutzend Makrelen gefangen . . ."
Der Fischer, endlich erwacht, taut jetzt auf und klopft
dem Touristen beruhigend auf die Schultern. Dessen
5 besorgter Gesichtsausdruck erscheint ihm als ein Ausdruck zwar unangebrachter, doch rührender Kümmernis.
„Ich habe sogar für morgen und übermorgen genug",
sagt er, um des Fremden Seele zu erleichtern. „Rauchen Sie eine von meinen?"
10 „Ja, danke."
Zigaretten werden in Münder gesteckt, ein fünftes
Klick, der Fremde setzt sich kopfschüttelnd auf den
Bootsrand, legt die Kamera aus der Hand, denn er
braucht jetzt beide Hände, um seiner Rede Nachdruck
15 zu verleihen.
„Ich will mich ja nicht in Ihre persönlichen Angelegen-
heiten mischen", sagt er, „aber stellen Sie sich mal vor,
Sie führen heute ein zweites, ein drittes, vielleicht
sogar ein viertes Mal aus und Sie würden drei, vier,
20 fünf, vielleicht gar zehn Dutzend Makrelen fangen . . .
stellen Sie sich das mal vor."
Der Fischer nickt.
„Sie würden", fährt der Tourist fort, „nicht nur heute,
sondern morgen, übermorgen, ja, an jedem günstigen
25 Tag zwei-, dreimal, vielleicht viermal ausfahren –
wissen Sie, was geschehen würde."
Der Fischer schüttelt den Kopf.
„Sie würden sich in spätestens einem Jahr einen Motor
kaufen können, in zwei Jahren ein zweites Boot, in drei
30 oder vier Jahren könnten Sie vielleicht einen kleinen
Kutter haben, mit zwei Booten oder dem Kutter würden Sie natürlich viel mehr fangen – eines Tages würden Sie zwei Kutter haben, Sie würden . . .", die Begeisterung verschlägt ihm für ein paar Augenblicke die
35 Stimme, „Sie würden ein kleines Kühlhaus bauen, vielleicht eine Räucherei, später eine Marinadenfabrik, mit
einem eigenen Hubschrauber rundfliegen, die Fisch-
schwärme ausmachen und Ihren Kuttern per Funk
Anweisung geben. Sie könnten die Lachsrechte erwer-
40 ben, ein Fischrestaurant eröffnen, den Hummer ohne
Zwischenhändler direkt nach Paris exportieren – und
dann . . .", wieder verschlägt die Begeisterung dem
Fremden die Sprache. Kopfschüttelnd, im tiefsten Herzen betrübt, seiner Urlaubsfreude schon fast verlustig,
45 blickt er auf die friedlich hereinrollende Flut, in der die
ungefangenen Fische munter springen. „Und dann",
sagt er, aber wieder verschlägt ihm die Erregung die
Sprache.
Der Fischer klopft ihm auf den Rücken, wie einem
50 Kind, das sich verschluckt hat. „Was dann?" fragt er
leise.

. . . **taut . . . auf** wird freundlicher,
gesprächiger

. . . **ein Ausdruck zwar unangebrachter,
doch rührender Kümmernis**
ein Ausdruck unpassender, aber
liebevoller Sorge

. . . **Marinade** (Soße aus Weinessig, Öl
und Gewürzen)

. . . **die Lachsrechte** Erlaubnis,
den Lachs zu fangen

. . . **verschlägt die Begeisterung dem
Fremden die Sprache** kann der
Fremde vor Begeisterung nicht mehr
sprechen

. . . **munter** vergnügt

. . . **das sich verschluckt hat** dem etwas
im Hals steckengeblieben ist

Für den Touristen bedeutet mehr Arbeit mehr geld und dann zufriedenheit.
Der Fischer ist zufrieden ohne sicherheit und geld.

„Dann", sagt der Fremde mit stiller Begeisterung, „dann könnten Sie beruhigt hier im Hafen sitzen, in der Sonne dösen – und auf das herrliche Meer blicken."
„Aber das tu ich ja schon jetzt", sagt der Fischer, „ich
5 sitze beruhigt am Hafen und döse, nur Ihr Klicken hat mich dabei gestört."

*

Was bedeutet ARBEIT für den Touristen? Und was für den Fischer?

*

Tatsächlich zog der solcherlei belehrte Tourist nachdenklich von dannen, denn früher hatte er auch einmal geglaubt, er arbeite, um eines Tages einmal nicht mehr arbeiten zu müssen, und es blieb keine Spur von Mitleid mit dem ärmlich gekleideten Fischer in ihm zurück, nur ein wenig Neid.

Und wie viele Konflikte werden dadurch vermieden, daß sich Leute nicht verstehen?

Gesprächsanfänge

C

Bitte lesen Sie die folgenden Dialogausschnitte:

A: In Ihrem Land gibt es keine Freiheit.
B: Wieso? Mein Land ist frei von Hunger und Analphabetentum.
A: Ja, aber . . .

A: Bist du eigentlich glücklich?
B: Ja, ich bin gut verheiratet und wir haben eine hübsche Wohnung.
A: Ja, aber . . .

A: Ja, das glaub ich schon, daß die Umstellung schwierig ist für euch, wenn ihr in ein zivilisiertes Land kommt.
B: Nennen Sie das Zivilisation, wenn Hunde auf dem Sofa liegen dürfen?
A: Ja, aber . . .

A: Hast du gestern gut gegessen?
B: Ja, Kartoffeln mit Quark, große Klasse.
A: Das nennst du „essen"? . . .

A: Hast du schon die neue Sommermode gesehen? Verrückt was?
B: Das interessiert mich nicht so sehr.
A: Aber das ist doch wichtig . . .

A: Welches Deodorant nimmst du?
B: Ich nehm so was nicht.
A: Ja, aber . . .

1 Wie könnten die Gespräche weitergehen? Schreiben Sie bitte eine Fortsetzung.

2 Vergleichen Sie in der Gruppe Ihre Fortsetzungen. Was müssen A und B tun, um das Gespräch inhaltlich voranzubringen?

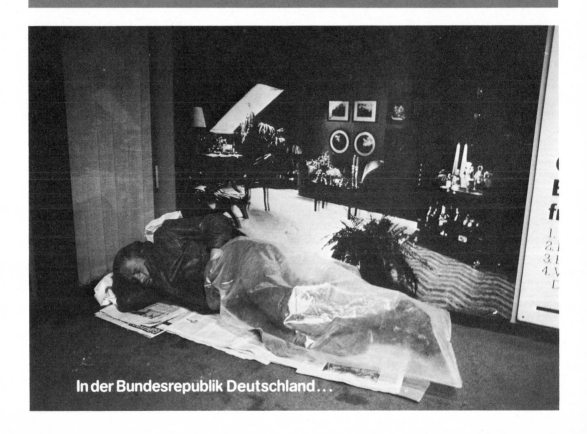

Projekt

Bitte bilden Sie kleine Gruppen und machen Sie **Tonband-interviews**. Sie können dazu diese oder andere Gesprächsanfänge benutzen.

In der Bundesrepublik Deutschland...

Mehmet, 18 Jahre, lernt seit kurzem Deutsch.

17.01.979
Donnerstag
Abent

TRÄUME

Ich habe dich in mein träum gesehen,
In einen rozen garken,
Ich hat die dainen haren gestrachelt,
Swischen den Frolings blumen.
ɣ ɑ ɑ ɑ ɑ ɑ ɑ ɑ ɑ ɑ
Du hattest schöne sprüche,
Wie ein Vogel, die über Rote Rose sang.
Über Roze finges Regen zu tropfen,
Deine Lächel konnte einen Mensch
            Verrückt machen.

Ich weis nicht warum diese
            fräume zu ende sind,
Der Wind blas mein Licht aus.
Blieb dann im Dunkel kamm
            sie mich,
Rette mich wenn du mich liebst.
ɣ ɑ ɑ ɑ ɑ ɑ ɑ ɑ ɑ ɑ
Die Tage vergehen ohne dich nicht,
Imgarten quitschen die Vögeln
            nicht mehr.
Liebes feuer ging aus
Es sind für mich nur ~~Vergen~~
    Vergangene
        Schöne tage.
        17.01.979
            Januar

59. Herr Keuner und die Flut

Herr Keuner ging durch ein Tal, als er plötzlich bemerkte, daß seine Füße in Wasser gingen. Da erkannte er, daß sein Tal in Wirklichkeit ein Meeresarm war und daß die Zeit der Flut herannahte. Er blieb sofort stehen, um sich nach einem Kahn umzusehen, und solange er auf einen Kahn hoffte, blieb er stehen. Als aber kein Kahn in Sicht kam, gab er diese Hoffnung auf und hoffte, daß das Wasser nicht mehr steigen möchte. Erst als ihm das Wasser bis ans Kinn ging, gab er auch diese Hoffnung auf und schwamm. Er hatte erkannt, daß er selber ein Kahn war.

Bertolt Brecht

Übungen

Definitionen

1 Lesen Sie bitte die folgenden Definitionen und ermitteln Sie in Kleingruppen, welche Strukturen häufig zur Angabe von Merkmalen verwendet werden:

die Gelegenheit (günstiger) Zeitpunkt oder Ort, an dem man die Möglichkeit hat, etwas Bestimmtes zu tun; Möglichkeit, etwas Bestimmtes zu tun (Beispiel: die Waschgelegenheit)

sprengen mit Sprengstoff zerstören; mit Gewalt öffnen; durch Druck von innen her zerstören

der Hummer sehr großer, in allen europäischen Meeren außer der Ostsee vorkommender Speisekrebs mit stark entwickeltem ersten Scherenpaar

die Makrele als Speisefisch geschätzter Meeresfisch/im Meer lebender Fisch

der Hubschrauber Flugzeug, das seinen Auftrieb durch umlaufende Drehflügel erhält

das Flugzeug Luftfahrzeug, das schwerer ist als die Luft, die von ihm verdrängt wird/als die von ihm verdrängte Luft und das sich daher nur durch dynamischen Auftrieb in die Luft erheben kann

der Zwischenhändler Händler, der Waren vom Erzeuger (Produzenten) kauft und an einen Verkäufer weiterverkauft; Großhändler

die Sonne selbstleuchtender Fixstern, um den sich die Planeten drehen

die **Wurzel**

Teil einer Pflanze, der sich in der Erde befindet

der sich in der Erde befindende Teil einer Pflanze

der in der Erde befindliche Teil einer Pflanze

2 Formen Sie bitte die Definitionen nach folgendem Muster um:

---

der Snob reicher, aber ungebildeter Mensch, der vornehm tut ⇒ *reicher, vornehm tuender, aber ungebildeter Mensch*

---

der Mond Himmelskörper, der einen Planeten umkreist →

Massenmedien Publikationsmittel, die sehr breite Bevölkerungsschichten erreichen →

der Parasit Lebewesen, das sich von einem anderen Lebewesen ernährt; Mensch, der von der Arbeit anderer lebt →

der Demagoge politischer Redner, der an Gefühle und niedrige Instinkte appelliert und sich dabei unsachlicher Vereinfachungen, Verdrehungen oder der Lüge bedient →

3 Was bedeuten die folgenden Wörter? Versuchen Sie bitte, für Ihre Definitionen die Strukturen aus den Aufgaben 1 und 2 zu verwenden. Wenn die Bedeutung eines Wortes in der Bundesrepublik Deutschland und in Ihrem Land unterschiedlich ist, so geben Sie bitte verschiedene Definitionen:
Schule – Mann – Frau – Kind – Auto – Kognak – Wein – Essen – Kapitalist

Wenn Ihnen diese Begriffe nicht gefallen, können Sie auch andere wählen. Und wenn Sie mit Ihren Definitionen fertig sind, dann schauen Sie doch mal in einem einsprachigen deutschen Lexikon nach, was dort steht.

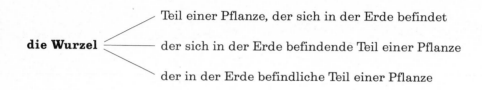

SCHWANZ BEISST IST EIN SATZ DER SICH IN DEN

Diskussion Politische Begriffe

Wählen Sie · · ·   Sicherheit · · ·   Freiheit für · ·   Freiheit statt · · ·
Lebensqualität . . .   Frieden . . .   Europa . . .

1 Unterstreichen Sie in den abgedruckten Werbeanzeigen von CDU, FDP und SPD zur Europawahl 1980 die verwendeten politischen Begriffe (Schlagwörter, Losungen, Parolen). Stellen Sie sie in Form einer Liste (Liste A) zusammen.

2 Könnte eine Partei oder eine andere Organisation oder Gruppe mit diesen Begriffen in Ihrem Land Sympathien erringen oder Wähler gewinnen?

3 Schreiben Sie bitte drei bis fünf Begriffe auf, die in politischen Auseinandersetzungen Ihres Landes, z. B. bei Wahlen, häufig verwendet werden (Liste B). Was bedeuten diese Begriffe?

Projekt

4 Wählen Sie bitte je drei Begriffe von Liste A und Liste B aus. Bilden Sie zwei Enquêtegruppen und führen Sie eine **Umfrage** auf der Straße, in Cafés oder an anderen öffentlichen Orten durch.
Gruppe 1 fragt, was die Begriffe der Liste A, Gruppe 2, was die Begriffe der Liste B für die Befragten persönlich bedeuten und wie Sie sie definieren würden. (Sie können auch Verwandte und Freunde befragen.)

Ordnen Sie bitte die Ergebnisse und tragen Sie sie der Gesamtgruppe vor. Finden Sie Gemeinsamkeiten und Unterschiede heraus.
Versuchen Sie in der Diskussion, historische, politische, ökonomische und andere Faktoren herauszufinden, die die jeweilige Bedeutung der Begriffe determinieren.

Wo die Konservativen am längsten regieren, sind die Kommunisten am stärksten. Sie wissen, warum.

Nehmen Sie Italien. Da regieren Christdemokraten seit über 30 Jahren. Und die Kommunisten regieren rein.

Nehmen Sie aber die Bundesrepublik. Da versuchen die Christdemokraten reinzuregieren. Und die Kommunisten sind eine Null-Komma-Sowieso-Partei. Wir wissen, warum. Wir bekämpfen die Kommunisten seit 50 Jahren und: „Für uns bleiben sie politische Gegner." Europa-Programm der SPD 1978. (Seite 94)

Nur die CDU/CSU will Ihnen etwas anderes einreden. Sie wissen, warum. Sie sollten sich an die Tatsachen halten: Wo Sozialdemokraten stark sind, haben die Kommunisten nun einmal keine Chance.

Mit wem und wie wir Europa bauen wollen, das können Sie in unserem Programm lesen.

Sozialdemokraten kämpfen seit 100 Jahren für Völkerverständigung in Europa. Heute stehen dafür – im Europäischen Rat: Bundeskanzler Helmut Schmidt – im Europa-Parlament: Willy Brandt und Heinz-Oskar Vetter.

Ich möchte das Europa-Programm der SPD lesen.

Bitte ausfüllen und abschicken an den Vorstand der SPD, Erich-Ollenhauer-Haus, 5300 Bonn 1.

SPD

Name:

Anschrift:

Sie erhalten das Programm postwendend und kostenlos.

Bitte vormerken: am 10. 6. 1979 ist Europawahl.

Position für Europa.

Hausaufgabe

Eindrücke und Gedanken

1 Einigen Sie sich auf eine ganz bestimmte Stelle an Ihrem Kursort, von der aus man Menschen beobachten kann, begeben Sie sich für ca. 10–15 Minuten dorthin und beschreiben Sie dann genau die Eindrücke und Gedanken, die Sie während dieser Zeit dort hatten (Sie können sich während der 10–15 Minuten Stichworte aufschreiben). Bitten Sie auch Ihren Lehrer oder Ihre Lehrerin, dies zu tun.

2 Suchen Sie eine Ansichtskarte oder eine Zeichnung von der gewählten Stelle (oder markieren Sie diese auf dem Stadtplan) und hängen Sie Ihre EINDRÜCKE und GEDANKEN darunter auf.

3 Diskutieren Sie, was an Ihren EINDRÜCKEN und GEDANKEN ähnlich bzw. unterschiedlich ist. Bestimmen Sie, ob der/die Beschreibende jeweils selbst Teil der Situation war oder ob er/sie „von außen" beschrieben hat. Suchen Sie Erklärungen zu beiden Fragestellungen.

4 Stellen Sie sich vor, Sie würden verschiedenen Personen Ihren Kursort zeigen: einem Kind, einem Freund, einer Freundin, einem ausländischen Kollegen, einer Kollegin, einem Touristen, . . . Würden Sie allen die gleichen Dinge zeigen, und würden Sie allen die gleichen oder verschiedene Erklärungen dazu geben?

Echo im Schwarzwald

Hans Manz

„Hu!"	„Ha!"
„Huhu!"	„Haha!"
„Buch!"	„Bach!"
„Fluch!"	„Flach!"
„Wurm du!"	„Warm da!"
„Sulzhuhn!"	„Salzhahn!"
„Ungezogener Lumpenschuft!"	„Angezogener Lampenschaft!"
„Du kannst nicht husten!"	„Da kannst nicht hasten!"
„Hund	„Hand
rund	Rand
wund	Wand
Bund!"	Band!"
„Uhuuu!"	„Ahaaa!"

Bildertest

Ein deutscher Lehrer in Japan hat einmal festgestellt, daß seine Schüler von den Personen, die im Lehrwerk abgebildet waren, einen ganz anderen Eindruck hatten als er: während er glaubte, diese blickten freundlich (in die Kamera), waren seine Schüler eher der Meinung, sie seien gerade böse auf etwas. Wie ist das bei Ihnen in diesem Sprachkurs? Beantworten Sie die folgenden Fragen und diskutieren Sie später Ihre Antworten (nicht unbedingt das Testergebnis) mit einem Deutschen.

Schlagen Sie die Fotos auf den Seiten 8, 83, 114, 163 auf und beantworten Sie die folgenden Fragen auf der Skala durch ein Kreuz auf einer Zahl.

Die Hauptperson

— ist eher arm

$\quad$ eher reich

$$-3 \quad -2 \quad -1 \quad \pm0 \quad +1 \quad +2 \quad +3$$

— ist gerade

sehr unglücklich $\qquad$ sehr glücklich

$$-3 \quad -2 \quad -1 \quad \pm0 \quad +1 \quad +2 \quad +3$$

— geht einem Beruf nach mit

eher geistiger Arbeit $\qquad$ eher körperlicher Arbeit

$$-3 \quad -2 \quad -1 \quad \pm0 \quad +1 \quad +2 \quad +3$$

— tut für die Familie (und nicht für den Beruf)

eher sehr wenig $\qquad$ eher sehr viel

$$-3 \quad -2 \quad -1 \quad \pm0 \quad +1 \quad +2 \quad +3$$

— geht in die Kirche

gar nicht $\qquad$ sehr oft

$$-3 \quad -2 \quad -1 \quad \pm0 \quad +1 \quad +2 \quad +3$$

— ist Ihnen

eher unsympathisch $\qquad$ sehr sympathisch

$$-3 \quad -2 \quad -1 \quad \pm0 \quad +1 \quad +2 \quad +3$$

(Die Testergebnisse finden Sie auf Seite 34.)

AUSWERTUNG

Zählen Sie Ihre angekreuzten Zahlen wie folgt zusammen:

Wieviele ± 0 multipliziert mit 0 =
Wieviele ± 1 multipliziert mit 1 =
Wieviele ± 2 multipliziert mit 2 =
Wieviele ± 3 multipliziert mit 3 = _____
             Punktzahl:

Ergebnis:

0–3 Punkte: Sie können sich nicht entscheiden. Man kann aber nicht lange „neutral" bleiben, sonst blockiert man sich. Tun Sie etwas dagegen, treffen Sie bewußt Entscheidungen, werden Sie ein wenig bestimmter, ja, fast resoluter. Auf dem Standesamt wird sich jeder entscheiden müssen.

4–6 Punkte: Sie sind ein wenig wankelmütig, vorsichtig, aber warum auch nicht, denn man hält Sie für sympathisch, liebenswürdig, angenehm, auch weil Sie keine extremen Meinungen über andere haben. Können Sie auch mal „aus der Haut fahren" und boshaften Menschen die Meinung sagen? – Bleiben Sie in Ihrer Heimat wie Sie sind, werden Sie in Deutschland aber mutiger mit Ihrem Urteil. Manche Sachen (aber nicht alle!) kann man dort schon direkter ausdrücken.

7–10 Punkte: Sicher sind Sie nett, liebenswürdig und beliebt, wahrscheinlich auch hübsch, bzw. gut aussehend, vielleicht ähnlich „dem Deutschen", den Politiker anzusprechen versuchen? Ihr Urteil ist ausgewogen. Aber: Bleiben Sie immer bei Ihrem ersten Urteil oder ändern Sie es leicht, wenn Sie eine Person besser kennenlernen?

11–14 Punkte: Von vielen Menschen werden Sie als gewinnend, anziehend angesehen, einige wenige mögen Sie nicht. Wenn Sie flexibel sind und Ihre Urteile über andere als Hypothesen ansehen, als vorläufig, und Sie auch ändern können, bleiben Sie so! Sie werden viel von Deutschland und besonders von den Menschen sehen, wenn Sie einmal dorthin kommen.

15–18 Punkte: Sie Extremist! Seien Sie ein wenig umsichtiger, vorsichtiger, rücksichtsvoller, wenn Sie Schlüsse ziehen über Menschen. Haben Sie Vorurteile? Oder gehen Sie erstmal von einer extremen Interpretation aus und korrigieren Sie Ihr Urteil dann?

(Wenn Sie einige Wörter nicht verstehen, schlagen Sie sie im Wörterbuch nach. Wenn Sie dort zu viele Übersetzungen finden und nicht sicher sind, welche richtig ist, fragen sie Ihren Lehrer/Ihre Lehrerin oder jemand anderen. „Testen" Sie auch einmal Deutsche.)

Spiel
Zeugenvernehmung

Fragen Sie Ihren Lehrer oder Ihre Lehrerin nach den Spielregeln.

Deuts sein
schwäre Sprach!

In des Waldes tiefen Gründen
ist kein Räuber mehr zu finden.

Französisch:
In des Waldion tiefion Gründion
ist kein Räubion mehr zu findion.

Polnisch:
In des Waldski tiefski Gründski
ist kein Räubski mehr zu findski.

Tschechisch:
In des Waldtscheck tieftscheck Gründtscheck
ist kein Räubtscheck mehr zu findtscheck.

Russisch:
In des Waldewitsch tiefewitsch Gründewitsch
ist kein Räubewitsch mehr zu findewitsch.

Chinesisch:
In des Waldtsching tieftsching Gründtsching
ist kein Räubtsching mehr zu findtsching.

Japanisch:
In des Waldoheio tiefoheio Gründoheio
ist kein Räuboheio mehr zu findoheio.

Lateinisch:
In des Waldibus tiefibus Gründibus
ist kein Räubibus mehr zu findibus.

usw.

In der Bundesrepublik Deutschland...

3 Schauen Sie sich die **Bildgeschichte** an und schreiben Sie jetzt die fortlaufende
Geschichte unter die Bilder.

1B

1   2   3

4   5

4 Vergleichen Sie Ihren Text mit Ihren ersten Kommentaren auf Seite 9 und mit dem
Text der anderen Gruppenmitglieder.
Wer hat was gesehen? Warum?
Warum haben Sie beim ersten Betrachten eventuell etwas anderes wahrgenommen als
beim zweiten Mal?

Der kleine König

Hans-Joachim Gelberg

Der kleine König steht vor dem Spiegel. „Wo ist meine Krone?" fragt er.

Aber der kleine Kammerherr hat sie zur Reparatur weggebracht. Etwas war nicht in Ordnung. Er hat die Krone in eine Aktentasche gepackt, gut in Seidenpapier eingeschlagen, und hat den Juwelier um rasche Arbeit gebeten. Denn Könige ohne Krone haben schlechte Laune.

„Gleich ist die Krone fertig", sagt der kleine Kammerherr.

Der kleine König steht am Fenster und sieht dem kleinen Kammerherrn nach, der über die Straße läuft, um die Krone abzuholen.

Da kommt der kleine Weltreisende ins Zimmer. Er hat noch nicht einmal angeklopft, so eilig hat er es. „Wo ist der König?" fragt er.

„Ich bin der König", sagt der kleine König.

„Du bist doch nicht der König", sagt der kleine Weltreisende. „Könige tragen eine Krone."

„Das ist richtig", sagt der kleine König. „Dann müssen wir etwas warten. Meine Krone wird eben geholt."

„Das ist schade", sagt der kleine Weltreisende. „Ich hätte so gerne einen König gesehen."

„Wir müssen warten", wiederholt der kleine König.

Vielleicht gibt es keine Könige mehr, überlegt der kleine Weltreisende.

Da kommt der kleine Kammerherr zurück. Vorsichtig öffnet er die Aktentasche, raschelt mit dem Seidenpapier. Schließlich kommt die Krone zum Vorschein. Sie blitzt und funkelt wie neu, und der kleine Kammerherr setzt sie dem kleinen König auf.

„Oh, ein König", sagt der kleine Weltreisende und geht zufrieden davon.

FREIHEIT STATT SOZIALISMUS

Werbeslogan einer Partei im Bundestagswahlkampf 1976

Was andere daraus machten:

Für Fußballer:	Freistoß	statt	Sozialismus
Für Hobbyfreunde:	Freizeit	statt	Sozialismus
Für Flipper-Fans:	Freispiel	statt	Sozialismus
Für den deutschen Adel:	Freiherr	statt	Sozialismus
Für Fahrradfahrer:	Freilauf	statt	Sozialismus
Für Ringer:	Freistil	statt	Sozialismus
Für Schnorrer:	Freibier	statt	Sozialismus
Für Lustmolche:	Freiwild	statt	Sozialismus
Für den Fall, daß alle Stricke reißen sollten:	Freitod	statt	Sozialismus

Wohnen

1 Wie wohnt eine Durchschnittsfamilie in Ihrem Land?
Welche Funktionen hat die Wohnung bei Ihnen? (Was wird in der Wohnung getan? Welche Lebensbereiche sind auf die Wohnung bezogen?)

Aus welchen Räumen besteht eine typische Wohnung? Beschreiben Sie diese Räume und geben Sie ihre Funktionen an. Mit welchen Gegenständen wird die Wohnung eingerichtet und geschmückt?

2 Haben Sie schon einmal Deutsche in ihrer Wohnung besucht? Berichten Sie.

Gestern

Günter Bruno Fuchs

Jestern
kam eena klingeln
von Tür zu
Tür. Hat nuscht
jesagt. Kein

Ton. Hat so schräg
sein Kopf
jehalten, war
still. Hat nuscht
jesagt,

als wenn der
von jestern
war
und nur mal
rinnkieken wollte,
wies sich so
lebt.

Projekt

Arbeiten Sie **Fragebogen** zum Thema „Wohnen in der Bundesrepublik" aus. Versuchen Sie, Familien oder Wohngemeinschaften zu finden, die bereit sind, Sie zu einem Interview einzuladen oder denen Sie den Fragebogen zuschicken können.

Bei diesem Projekt geht es nicht darum, statistisch einwandfreie Ergebnisse über „objektive" Tatsachen wie Größe (qm²), Anzahl der Räume, Personenzahl und Kosten zusammenzutragen. Sie sollen vielmehr lernen, wie man Unterschiede im Wohnen feststellen kann und wie man sie individuell und gesellschaftlich begründen kann. Die Grundfrage ist also: Welche Bedürfnisse haben die Personen in ihrem Wohnbereich? Welche werden erfüllt? Welche nicht?

Wie wir um die Jahrhundertwende leben werden

Von Dieter Stäcker

An die ideale Wohnung stellt eine Mehrheit von Bundesbürgern zwei wesentliche Anforderungen: Man will dort einerseits ungestört seinen Hobbys

5 nachgehen können und andererseits die Bedürfnisse nach intensiven mitmenschlichen Kontakten befriedigt sehen. Solche Wünsche, die eine Arbeitsgruppe der Gesamthochschule Kassel jetzt analysierte, werden dazu führen, daß in den nächsten Jahren die Gründung von Wohngemeinschaften stark zunimmt.

10 Diese aus Kleingruppen (Paare) und Kleinfamilien zusammengesetzten Gemeinschaften werden Großwohnungen vorwiegend für zwei bis vier Familien suchen oder Häuser für bis zu 30 Bewohner mieten oder bauen. Diese Häuser sollen möglichst auf dem

15 Land liegen. Sie werden – entsprechend dem Gesamteinkommen der Gemeinschaft – mit gemeinsam zu nutzenden Gärten, Schwimmbecken, Saunas oder Hobbyräumen ausgestattet sein und enthalten für jedes Gruppenmitglied einen eigenen Raum.

20 Die Studie [...] prophezeit auch bei den herkömmlichen Einfamilienwohnungen tiefgreifende Veränderungen: die Zuordnung der einzelnen Räume zu bestimmten Funktionen (Wohnzimmer, Schlafzimmer) wird aufgehoben werden zugunsten von eige-

25 nen Zimmern für jedes Familienmitglied. Dafür wird aus dem traditionellen Wohnzimmer, das heute noch vielerorts als das „gute Zimmer" bezeichnet wird, ein Kommunikationsraum, der in etwa den alten Bauernküchen vergleichbar ist: hier wird gekocht, gegessen, gespielt, hier sitzt man zum Plausch zusammen 30 und feiert seine Feste.

Mit der Veränderung der Wohnweise werden auch Lebensgewohnheiten aufgelockert, die heute noch festgefügt zu sein scheinen. Die Forscher glauben, daß bald die Hausarbeiten nicht mehr generell von 35 den Frauen geleistet werden, sondern gleichberechtigt von allen Familienmitgliedern (auch vom Mann) zu erbringen sind. Auch die Kindererziehung wird nicht mehr nur die Mütter in Anspruch nehmen, denn im Jahre 2000 wird der Nachwuchs in den Wohnge- 40 meinschaften oder in hauseigenen Kinderräumen von mehreren Erwachsenen betreut werden. Die alten Mitmenschen, die heute zumeist etwas abseits in Altersheimen wohnen, werden stärker in die Gemeinschaft integriert. Sie leben nach Meinung der 45 Forscher in 20 Jahren weitgehend entweder mit Leuten aller Altersschichten in Hausgemeinschaften zusammen oder in Altenwohnungen, die ganz in der Nähe des früheren Lebenskreises liegen.

Frankfurter Rundschau, 29. 9. 1976

---

3 Welche Tendenz glauben manche Forscher in der Bundesrepublik Deutschland zu erkennen?
Welche Veränderungen des Zusammenlebens und der Wohnformen werden hier prophezeit?
Wie fänden Sie eine solche Entwicklung?

4 Glauben Sie, daß es auch Veränderungen in der Sprache geben wird, wenn die in der Studie prophezeite Entwicklung eintritt?
Wird man noch von „Küche", „Schlafzimmer" usw. sprechen? Welche Wörter werden ihre Bedeutung verändern? Wie müßten sie dann neu definiert werden?

FRAGEBOGEN O

B Kinderzimmer

Anruf einer Hörerin in einer Sendung des Hessischen Rundfunks über die Lage der Kinder in der Bundesrepublik Deutschland. Hören Sie den Text auf der Cassette.

> Ja, hier ist Müller, Ischertsheim. Ich hab auch in punkto mit dem Kinderzimmer . . . ich bin also 'ne Oma mit sechs Enkel, wohn allerdings nicht bei den Kindern, aber ich . . . komme sehr viel hin, und hier werden immer große Kinderzimmer verlangt: Ich finde, das Kinderzimmer kann gar nit klein genug sein, aber das Wohnzimmer, das sollte endlich mal als das benutzt werden, was es heißt, und nicht Riesensessel und Couchtisch und alles Mögliche, wo kein Kind auch nur in die Nähe kommen darf . . . Und es is doch so, daß die Kinder eh zur Mutter ziehen. Die kommen an mit ihren Spielsachen und breiten die aus; sie wollen dabei sein, sie wollen's der Mutter zeigen . . . Da . . . sind's dann im Kinderzimmer . . . da heißt's „Mutti, Mutti" – „Ach, schon wieder!" usw., anstatt man den Kindern das Wohnzimmer mit zur Verfügung stellt, wo die Eltern drin sind bzw. auch wenn die Oma kommt. Man will ja gar nicht isoliert sein. Die Kinder wer'n viel zu viel isoliert! Das möcht ich dazu sagen.

1 Welche Beziehung hat die Frau zu Kindern?

2 Was haben die anderen Hörer gefordert, die vor ihr angerufen haben? Welche Alternative schlägt sie vor und wie begründet sie diese?

3 Was meinen Sie dazu? Wie ist das in Ihrem Land?

Ich habe dich so lieb!
Ich würde dir ohne Bedenken
Eine Kachel aus meinem Ofen
Schenken.

Joachim Ringelnatz

– 3rd person singular only **Übungen**

Rede-Wiedergabe

1 Lesen Sie den folgenden Zeitungsartikel zu zweit oder in Kleingruppen.

Familienministerin Huber fordert Modelleinrichtungen:

60000 Frauen fahren noch zur Abtreibung nach Holland

Soziale Indikation – „Im Land genügend Möglichkeiten"

Von unserem Redaktionsmitglied und unseren Agenturen

BONN (dpa/on). Bundesfamilienministerin Antje Huber bezeichnete es gestern als unerträglich, daß zwei Jahre nach der Reform des Abtreibungsparagraphen 218 noch immer 60 000 bis 65 000 Frauen im Jahr aus der Bundesrepublik nach Holland zum Schwangerschaftsabbruch fahren. Die Ministerin forderte Modelleinrichtungen als Zentren für Familienplanung.

Die Ministerin sprach sich gegen die Einrichtung reiner Abtreibungskliniken aus. Dennoch sollten bei offenkundigen Engpässen genügend Modelleinrichtungen zur Verfügung stehen. *disposal*
In diesen Zentren sollten neben den Abtreibungen auch beispielsweise Sterilitätsoperationen möglich sein. Auch an Eingriffe zur Ermöglichung einer Schwangerschaft habe sie bei diesen Zentren zur Familienplanung gedacht.

Die weiteren Aufgaben der Fachkräfte sollten in der Beratung bei Ehe- und Partnerproblemen, bei Schwierigkeiten im sexuellen Bereich, bei der Familienplanung und bei Schwangerschaftskonflikten liegen.
Die nach wie vor hohe Zahl der Frauen, die einen Schwangerschaftsabbruch in Holland vornehmen lassen, beweise, so Antje Huber, daß es in manchen Gebieten der Bundesrepublik eine erhebliche Unterversorgung für die Durchführung von Schwangerschaftsabbrüchen gebe.

Das baden-württembergische Sozialministerium erklärte dazu gestern auf Anfrage, Frauen aus dem Land hätten es nicht nötig, zu Schwangerschaftsunterbrechungen nach Holland zu fahren. Es gebe auch in Baden-Württemberg genügend Möglichkeiten, Abtreibungen entsprechend dem Gesetz vorzunehmen. Wo Kreistagsbeschlüsse den Krankenhäusern die soziale Indikation verbieten, stünden dafür ausreichend private Ärzte zur Verfügung.

1977 sind dem Statistischen Bundesamt rund 55 000 legale Eingriffe gemeldet worden. Diese Zahl dürfe aber tatsächlich etwas höher liegen, da sich noch nicht alle Ärzte und Krankenhäuser an dem Meldeverfahren beteiligen.

Der Anteil von Abtreibungen auf Grund von Notlagen habe im ersten Quartal 1978 bei 67 Prozent gelegen, erklärte die Ministerin: „Daraus ist zu ersehen, daß wir mit dem neuen Gesetz Verbesserungen für den Schutz der Gesundheit und für das Wohlergehen vieler Frauen erreicht haben", betonte sie.

Durch die neuen Bestimmungen ist nach Ansicht von Frau Huber keine Verunsicherung der Ärzte eingetreten. 1975 habe es noch 639 Ermittlungsverfahren gegen Ärzte *investigations* gegeben. 1976 sei diese Zahl bereits auf 309 gesunken. Dabei sei es jedoch nur in 90 Fällen zu einer Verurteilung aufgrund einer grob fahrlässigen Mißachtung der Bedingungen für einen legalen Schwangerschaftsabbruch gekommen. Die Tendenz für 1977/78 sei weiter sinkend, erklärte Antje Huber.

Südwestpresse, 22. 8. 1978

* Antje Huber war von 1976–1982 Familienministerin der Bundesregierung.

Zur Information:
Abtreibung oder **Schwangerschaftsabbruch** Eine Frau, die ein Kind erwartet, ist schwanger. Die Schwangerschaft kann in der Bundesrepublik unter bestimmten Bedingungen (Indikationen) legal abgebrochen werden. (Das im Text auch verwendete Wort Schwangerschaftsunterbrechung meint dasselbe, ist aber ungenau, da eine Unterbre-

chung nur vorübergehend, ein Abbruch dagegen endgültig ist.) Seit 1976 ist eine refor-
mierte Fassung des entsprechenden Paragraphen des Strafgesetzbuches (§ 218, im Text
kurz ‚Abtreibungsparagraph 218‘ genannt) in Kraft, die einen Schwangerschaftsabbruch legalisiert bei Vorliegen einer <u>medizinischen</u> (Gefahr für die Gesundheit), <u>sozia-
len</u> (soziale Notlage) oder <u>ethischen</u> (bei Vergewaltigung) <u>Indikation</u>.

Worterklärungen:

Modelleinrichtungen Einrichtungen (Zentren) mit Modellcharakter – **der Engpaß**
hier: Mangelsituation – **der Eingriff** Intervention, hier: Operation – **die Unterversorgung** ungenügende Versorgung mit etwas – **der Kreistag** die von einem Landkreis
gewählten Volksvertreter – **Das Statistische Bundesamt** hat seinen Sitz in Wiesbaden; von dort kann man vielfältige statistische Informationen über die Bundesrepublik
bekommen. – **das Meldeverfahren** Ärzte und Krankenhäuser sollen Schwanger-
schaftsabbrüche dem Statistischen Bundesamt melden; dafür ist ein bestimmtes Verfahren oder Vorgehen vorgesehen. – **das Ermittlungsverfahren** Die Staatsanwalt-
schaft ermittelt (prüft), ob Strafgesetze übertreten wurden und ob sie Anklage erheben
muß. – **fahrlässige Mißachtung** Mißachtung (Nichteinhaltung der gesetzlichen
Bestimmungen) durch Unachtsamkeit, durch mangelnde Aufmerksamkeit – **grob** hier:
Gegenteil von leicht

2 Rekonstruieren Sie an Hand des Arti-
kels die Rede der Ministerin und die
Erklärung des baden-württembergischen
Sozialministeriums. Teilen Sie die Arbeit
auf.

3 Tragen Sie die Ergebnisse so vor, als
hielten <u>Sie</u> die Rede oder als gäben <u>Sie</u> die
Erklärung ab.

4 Unterstreichen Sie in den Teilen des
Zeitungsartikels, die in der indirekten
Rede stehen, alle Verbformen.
Unterstreichen Sie auch (andersfarbig)
alle anderen Hinweise darauf, daß die Zei-
tung fremde Äußerungen wiedergibt.
Sammeln Sie die Ergebnisse an der Tafel.

**Rede des zweiten Bürgermeisters anläßlich der Einweihung einer neuen Bera-
tungsstelle „Pro Familia“:**

Sehr verehrte Damen und Herren,
liebe Kinder!

Ich freue mich, daß wir es geschafft haben, von heute an unseren
Mitbürgern in einem – wenn nicht <u>dem</u> – wichtigen Bereich unserer
Gesellschaft besser dienen zu können, nämlich im Bereich der
Familie, der Keimzelle unserer Gesellschaft. Wir können heute –
im Zeitalter moderner Empfängnisverhütung – durch gezielte
Informationen über Empfängnisregelung und durch die Möglichkeit,
den Zeitpunkt für ein Kind selbst zu bestimmen, das Recht eines
jeden Kindes, erwünscht zu sein, verwirklichen.
Unsere gemeinsame Aufgabe ist es, die jungen Familien über die
Vielfalt der Familienplanungsmöglichkeiten zu informieren und

ihnen ein ungestörtes, glückliches Zusammensein zu ermöglichen.
Natürlich ist Familienplanung nicht nur Empfängnisverhütung. Die
Beratungsstelle soll besonders auch Ehepaaren, die sich vergeblich ein Kind wünschen, durch Beratung helfen.
Ich freue mich sagen zu können, daß der in unserer Stadt neue Bür-
ger-Service kostenlos und unverbindlich geschieht, daß also
jeder von der meist individuellen Beratung profitieren kann; die
Grundinformationen sind übersichtlich und neutral in verschiedenen Broschüren dargestellt und heben sich positiv von dem oft
schwer verstehbaren Medizin-Chinesisch vieler wissenschaftli-
cher Abhandlungen ab.
Ich eröffne hiermit die neue Beratungsstelle und wünsche allen
Mitarbeitern viel Freude an ihrem Dienst, welcher helfen soll,
unsere Mitbürger freier und mündiger zu machen.
Vielen Dank.

Aus einer Broschüre von PRO FAMILIA

5 Stellen Sie sich vor, Sie sind Lokalredakteur der Zeitung an Ihrem Kursort und berichten über die Rede des zweiten Bürgermeisters anläßlich der Einweihung einer neuen Beratungsstelle PRO FAMILIA.
Versuchen Sie – in verschiedenen Gruppen – in Ihren Berichten zustimmende, neutrale oder ablehnende Positionen zu beziehen.

6 Überprüfen Sie mit Ihrem Lehrer/Ihrer Lehrerin und eventuell mit anderen Muttersprachlern, ob das Ergebnis Ihrer Absicht entspricht.

[Bei der Rede-Wiedergabe beeinflussen viele Faktoren die Wahl der Verbform, z. B. die Frage, ob Indikativ und Konjunktiv formal unterscheidbar sind (starke und schwache Verben), ob es andere formale Hinweise darauf gibt, daß der Sprecher fremde Äußerungen wiedergibt, aber auch Bildungsgrad und persönliche Vorlieben des Sprechers oder Schreibers. Manchmal wird unmittelbar durch die Verbform ausgedrückt, wie der Sprecher oder Schreiber zu dem Berichteten steht. So kann die Verwendung des Indikativs eine Identifizierung mit dem Gesagten, der Konjunktiv I eine neutrale und der Konjunktiv II eine distanzierte Haltung bedeuten.]

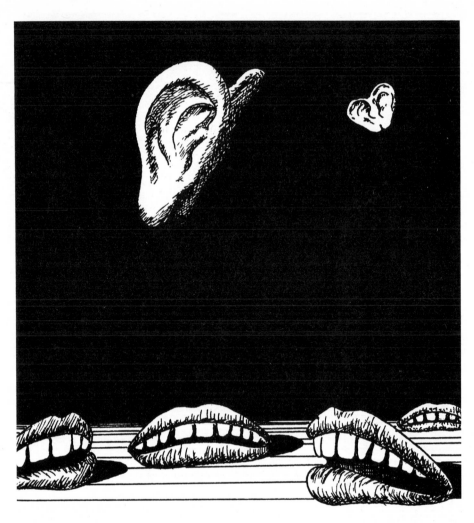

Markus Sing

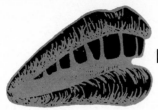

Hexeneinmaleins

Song

Du mußt verstehn! Aus Eins mach Zehn,
Und Zwei laß gehn, und Drei mach gleich,
So bist du reich. Verlier die Vier!
Aus Fünf und Sechs – so sagt die Hex –
Mach Sieben und Acht, so ists vollbracht:
Und Neun ist Eins, und Zehn ist keins.
Das ist das Hexeneinmaleins!

Als sie Giordano Bruno verbrannten
sandte sein Gott keine Blitze gegen
das Unrecht
munter flackerte das Feuer
der Pöbel mußte manchmal husten
zwischen zwei Lachern
so qualmte Giordano
oder Grandier
neben seinem Scheiterhaufen
sonnte sich Richelieu
vierzehn Nonnen
mit Klistierspritzen garniert
wälzten sich vor Wollust und Gier
und das christliche Abendland
sann befriedigt
nach weiteren guten Taten.
Was hat dieser Ketzer mit uns zu tun
flötet unser Jahrhundert
doch
dreihundert Jahre später
konnte ein gewisser Trotzki
angeklagt
der Unzucht mit der Freiheit
das Haupt vom Dogmenbeil schon gespalten
dreihundert Jahre später
konnte dieser Trotzki
die Menschheit nur noch um Vergebung bitten
für seinen Henker.

Immer noch werden Hexen verbrannt
auf den Scheiten der Ideologien.
Irgendwer ist immer der Böse im Land
und dann kann man als Guter
und die Augen voll Sand
in die heiligen Kriege ziehn!

Saccho und Vanzetti
keiner rothaarig
nie mischten sie Zaubertränke um Mitternacht

auch des Nachbarn Kühe gediehen vortrefflich
trotzdem wurden sie niedergemetzelt
von den Schergen der Micky Maus.
Oder
sechs Millionen Juden
eine Heerschar von Hexern
zum Aderlaß geprügelt für
die Reinheit des Blutes.
Schrecklich, schrecklich
und die Mönche der Demokratie
wedeln Verzeihung heischend mit der Rute
und siehe:
Der Freigeist geht um.
Alle sind aufgeklärt
doch wer weiß Bescheid
heute haßt man modern
die Angst ist die Flamme unserer Zeit
und die wird fleißig geschürt.
Sie verbrennen dich mit ihren Zungen
und ihrer Ignoranz
dicke freundliche Herren
bitten per Television zur Jagd.
Tausende
zum Feindbild verdammt
halten sich fürs Exil bereit.

Die Schlupfwinkel werden knapp, Freunde.

Höchste Zeit
aufzustehn!

Du mußt verstehn! Aus Eins mach Zehn,
Und Zwei laß gehn, und Drei mach gleich,
So bist du reich. Verlier die Vier!
Aus Fünf und Sechs – so sagt die Hex –
Mach Sieben und Acht, so ists vollbracht:
Und Neun ist Eins, und Zehn ist keins.
Das ist das Hexeneinmaleins!

Immer noch werden Hexen verbrannt
auf den Scheiten der Ideologien.
Irgendwer ist immer der Böse im Land
und dann kann man als Guter
und die Augen voll Sand
in die heiligen Kriege ziehn!

Konstantin Wecker

C Normal lɒmɹoИ [ɒɯɹoИ Иoɹɯɒ[

1 Betrachten Sie bitte jeweils kurz die folgenden Bilder und notieren Sie, was eventuell auf diesen Bildern nicht normal (überraschend/widernatürlich/nicht gesellschaftskonform) ist. Arbeiten Sie nicht zu lange. Wenn Ihnen nichts auf- bzw. einfällt, so gehen Sie bitte zum nächsten Bild über. Am besten einigen Sie sich mit der Gruppe auf ein Zeitlimit.

2 Tauschen Sie bitte Ihre Eindrücke im Plenum aus und notieren Sie sie stichwortartig an der Tafel und im dafür vorgesehenen Feld des Arbeitsbogens.

Angaben zur Person Geschlecht: Alter: Beruf: Wohnort: Geburtsort: Sprache/Dialekt: Sonstiges:	Sie selbst	Deutsche(r) Nr. 1
Bild Nummer	Ihre Eindrücke	Eindrücke
1	das sicht man nicht oft aber ich finde es sehr gut daß auch der Mann einkaufen geht und die Kinder hütet	
2	selten daß eine Frau mit solchen Werkzeugen arbeitet. wenn sie gut genug is soll sie machen was sie will	
3	manche würden sagen - nicht gesellschaftskonform. Ich finde es gut wenn Kinder etwas vom Körper wißen.	
4	ich verstehe nicht was auf diesem Bild nicht normal ist.	
5	diese zwei männer sind widernatürlich. Wenn alle homosexel wären würde die Menschheit außterben.	
6	überraschend - ich finde das diese Frau schlecte Manieren hat wenn sie volkom nakt vor allem sitz.	
7	was ist hier nicht normal - der ausdruck auf das Gesicht der Frau?	
8	dieser Mann lebt verscheinlich allein - darum muß er für sich selbst kochen.	

Kennzeichnen Sie Einzelmeinungen besonders.

3 Auf der Cassette haben einige Deutsche geäußert, was ihnen an den Bildern auffällt.
Teilen Sie sich – wenn möglich – die Arbeit auf: Notieren Sie auf Ihrem Arbeitsbogen zuerst die Angaben zur Person der Sprecher. Schreiben Sie dann stichwortartig auf, was für diese Leute NORMAL bzw. NICHT NORMAL ist.

4 Arbeiten Sie wieder im Plenum und tauschen Sie Ihre Ergebnisse aus. Bestimmen Sie die Bedeutung von NORMAL.

Deutsche(r) Nr. 2	*Deutsche(r) Nr. 3*	*Deutsche(r) Nr. 4*
Eindrücke	Eindrücke	Eindrücke

1

2

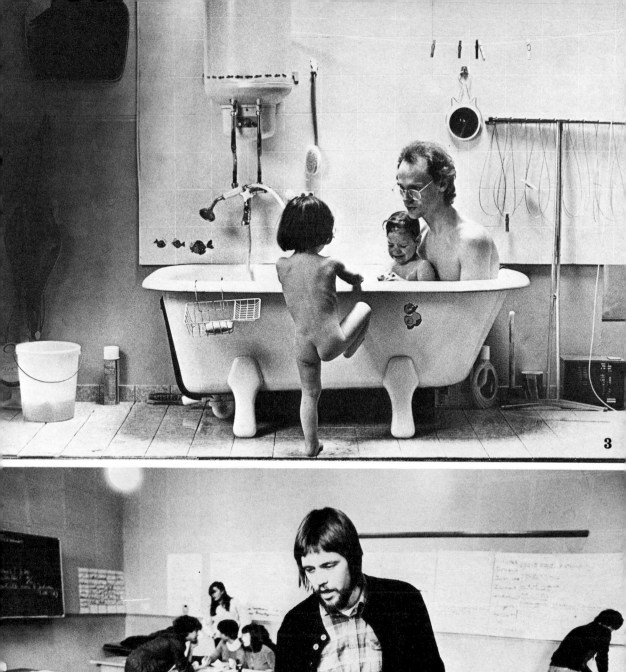

3

4

5

6

7

8

Der Vater stellte ein Gläslein voll Arznei in die Schublade, weil er glaubte, es sei nirgends besser verwahrt. Als aber der Sohn nach Hause kam und die Schublade schnell aufziehn wollte, fiel das Gläslein um und zerbrach. Da gab ihm der Vater eine zornige Ohrfeige und sagte: „Kannst du nicht zuerst schauen, was in der Tischlade ist, eh du sie auftust?" Der Sohn erwiderte zwar, nein, das könne niemand. Aber der Vater sagte: „Den Augenblick sei still oder du bekommst noch eine."

Merke: Man ist nie geneigter, unrecht zu tun, als wenn man unrecht hat. Recht ist gut beweisen. Aber für das Unrecht braucht man schon Ohrfeigen und Drohungen zum Beweistum.

Johann Peter Hebel

Teekesselspiel

Wenn zwei dasselbe sagen, denken sie meist doch nicht das gleiche. Besonders nicht bei diesem Spiel, denn hier kommt es darauf an, Wörter mit verschiedenen Bedeutungen zu finden. Zwei Personen denken z. B. an das Wort BIRNE. Der erste sagt dann der Gruppe: „Meinen Teekessel kann man essen." Der zweite: „Meinen Teekessel darf man nicht essen, das wäre gefährlich. Mein Teekessel ist hart aber zerbrechlich." Der erste: „Mein Teekessel ist hart oder weich." Wenn jemand in der Gruppe das Wort gefunden hat, sagt er es nicht sofort, sondern versucht, durch Fragen den anderen zu helfen: „Ist dein Teekessel manchmal grün?" oder: „Ist dein Teekessel aus Glas?" Im Wörterbuch findet ihr viele „Teekessel".

Diskussion Arzt als Engel

Quino

Was verändert sich in der Bildgeschichte?

Die Maschine

Erhaben und in einsamer Größe reckte sie sich bis unters Werkhallendach; schuf sogleich die Vorstellung, Monument des Zeitalters zu sein und diesem gleich: stampfend, gefahrvoll, monoton und reichlich übertrieben. Und vor allem: Auch sie produzierte einzig und allein durch gegensätzliche Bewegung unterschiedlicher Kräfte, durch einen gezähmten Antagonismus all ihrer Teile.

Aber in diesem wundervollen System blitzender Räder, blinkender Kolben, sich hebender und sich senkender Wellen war ein unansehnliches Teil, das wie von Schimmel überzogen schien und das sich plump und arhythmisch regte. Ein häßlicher Zusatz an der schönen Kraft. Ein Rest von Mattigkeit inmitten der Dynamik.

Als um die Mittagszeit ein Pfiff ertönte, löste sich dieses Teil von der Maschine und verließ die Halle, während die Maschine hilflos stehenblieb, zwiefach: in sich und am Ort. Plötzlich erwies sich, das billigste Teil und das am schlimmsten vernachlässigte war das teuerste und nur scheinbar ersetzlich. Wo es kaputtgeht, wird es nicht lange dauern, bis über den Beton Gras gewachsen ist.

Aus: Günter Kunert **Kramen in Fächern** Aufbau Verlag

TIERMARKT

Schäferhündin, 2jährig, in gute Hände abzugeben

Zwergdackel, schwarz/rot, Ahnentafel, deutscher Teckelclub, Impfpaß, abzugeben.

Türk. Hirtenhündin (40 cm hoch, folgsam, 3 J. alt), sucht liebevollen neuen Besitzer wegen Baby beim jetzigen.

Angehöriger einer Familie weltweit verbreiteter, kleiner bis mittelgroßer Raubtiere mit gut ausgebildetem Geruchs- und Gehörsinn, werden in der Gefangenschaft rasch zahm.

(Wahrig *Deutsches Wörterbuch* 1980)

Hund [hʊnt] ‹-(e)s, -e› *m* **1.** *zoo* dog; (*Jagd~*) hound;

(PONS, *Kompaktwörterbuch deutsch - englisch*)

HUND

Macht „wau-wau".
(Jan, 2 Jahre)

Wer hat ihn gesehen?
Chau-Chau, Rüde, entlaufen!
Besondere Merkmale: dunkelbraun,
fast schwarz am Hinterteil, helle
Punkte auf der Brust, lila Halsband. Hört auf den Namen „Pilly".
Wiederbringer erhält Belohnung!

Der Hund

Mein Gärtner sagt mir: Der Hund
Ist kräftig und klug und gekauft
Die Gärten zu bewachen. Sie aber
Haben ihn erzogen zum Menschen-
Freund. Wofür bekommt er sein
Fressen?

Bertolt Brecht

[umg.] Kerl, Bursche; gemeiner Kerl;
der ~! der gemeine Kerl
(Wahrig *Deutsches Wörterbuch* 1980)

Mauern

Die verschiedenen Aspekte eines Wortes, wie es das Sensibilisierungsblatt darstellt, werden von Sprechern erst im Laufe von etwa zehn Jahren (oder sogar mehr) erworben.

Jan zum Beispiel, ist eineinhalb Jahre alt und beherrscht schon eine Reihe von Wörtern. Wie unten dargestellt, äußert er in den folgenden Situationen das Wort MAUER:

1

2

4

3

1 Beschreiben Sie bitte, was genau MAUER für Jan bedeutet.

2 Drücken Sie das, was Jan in den verschiedenen Situationen sagen will, in ganzen Sätzen aus:

1 ....

2 ....

3 ....

4 ....

3 Wie wird er es lernen, die Dinge in den Situationen 1–4 zu unterscheiden? Formulieren Sie Hypothesen.

4 Was kann MAUER für einen Deutschen bedeuten? Werten Sie für Ihre Antwort die Textauszüge auf den Seiten 60/61 aus.

Mauer [f. 21] **1** Wand aus übereinandergreifenden, meist mit Mörtel verbundenen Steinen als Umgrenzung (bes. einer Stadt; Stadt ~) **2** eine ~ **aufführen** [Fachspr.]; sein Mißtrauen **errichtet** eine ~ zwischen uns [fig.] **3** eine **alte**, bröckelige, eingestürzte ~; **Berliner** ~ von der DDR in Berlin errichtete M., die die Flucht der Bevölkerung in den Westen verhindern soll; die **Chinesische** ~; eine **dicke**, hohe, massive ~ **4** wir sind **durch** eine ~ gegen Einsicht von der Straße geschützt; der Präsident weilt seit gestern **in** den ~n unserer Stadt [poet.]; ein Gelände **mit** einer ~ umgeben; du umgibst dich mit einer ~ **von** Vorurteilen [fig.]; der Gegner stand **wie** eine ~; die Menschen standen wie die ~n dichtgedrängt, sie wankten u. wichen nicht [<mhd. mure< ahd. mura< lat. murus]

(Wahrig *Deutsches Wörterbuch* 1980)

hüben   **drüben**

drüben   **hüben**

Jupp Wolter

Schandmauer

Antifaschistischer Schutzwall

13. 8. 1961 Beginn des Baues der Sperr-
mauer quer durch Berlin.

(Auszug aus einer Zeittafel in einem Geschichtsbuch
der Bundesrepublik Deutschland)

propagandistische →

Am 13. August 1961 ließ Ulbricht durch Einheiten
seiner „Volksarmee" die Sektorengrenze in Berlin
mit Mauer und Stacheldraht versperren. Nur alte
Rentner dürfen seitdem den kommunistischen
Herrschaftsbereich verlassen. Mauer und Stacheldraht sind die Kennzeichen des Gefängnisses, in
dem heute 17 Millionen Deutsche leben; nur noch
eine lebensgefährliche Flucht kann einzelnen die
Freiheit verschaffen. Die Spaltung Deutschlands
ist seit dem 13. August vollkommen.

(Aus: R. Tenbrock u. a.: Zeiten und Menschen. Geschichtliches
Unterrichtswerk, Ausgabe B. Schöningh 1966)

13. 8. 1961 Gemäß Beschluß der Staaten des
Warschauer Vertrages vom 12. 8. wird durch den
Ministerrat der DDR an den Grenzen der DDR,
besonders zu Westberlin, eine zuverlässige Ordnung und sichere Kontrolle eingerichtet.

(Auszug aus einer Zeittafel in einem Geschichtsbuch der DDR)

Welch ein Glück es für das deutsche Volk ist, daß
es die Deutsche Demokratische Republik gibt, das
hat sich gerade in diesen Tagen erneut bewiesen.
Während sich die Atomkriegsstrategen und
Frontstadtpolitiker in Kriegshysterie geradezu
überschlugen, haben alle guten Deutschen, an
ihrer Spitze die Soldaten und Volkspolizisten der
DDR, die Kampfgruppen und Funktionäre der
Arbeiter-und-Bauern-Macht den deutschen Militaristen am 13. August die empfindlichste Nieder-
lage seit dem 8. Mai 1945 zugefügt. Sie haben
dem Weltfrieden einen unschätzbaren Dienst
erwiesen. Die deutsche Nation wird ihnen immer
dafür dankbar sein.

(Aus: Johannes Zelt, Wer ist ein guter Deutscher? In: Richter,
Die Mauer oder der 13. August, Rowohlt 1961)

So wie jene Frau auf einem Campingplatz an der Mauer, die uns fragte: „Was fotografieren Sie hier eigentlich?" und nach einer kurzen Denkpause lächelte: „Ach so, das Ding."

(Eine Frau in West-Berlin zu Reportern)

2. Bau der Mauer

Die internationalen Spannungen ließen die Zahl der Flüchtlinge, die in Berlin (West) eintrafen, Anfang der 60er Jahre stark ansteigen. Nach 1952, als die DDR ihre Grenze zur Bundesrepublik Deutschland verstärkt abzuriegeln begann, war ja die innerberliner Sektorengrenze – gemäß dem Viermächte-Status – offen geblieben. Im Juni 1961 arbeiteten sogar über 63 000 Ostberliner, sogenannte „Grenzgänger", im Westteil der Stadt, und rund 10 000 West-Berliner gingen ihrer Arbeit im sowjetischen Sektor nach. Insgesamt überschritten täglich etwa 500 000 Menschen die Sektorengrenze in beiden Richtungen. Wer aus der DDR in den Westen überwechseln wollte, brauchte nur in den Ostsektor fahren, um von dort aus mit der S-Bahn, der U-Bahn oder zu Fuß in die Westsektoren zu gelangen. Als die DDR-Behörden 1957 den Reiseverkehr nach Westdeutschland weiter einschränkten und die Kontrollen verschärften, übernahm das westliche Berlin mehr und mehr die Rolle eines „Fluchtloches". Insgesamt wanderten seit 1949 ca. 2,6 Mio. Menschen aus der DDR und Ostberlin ab. Rund die Hälfte von ihnen wählte zwischen 1949 und 1961 den Weg über Berlin (West). Im Jahre 1961 zählten die DDR und der Ostsektor nur noch 17,1 Mio. Einwohner. Diese Massenabwanderung bedeutete für die östliche Seite einen „Aderlaß": Die Hälfte der Flüchtlinge war jünger als 25 Jahre; nur 10 Prozent waren Rentenempfänger; 60 Prozent standen im Erwerbsleben (DDR und Ostberlin: ca. 47 Prozent). Dieser Exodus von jüngeren Berufstätigen mit höherer Qualifikation ließ die DDR an den Rand ihrer Existenz geraten.

(Aus: Informationen zur politischen Bildung 181. Berlin)

Soweit im Westen bekannt wurde, sind vom 13. August 1961 bis zum 28. Februar 1981 72 Menschen beim Versuch, die Mauer in Berlin zu überqueren und nach West-Berlin zu gelangen, zu Tode gekommen. Davon wurden 56 durch Grenzorgane der DDR erschossen, 16 kamen ums Leben, als sie Grenzgewässer zu durchschwimmen versuchten oder aus Wohngebäuden an der Grenze in den Westen sprangen.

(Zahlenangaben nach: Auskünfte A–Z zum Stand der innerdeutschen Beziehungen, hrsg. vom Bundesminister für innerdeutsche Beziehungen, 8. Aufl., Bonn 1981. Angaben der West-Berliner Polizei)

„Wir haben 2,7 Millionen Menschen nach drüben verloren, wir wären ausgeblutet."

(DDR-Bürger)

„Ich habe sie nicht gebaut, das ist nicht mein Problem."

(DDR-Bürger)

Am 13. August 1961 verdampften einige der revanchistischen Illusionen, und die Sicht wurde klarer, wenn auch einige kalte Krieger das nicht gleich oder gar bis heute nicht bemerkt haben. Die Front der Kampfgruppen an der Staatsgrenze machte indessen deutlich: Diese Grenze steht nicht zur Debatte, diese Grenze kann nicht angetastet werden. Die Erklärung der Staaten des Warschauer Vertrages, die zugleich mit der Erklärung der Regierung der DDR veröffentlicht wurde, belehrte alle, die es noch nicht wußten: Die DDR steht nicht isoliert da, sie ist ein Glied der sozialistischen Gemeinschaft. Wer sie angreift, wer seine Revancheträume oder „Wiedervereinigungs"-Illusionen in praktische Politik ummünzen will, der hat es mit der ganzen Kraft der Warschauer Vertragsstaaten zu tun. Wer sich bis dahin eingebildet hatte, die DDR sei ein Provisorium, mußte begreifen: Die DDR ist ein Staat von Festigkeit und Dauer. Im Herzen des Kontinents hatte sie sich aller Welt als ein stabiles Element unter den europäischen Staaten präsentiert. Das war für die Stabilität des Friedens in Europa ein Gewinn.

Die Politik der Stärke, auf die man in Bonn, unterstützt besonders von den NATO-Partnern, gesetzt hatte, war zusammengebrochen. Der Plan, die Grenzen und das Kräfteverhältnis, das Gleichgewicht der Kräfte zu verändern, war gescheitert. Nun setzte, zuerst zögernd, ein Prozeß des Nachdenkens ein. Eine Politik der friedlichen Koexistenz zwischen Staaten unterschiedlicher Ordnung, für die die sozialistischen Länder immer eingetreten waren, wurde nun auch in kapitalistischen Hauptstädten ernster in Erwägung gezogen.

(Quelle: Neues Deutschland, 13. August 1980, zitiert aus: 13. August 1961, Seminarmaterial des Gesamtdeutschen Instituts, Bonn)

Eine Familie mit vier Kindern. Einer der Jungen fragt: „Wo is'n hier 'n Klo?" Seine Schwester: „Gibt's hier kein Eis?" Dann konzentrieren sie sich aufs Tor und das, was dahinter ist. „Was machen denn die Leute da drüben?" (Gemeint sind die, die vom Westen aus das Tor betrachten.) Vater: „Die gucken hier rüber, genau wie wir da rübergucken." – „Darf man da rüber?" – „Nein, da ist dazwischen die Mauer." – „Was würden denn die Soldaten machen, wenn ich da rüberlaufen würde?" – „Die würden schießen."

(Zeitmagazin 34/1981)

B Abstrakte Begriffe

Nicht nur Begriffe, die konkrete Gegenstände bezeichnen wie HUND oder MAUER, sondern auch solche, die sich auf abstrakte Inhalte beziehen, können sehr unterschiedliche Bedeutungen annehmen. Die Frage zum Beispiel, was Liebe ist, bzw. bedeutet, wurde seit Adam und Eva von Philosophen und Schlagersternchen diskutiert. Zu einem ähnlichen abstrakten Begriff hat sich der Dichter Bertolt Brecht geäußert.

1 Brecht beschreibt hier, was der Begriff VERGNÜGUNGEN für ihn bedeutet. Wie macht er das sprachlich? Bestimmen Sie die grammatischen Formen und die Struktur des Textes.

2 Welche Bedeutung hat der Begriff VERGNÜGUNGEN für Sie persönlich? Schreiben Sie Ihr eigenes Gedicht.

Vergnügungen

Der erste Blick aus dem Fenster am Morgen
Das wiedergefundene alte Buch
Begeisterte Gesichter
Schnee, der Wechsel der Jahreszeiten
Die Zeitung
Der Hund
Die Dialektik
Duschen, Schwimmen
Alte Musik
Bequeme Schuhe
Begreifen
Neue Musik
Schreiben, Pflanzen
Reisen
Singen
Freundlich sein.

Bertolt Brecht

Vergnügungen

3 Bert Brecht hat dieses Gedicht zu einem ganz bestimmten Zeitpunkt seines Lebens geschrieben. Man kann sich gut vorstellen, daß er zu einem früheren oder späteren Zeitpunkt andere Dinge als VERGNÜGUNGEN bezeichnet hätte. – Bitte drehen <u>Sie</u> jetzt innerlich die Zeituhr um ein paar Jahre zurück oder vor: Wie würde Ihr Gedicht aussehen, wenn Sie es als Zehnjährige(r) geschrieben hätten oder als Sechzigjährige(r) vielleicht schreiben würden?

Ich als Zehnjährige(r)   Ich als Sechzigjährige(r)

Vergnügungen

C Veränderungen

Selbstbezichtigung

Peter Handke

Ich bin geworden. Ich bin gezeugt worden. Ich bin entstanden. Ich bin gewachsen. Ich bin geboren worden. Ich bin in das Geburtenregister eingetragen worden. Ich bin älter geworden.

Ich habe mich bewegt. Ich habe Teile meines Körpers bewegt. Ich habe meinen Körper bewegt. Ich habe mich auf der Stelle bewegt. Ich habe mich von der Stelle bewegt. Ich habe mich von einem Ort zum andern bewegt. Ich habe mich bewegen müssen. Ich habe mich bewegen können. [. . .]

Ich habe gelernt. Ich habe die Wörter gelernt. Ich habe die Zeitwörter gelernt. Ich habe den Unterschied zwischen sein und gewesen gelernt. Ich habe die Hauptwörter gelernt. Ich habe den Unterschied zwischen der Einzahl und der Mehrzahl gelernt. Ich habe die Umstandswörter gelernt. Ich habe den Unterschied zwischen hier und dort gelernt. Ich habe die hinweisenden Wörter gelernt. Ich habe den Unterschied zwischen diesem und jenem gelernt. Ich habe die Eigenschaftswörter gelernt. Ich habe den Unterschied zwischen gut und böse gelernt. Ich habe die besitzanzeigenden Wörter gelernt. Ich habe den Unterschied zwischen mein und dein gelernt. Ich habe Wortschatz erworben. . . .

1 Versuchen Sie, den Text zu interpretieren, indem Sie ihn auf sich selbst beziehen. Das heißt: Wie haben Sie etwas gelernt und wie hat sich das verändert? Zum Beispiel HUNGER: Wie drücken Babys und Kinder das aus? Was sagen Sie, wenn Sie Hunger haben?

2 Wie haben sich bei Ihnen Begriffe verändert, z. B.: Geld, Auto, Freundschaft? Oder:
Beschreiben Sie, wie etwas entsteht und zerfällt: ein Auto, eine Blume, eine Idee, eine Liebe . . . (Eine Schülergruppe hat den Eichbaum beschrieben.)

Die Seeschlacht

Günter Grass

Ein amerikanischer Flugzeugträger
und eine gotische Kathedrale
versenkten sich
mitten im Stillen Ozean
gegenseitig.
Bis zum Schluß
spielte der junge Vikar auf der Orgel. –
Nun hängen Flugzeuge und Engel in der Luft
und können nicht landen.

Der Eichbaum

Er ist geworden.

Er ist durch eine Biene oder vielleicht den Wind gezeugt worden.

Er ist das Korn, das in der Erde liegt.

Jetzt bekommt er einen Stamm, von dem ein paar grüne Blättchen sprießen.

Er lernt seine Stelle kennen und gegen alle Schwierigkeiten des Lebens zu kämpfen.

Nach zweihundert Jahren ist er der größte, schönste und kräftigste.

Wie die anderen wird er von Menschen gefällt, damit sie Möbel bauen können.

Aber mit Hilfe der Natur wird sein Nachwuchs den Kampf weiterführen.

Diskussion Benennungen

Im folgenden Text wird die Geschichte eines alten Mannes erzählt, der eines Tages beginnt, die Dinge um sich herum anders zu benennen. Bedeuten sie dann noch dasselbe?

🔲 Ein Tisch ist ein Tisch

Peter Bichsel

Ich will von einem alten Mann erzählen, von einem Mann, der kein Wort mehr sagt, ein müdes Gesicht hat, zu müd zum Lächeln und zu müd, um böse zu sein. Er wohnt in einer
5 kleinen Stadt, am Ende der Straße oder nahe der Kreuzung. Es lohnt sich fast nicht, ihn zu beschreiben, kaum etwas unterscheidet ihn von andern. Er trägt einen grauen Hut, graue Hosen, einen grauen Rock und im Winter
10 den langen grauen Mantel, und er hat einen dünnen Hals, dessen Haut trocken und runzelig ist, die weißen Hemdkragen sind ihm viel zu weit.
Im obersten Stock des Hauses hat er sein
15 Zimmer, vielleicht war er verheiratet und hatte Kinder, vielleicht wohnte er früher in einer andern Stadt. Bestimmt war er einmal ein Kind, aber das war zu einer Zeit, wo die Kinder wie Erwachsene angezogen waren.
20 Man sieht sie so im Fotoalbum der Großmutter. In seinem Zimmer sind zwei Stühle, ein Tisch, ein Teppich, ein Bett und ein Schrank. Auf einem kleinen Tisch steht ein Wecker, daneben liegen alte Zeitungen und das
25 Fotoalbum, an der Wand hängen ein Spiegel und ein Bild.
Der alte Mann machte morgens einen Spaziergang und nachmittags einen Spaziergang, sprach ein paar Worte mit seinem
30 Nachbarn, und abends saß er an seinem Tisch.
Das änderte sich nie, auch sonntags war das so. Und wenn der Mann am Tisch saß, hörte er den Wecker ticken, immer den Wecker
35 ticken.
Dann gab es einmal einen besonderen Tag, einen Tag mit Sonne, nicht zu heiß, nicht zu kalt, mit Vogelgezwitscher, mit freundlichen

Leuten, mit Kindern, die spielten – und das Besondere war, daß das alles dem Mann 40 plötzlich gefiel.
Er lächelte.
„Jetzt wird sich alles ändern", dachte er. Er öffnete den obersten Hemdknopf, nahm den Hut in die Hand, beschleunigte seinen Gang, 45 wippte sogar beim Gehen in den Knien und freute sich. Er kam in seine Straße, nickte den Kindern zu, ging vor sein Haus, stieg die Treppe hoch, nahm die Schlüssel aus der Tasche und schloß sein Zimmer auf. 50
Aber im Zimmer war alles gleich, ein Tisch, zwei Stühle, ein Bett. Und wie er sich hinsetzte, hörte er wieder das Ticken, und alle Freude war vorbei, denn nichts hatte sich geändert. 55
Und den Mann überkam eine große Wut. Er sah im Spiegel sein Gesicht rot anlaufen, sah, wie er die Augen zukniff; dann verkrampfte er seine Hände zu Fäusten, hob sie und schlug mit ihnen auf die Tischplatte, 60 erst nur einen Schlag, dann noch einen, und dann begann er auf den Tisch zu trommeln und schrie dazu immer wieder:
„Es muß sich ändern, es muß sich ändern!" Und er hörte den Wecker nicht mehr. Dann 65 begannen seine Hände zu schmerzen, seine Stimme versagte, dann hörte er den Wecker wieder, und nichts änderte sich.
„Immer derselbe Tisch", sagte der Mann, „dieselben Stühle, das Bett, das Bild. Und 70 dem Tisch sage ich Tisch, dem Bild sage ich Bild, das Bett heißt Bett, und den Stuhl nennt man Stuhl. Warum denn eigentlich?" Die Franzosen sagen dem Bett „li", dem Tisch „tabl", nennen das Bild „tablo" und 75 den Stuhl „schäs", und sie verstehen sich.

Und die Chinesen verstehen sich auch.
„Weshalb heißt das Bett nicht Bild", dachte
der Mann und lächelte, dann lachte er,
lachte, bis die Nachbarn an die Wand klopf-
ten und „Ruhe" riefen.
„Jetzt ändert es sich", rief er, und er sagte
von nun an dem Bett „Bild".
„Ich bin müde, ich will ins Bild", sagte er,
und morgens blieb er oft lange im Bild liegen
und überlegte, wie er nun dem Stuhl sagen
wolle, und er nannte den Stuhl „Wecker".
Er stand also auf, zog sich an, setzte sich auf
den Wecker und stützte die Arme auf den
Tisch. Aber der Tisch hieß jetzt nicht mehr
Tisch, er hieß jetzt Teppich. Am Morgen verließ also der Mann das Bild, zog sich an,
setzte sich an den Teppich auf den Wecker
und überlegte, wem er wie sagen könnte.

    Dem Bett sagte er Bild.
    Dem Tisch sagte er Teppich.
    Dem Stuhl sagte er Wecker.
    Der Zeitung sagte er Bett.
    Dem Spiegel sagte er Stuhl.
    Dem Wecker sagte er Fotoalbum.
    Dem Schrank sagte er Zeitung.
    Dem Teppich sagte er Schrank.
    Dem Bild sagte er Tisch.
    Und dem Fotoalbum sagte er Spiegel.
Also:
Am Morgen blieb der alte Mann lange im
Bild liegen, um neun läutete das Fotoalbum,
der Mann stand auf und stellte sich auf den
Schrank, damit er nicht an die Füße fror,
dann nahm er seine Kleider aus der Zeitung,
zog sich an, schaute in den Stuhl an der
Wand, setzte sich dann auf den Wecker an
den Teppich und blätterte den Spiegel durch,
bis er den Tisch seiner Mutter fand.
Der Mann fand das lustig, und er übte den
ganzen Tag und prägte sich die neuen Wörter ein. Jetzt wurde alles umbenannt: Er war
jetzt kein Mann mehr, sondern ein Fuß, und
der Fuß war ein Morgen und der Morgen ein
Mann.
Jetzt könnt ihr die Geschichte selbst weiter-
schreiben. Und dann könnt ihr, so wie es der
Mann machte, auch die anderen Wörter aus-
tauschen:
    läuten heißt stellen,
    frieren heißt schauen,
    liegen heißt läuten,

    stehen heißt frieren,
    stellen heißt blättern.
So daß es dann heißt:
Am Mann blieb der alte Fuß lange im Bild 55
läuten, um neun stellte das Fotoalbum, der
Fuß fror auf und blätterte sich auf den
Schrank, damit er nicht an die Morgen
schaute.
Der alte Mann kaufte sich blaue Schulhefte 60
und schrieb sie mit den neuen Wörtern voll,
und er hatte viel zu tun damit, und man sah
ihn nur noch selten auf der Straße.
Dann lernte er für alle Dinge die neuen
Bezeichnungen und vergaß dabei mehr und 65
mehr die richtigen. Er hatte jetzt eine neue
Sprache, die ihm ganz allein gehörte.

Hie und da träumte er schon in der neuen
Sprache, und dann übersetzte er die Lieder
aus seiner Schulzeit in seine Sprache, und er 70
sang sie leise vor sich hin.
Aber bald fiel ihm auch das Übersetzen
schwer, er hatte seine alte Sprache fast vergessen, und er mußte die richtigen Wörter in
seinen blauen Heften suchen. Und es 75
machte ihm Angst, mit den Leuten zu sprechen. Er mußte lange nachdenken, wie die
Leute zu den Dingen sagen.
    Seinem Bild sagen die Leute Bett.
    Seinem Teppich sagen die Leute Tisch. 80
    Seinem Wecker sagen die Leute Stuhl.
    Seinem Bett sagen die Leute Zeitung.
    Seinem Stuhl sagen die Leute Spiegel.
    Seinem Fotoalbum sagen die Leute
    Wecker. 85
    Seiner Zeitung sagen die Leute Schrank.
    Seinem Schrank sagen die Leute Teppich.
    Seinem Tisch sagen die Leute Bild.
    Seinem Spiegel sagen die Leute Foto-
    album. 90
Und es kam so weit, daß der Mann lachen
mußte, wenn er die Leute reden hörte.
Er mußte lachen, wenn er hörte, wie jemand
sagte:
„Gehen Sie morgen auch zum Fußballspiel?" 95
Oder wenn jemand sagte: „Jetzt regnet es
schon zwei Monate lang." Oder wenn
jemand sagte: „Ich habe einen Onkel in
Amerika."
Er mußte lachen, weil er all das nicht ver- 100
stand.

Aber eine lustige Geschichte ist das nicht.
Sie hat traurig angefangen und hört traurig
auf.
Der alte Mann im grauen Mantel konnte die
5 Leute nicht mehr verstehen, das war nicht so
schlimm.

Viel schlimmer war, sie konnten ihn nicht
mehr verstehen.
Und deshalb sagte er nichts mehr.
Er schwieg,
sprach nur noch mit sich selbst,
grüßte nicht einmal mehr.

1 Wählen Sie jemanden aus der Gruppe,
der die Geschichte als Pantomime vor-
spielt. Konstruieren Sie dazu eine
Zimmereinrichtung und heften Sie
Namensschilder an die Gegenstände (z. B.
Bett, Tisch, Stuhl, Zeitung, Spiegel,
Wecker, Schrank, Teppich, Bild, Foto-
album usw.).

2 Wie kann pantomimisch EINSAMKEIT
ausgedrückt werden, und wie wird dies
im Text ausgedrückt? Wie kann pantomimisch FREUDE ausgedrückt werden und
wie geschieht dies im Text?

3 Akzeptieren Sie die Auffassung des
alten Mannes, daß die Franzosen "schäs"
zum Stuhl sagen und sich (trotzdem) verstehen? Welche Vorstellung über das, was
ein Wort bzw. ein Ding ist, liegt dieser
Äußerung zugrunde?
(Hilfestellung: Ein Franzose könnte
behaupten, die Deutschen bezeichnen
eine „chaise" einfach als „chtoul".)

4 Der alte Mann spricht am Schluß – kleinen Kindern ähnlich – eine Art Privatsprache. Welcher Unterschied besteht
zwischen dieser Privatsprache und der
Sprache, die er am Anfang des Textes mit
anderen Leuten spricht?

Meister Jakob

Aus Frankreich

Mei - ster Ja - kob, Mei - ster Ja - kob,
Frè - re Jac - ques, Frè - re Jac - ques,

schläfst du noch, schläfst du noch?
dor - mez vous, dor - mez vous?

Hörst du nicht die Glok - ken, hörst du nicht die Glok - ken?
Son - nez les ma - ti - nes, son - nez les ma - ti - nes?

Ding, dong, ding, ding, dong, ding!

5 Übersetzen Sie den Kanon „Meister Jakob" in eine Privatsprache (wie der alte Mann) und singen Sie ihn mehrstimmig. Hat sich etwas Wesentliches verändert?

Ein Haus, das der Eigentümer zumauern ließ, um es unbewohnbar zu machen.

Projekt

Bedeutungen erfragen

Diese Zeitungsseite aus der WAZ (Westdeutsche Allgemeine Zeitung) wurde von einer Bochumer Schulklasse gestaltet. Sie zeigt, daß nicht nur Leute, die eine neue Sprache lernen, ständig mit Wörtern konfrontiert werden, deren Bedeutung sie nicht oder nur teilweise kennen, sondern auch Muttersprachler (und nicht nur kleine Kinder).

Wir möchten Ihnen nun ein ähnliches Projekt vorschlagen: Fragen Sie doch einmal bei einer Zeitung an Ihrem Kursort an, ob man dort bereit wäre, Ihnen eine Spalte für ein ähnliches Vorhaben zur Verfügung zu stellen. Die Bochumer Schulklasse hat sich dafür ein praktisches Verfahren ausgedacht (Zeitplan).

Vielleicht haben Sie Glück und finden eine kooperationsbereite Zeitung.

1 Welche Begriffe Ihrer Muttersprache entsprechen den in Spalte 1 und Spalte 6 gegebenen Bedeutungserklärungen? Erläutern Sie eventuelle Unterschiede der Institutionen und der beschriebenen Verfahrensweisen.

2 Mit welchen Techniken arbeiten die Bochumer Schüler, um sich über Begriffe, die sie nicht genau kennen, Klarheit zu verschaffen?

3 Bitte suchen Sie einen kurzen Zeitungstext, arbeiten Sie diejenigen Begriffe heraus, die Sie nicht verstehen, und überlegen Sie sich ein Verfahren, ähnlich dem der Bochumer Schüler, wie Sie die Bedeutung dieser Begriffe in Erfahrung bringen können.

*************************************** ********* *Spiel* ****

Ja – Nein

Ein Teilnehmer überlegt sich ein Wort (Person, Sache, abstrakt, konkret . . .). Die anderen müssen das Wort erraten, indem sie Fragen stellen, auf die man mit JA oder NEIN antworten kann. Die Gruppe kann sich überlegen, ob sie auch die Antworten „manchmal", „vielleicht", „Das kommt darauf an." zuläßt. Besonders geübte Rater lösen auch komplizierte Rätsel wie: ein arbeitsloser Clown, ein verlorener Schlüssel, die gestörte Ruhe, Mädchen für alles . . .

****

Jetzt sind „wir" dran

Ein politischer Artikel und was Bochumer Schüler daraus machten

Und nun haben die Schüler der 7a das Wort: Am 28. August stand folgender Artikel in der WAZ (Auszug):

„Opel-Werker verweigern vier Sonderschichten. Betriebsrat: Solidarität mit Arbeitslosen. Der Betriebsrat der Bochumer Opel-Werke hat nach Auskunft von Arbeitnehmervertretern und der Geschäftsleitung am Freitag vier für September und Oktober geplante Sonderschichten abgelehnt."

Einige Wörter haben wir nicht verstanden. Hier die Worterklärungen, die wir herausgefunden haben:

Opel-Werker: Sind Opel-Arbeiter.

Sonderschichten: Sind Samstag- und Sonntagsschichten = je acht Überstunden.

Betriebsrat: Gewählte Vertretung der Arbeitnehmer in einem Betrieb.

Solidarität: Zusammengehörigkeitsgefühl, Übereinstimmung. Das heißt: Betriebsrat und Arbeitslose halten zusammen. Der Betriebsrat will, daß es keine Arbeitslosen mehr gibt.

Arbeitnehmervertreter: Von den Arbeitnehmern in den Betrieb gewählte Vertreter und die Gewerkschaft.

Wir haben viele Leute gefragt und angerufen, was sie zu dem Problem sagen: Sollen Überstunden gemacht werden oder lieber Arbeitslose eingestellt werden?

Auf der Straße hat uns einer gesagt: Wer arbeiten will, der findet immer Arbeit. Aber die meisten sitzen nur da und nehmen die Arbeitslosenunterstützung an.

Vor dem Opel-Werk hat uns ein Arbeiter gesagt: Wir finden, daß einer, der arbeitslos ist, nachsagen, wie zum Beispiel: Der ist ja faul. Er kann nämlich nichts dafür, daß er arbeitslos ist.

SOZIALAMT

Einmal sind wir von der Schule auf das Sozialamt (Erklärung unten bei Nummer 1) gegangen. Ein Herr sagte uns, zeigen, daß er genausoviel wert ist wie alle anderen auch. Allein kann der Arbeitslose seine Not nicht aber überwinden, die Gesellschaft muß ihm helfen, helfen. Man sollte auch

GEWERKSCHAFT

Wir wissen, daß die Gewerk-

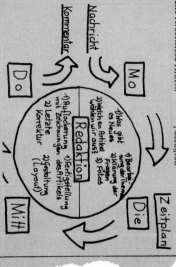

schaft die Arbeitslosigkeit mildern will. Sie verlangt mehr Erholung, Bildungsurlaub (Erklärung Nummer 2) und längere Ausbildungszeit in Schule (z. B.: 10. Schuljahr Pflicht) und Lehre. Die älteren Leute sollen ab 60 Jahre zu Rentnern werden, damit mehr Arbeitslose eingestellt werden können. Dann müßten Überstunden ausfallen und die tägliche Arbeitszeit müßte auf 8 Stunden begrenzt werden.

BETRIEBSRAT

Ein Betriebsrat, den wir auch angerufen haben, hat gesagt: Ich bin gegen die 4 Sonderschichten, weil das Unternehmen sich geweigert hat, den Kurzarbeiterfonds (Erklärung Nr. 3) zu bezahlen. Das heißt: Voller Lohn bei Kurzarbeit!

Neue Frage: Warum entläßt der Arbeitgeber Opel-Arbeiter und stellt nach kurzer Zeit wieder neue ein?

Antwort: Der Unternehmer will möglichst viel Gewinn machen. Wenn er weniger Autos verkaufen kann, dann entläßt er Kollegen — und wenn er viele Autos verkaufen kann, dann führt er Sonderschichten ein.

Neue Frage: Wie denken die Kollegen bei Opel darüber?

Antwort: Die Mehrzahl der Kollegen braucht mehr Geld. Sie sehen aber zur Zeit als einziellen Misere nur die finanzigen Ausweg aus der finanschichten. Das ist langerfristig sicher keine richtige Lösung

Arbeitslosen nichts Schlechtes rauskommen, wenn wir den Kampf um „genügend Lohn bei einer 40-Stunden-Woche" energisch weiterführen.

Unsere Meinung zu dem Problem „Arbeitslosigkeit" ist folgende:

Wir finden, daß es in der Bundesrepublik zuviel Arbeitslosigkeit gibt, deshalb müßte man was unternehmen. Wir finden, man sollte auf die Vorschläge der Gewerkschaft eingehen. Dann haben wir viele oder sogar alle Arbeitslose vom Lohn

FIRMA OPEL

Beim Arbeitgeber haben wir gefragt: Warum verlangen Sie die Sonderschichten?

Antwort: Weil wir sehr viele Kunden haben, die vor vielen Monaten schon ihr Auto bestellt haben und darauf warten. Dann hat er uns noch gesagt, daß die Arbeiter für die Sonderschichten bedeutend mehr Geld als für Normalstunden bekommen.

Wir meinen, daß wir da nur vor allem die Schüler anderer Schulklassen, mit uns in Verbindung zu treten, wenn noch Fragen zu der Sache sind oder andere Meinungen vertreten werden. Schreibt einfach an die Adresse unserer Schule. Vielen Dank schon mal für die Mitarbeit.

Klasse 7a der Hauptschule Stiftstraße, Bochum-Langendreer

Weitere Worterklärungen

1 — Sozialamt: Das ist das, wo der Arbeitgeber hilft z. B. denen, die arbeitslos sind, den Alkoholikern und denen ohne Wohnung.

2 — Bildungsurlaub: Ist ein zusätzlicher Urlaub, um was zu lernen, z. B. auf der Universität.

3 — Kurzarbeiterfonds: Das ist das, das der Arbeitgeber in guten Zeiten zurücklegt und den Arbeitern in schlechten Zeiten (Kurzarbeit) zum Lohn dazugibt.

Wir bitten nun die Leser und

Mit Telefoninterviews sammeln Schüler der Klasse 7a zusätzliche Informationen. waz-Bilder: Hartmut Beifuß

Nach diesem Zeitplan entstand die erste „Jugend-WAZ".

Gabi A., 16, Schülerin

Die Welt mit Opas Augen

Wie Großvater noch da war, der hat mir viele Geschichten erzählt. Da hat Mutti sich immer geärgert, weil das nichts Vernünftiges war, was man im Leben brauchen kann. Sie hat immer gesagt, Großvater macht mir die Gabi verrückt. Er hat sich wirklich verrückte Sachen ausgedacht, was wir zusammen erleben werden, wenn wir mal verreisen, Sachen, die gibt's gar nicht. Der Großvater hat viel Zeit für mich gehabt. Und er hat auch immer Überraschungen gehabt. Hat mir einen schönen Apfel hingelegt und ein Kopftuch rumgebunden. Oder Tiere aus Tannenzapfen und Kernen und allem Zeugs. Eine Schallplatte hat er mir gekauft. Aber nicht, weil gerade was los war, Weihnachten oder Ostern. Mein Opa hat einfach so geschenkt, weil's ihm Spaß gemacht hat. Er hat immer so getan, als wär ich noch ein Kind. Meine Mutti hat das furchtbar gefunden. Wenn ich geheult hab, ich möchte sagen, manchmal läuft einem ja was über die Leber, das wird dann nachts ganz schlimm, das hat Opa gehört. Da ist er ins Zimmer gekommen und hat sich auf mein Bett gesetzt und gesagt: Na, was ist denn, Gabi, wollen wir die Gespenster verscheuchen?

War nicht richtig, daß die Mutti ihn rausgeschmissen hat. Es war nicht ihre Schuld, daß er soviel getrunken hat, ich seh's ein, aber er hat ja nichts mehr gehabt außer uns. Ach, heute schmerzt mir das Herz wieder. Ich weiß nicht, ich hab das öfter, aber der Arzt sagt, ist alles seelisch. Zuerst war's für mich auch eine Erleichterung, wie mein Opa weg war. Er hat richtig verlottert ausgesehen. Wenn sie in der Klasse gesagt haben, deinen Großvater hab ich gestern wieder betrunken gesehn, da hab ich mich so geschämt. [. . .]

Besonderen Wunsch hab ich sonst keinen. Ich bin eigentlich einverstanden mit allem. So wie jetzt möchte ich weiterleben. Ob ich die Welt verändern will? Nein, das kann ich ja gar nicht. Warum soll ich das wollen, was ich nicht kann? Man paßt sich unwillkürlich an. Man möchte ein bißchen mehr Geld haben, daß man sich was leisten kann. Eine schön eingerichtete Wohnung, mal eine Party geben, die Kinder schön anziehen, dafür sorgen, daß es ein richtiges Milieu wird. Was kann man doch alles für Geld machen? Ich würde mir wünschen, daß ich einen Mann finde, der zu mir paßt, und daß ich mal nach Italien fahren kann, bevor ich ein Tattergreis bin. Wenn ich Mutti sehe, die ist noch nicht alt, aber die war noch nie im Ausland, immer nur zu Hause. Nein, ich habe keine Probleme. Soweit ich mich erinnern kann, war ich immer glücklich, nur Opa hat mich bedrückt. – Was Glück ist? Ich weiß ja auch nicht, vielleicht wenn man sich was wünscht, und das erfüllt sich dann. Als ich von meiner Mutti das Tonbandgerät bekommen hab. Unter meinem künftigen Beruf, Wirtschaftskaufmann, stell ich mir nichts vor. Ich weiß ja nicht, wo sie mich hinstecken werden. Meine Mutti sagt immer: Nur nicht den Kopp heißmachen, alles auf sich zukommen lassen.

Aus: Maxie Wander **Guten Morgen, du Schöne** Luchterhand

Übung

Hinhören

In der schriftsprachlichen Kommunikation wird auf korrekte Rechtschreibung und Interpunktion sehr großer Wert gelegt. Deshalb gibt es jetzt ein –

Quadrophonisches Diktat

Das Rübenziehen

1. Väterchen hat Rüben gesät. Er will eine Rübe herausziehen; er packt sie beim Schopf, er zieht und zieht und kann sie nicht herausziehen. Väterchen ruft Mütterchen: Mütterchen zieht Väterchen, Väterchen zieht die Rübe, sie ziehen und ziehen und können sie nicht herausziehen.
2. Kommt das Enkelchen: Enkelchen zieht Mütterchen, Mütterchen zieht Väterchen, Väterchen zieht die Rübe, sie ziehen und ziehen und können sie nicht herausziehen. Kommt das Hündchen: Hündchen zieht Enkelchen, Enkelchen zieht Mütterchen, Mütterchen zieht Väterchen, Väterchen zieht die Rübe, sie ziehen und ziehen und können sie nicht herausziehen.
3. Kommt das Hühnchen: Hühnchen zieht Hündchen, Hündchen zieht Enkelchen, Enkelchen zieht Mütterchen, Mütterchen zieht Väterchen, Väterchen zieht die Rübe, sie ziehen und ziehen und können sie nicht herausziehen.
4. Kommt das Hähnchen: Hähnchen zieht Hühnchen, Hühnchen zieht Hündchen, Hündchen zieht Enkelchen, Enkelchen zieht Mütterchen, Mütterchen zieht Väterchen, Väterchen zieht die Rübe: Sie ziehen und ziehen – schwupps, ist die Rübe heraus, und das Märchen ist aus!

1 Wählen Sie vier Mitschüler aus. Jeder dieser vier übernimmt einen der vier Abschnitte des Diktats. Die vier Schüler begeben sich in die vier Ecken des Klassenraums. Die Klasse teilt sich in vier Gruppen. Die vier gewählten diktieren ihren Abschnitt gleichzeitig der ihnen gegenübersitzenden Schülergruppe. Also: gut zuhören!

2 Aus jeder Schülergruppe wird jemand bestimmt, der den Text an die Tafel schreibt.

3 Jeder korrigiert seine Fehler oder tauscht das Diktat mit dem Nachbarn und korrigiert dessen Fehler.

4 Schauen Sie im Zweifelsfall im Duden nach.

5 Falls Sie aus beruflichen Gründen über eine gute Rechtschreibung verfügen müssen, bitten Sie Ihren Lehrer oder Ihre Lehrerin um weitere Diktate oder suchen Sie selbst geeignete Texte.

A Haus

Mein Glück

Max Kruse

Draußen kreischt
die Straßenbahn.
Drüben gröhlt
ein Blödian.
Über mir
tobt ein Klavier,
nebenan
ein Hundetier.
Unten
dröhnt das Radio,
und das Wasser
rauscht im Klo.
In der Küche
pfeift der Topf,
und ein Hammer
übt klopf-klopf.
Doch mir macht das
gar nichts aus –
denn ich bin ja nicht
zu Haus!

B Klassen, Mengen, Begriffe

Lesen Sie zuerst den Text und dann die entsprechenden Aufgaben auf Seite 80. ⇨

VW-Golf
Opel-Rekord
Mercedes-T-Combi
Alfa Romeo-Cabrio
Fiat-Ritmo
Renault R4
Citroën – Ente
Volvo – Automatic
...

kein Fernseher
VW-Variant
großes Haus
3 Kinder
Radwandern
große Hifi-Anlage
französischer Wein
alte Möbel
...

Brief
Telefon
Trommel
Rauchzeichen
Fernsehen
Telepathie
Blick
...

Theater
Kneipe
Restaurant
Konzert
Kino
kegeln
fernsehen
...

Blumenvase
Trockenrasierer
Elektromix
Kuchenteller
Bilderrahmen
Fotoalbum
Holzeierbecher
sechs silberne Kuchengabeln
Hifi-Turm
12 Sektgläser
Geflügelschere
Thermosflasche
Teeservice
...

Augen
Mund
Haare
Brust
Beine
Hirn
Hintern
Bizeps
Schultern
...

Schreibtisch
lila Halstuch
Kuli in der Westentasche
Achselspray
Strickjacke
VW-Polo
Waschmaschine
Schreibmaschine
50 Pf für die Parkuhr
Hosen ohne Taschen vorne
Elvis-Poster
Prämiensparvertrag
eine halbe Beamtenstelle
...

mal wieder ein gutes Buch lesen
mit Leuten quatschen, die man
    lange nicht gesehen hat
Skat spielen
den Gartenzaun reparieren
mit Marie Mathe üben
den Wagen innen saugen
an der Volkshochschule einen
    Kurs über Bauernmalerei belegen
Oma eine Geburtstagskarte schreiben
Emil anrufen
einen über den Durst trinken
einen Schaufensterbummel machen
'ne Woche krank feiern
...

Schule
Universität
Kindergarten
Straße
Lehrstelle
Bundeswehr
Sportclub
Familie
Fan-Club
...

Mittagsschlaf
Vitaminpille
Siesta
Philologen-Nickerchen
Spaziergang
Kaffee und Korn
schmusen
Kirchgang
rauchen
arbeiten
mit Kindern spielen
Denkpause
...

arbeiten
50 Sätze abschreiben
eine rote oder gelbe Karte
gebührenpflichtige Verwarnung
Haft
Stubenarrest
keine Arbeitsstelle
Ohrfeige
kein Essen
Strafporto
5 oder 6
schweigen
brüllen
fristlose Entlassung
...

eine Rede halten
in einer Kneipe rauchen
zum Frisör gehen und sich den Bart
    schneiden lassen
das Rad wechseln (Panne)
Judo machen
beim Essen Zeitung lesen
im Café zahlen
ein Fest organisieren
Steuererklärung ausfüllen
Oma eine Karte schreiben
dem Kind den Rotz abwischen
...

Sauerkraut
Lügen
Türquietschen
Geschrei
Fettfinger
Torten
Wodka
Abschied
...

Frühstück
Abendessen
Arbeitsessen
Mittagessen
Festessen
Imbiß
Pausensemmel
Cocktail
Bankett
Kaffeetrinken
naschen
Vesper
Hochzeitsmahl
...

Büroklammern
Fotos
Briefe
Spielkarten
Schrauben
Radiergummi
Schlüssel
Scrabble-Teile
Bleistift
Kleingeld
Briefmarken
Knöpfe
...
(Martins Schreibtischschublade)

Bundesverdienstkreuz
Eins
Sonderurlaub
Belobigung
Streicheln
Prämie (für inner-
    betriebliche
    Erfindung)
Orden
Auszeichnung
vorzeitige
    Entlassung
...

Mietshaus
Bungalow
Baracke
Zimmer
Einfamilienhaus
Laube
Hotel
Eigentumswohnung
Werkswohnung
...

Badeurlaub
Skiferien
Wanderfreizeit
Kur
Fortbildungsurlaub
Mutterschaftsurlaub
Erholungsaufenthalt
Segelfreizeit
...

jdm ein Essen zubereiten – darauf achten, daß jemand gekämmt aus dem Haus
geht – jdm auf die Schulter klopfen – jdn zur Vorsicht mahnen – jdm die Schuhe
zubinden – jdm den obersten Hemdknopf zumachen – jdm Erfolg wünschen – jdm
sagen, daß er so ganz gut aussieht – jdm einen Klaps geben – jdm den Arm um
die Schulter legen – jdm lustig zublinzeln – jdm unbemerkt ein Stück Schokolade
zustecken – für jdn etwas basteln – jdm aus einer Verlegenheit helfen – jdm
einfach mal längere Zeit zuhören – jdm sein Auto leihen – jdn, der schläft, leise
zudecken –

⇨ Hund, Katze, Elefant, Maus, Schwein usw. gehören zur Klasse der Säugetiere, bzw. der Oberbegriff, unter dem man sie zusammenfassen kann, ist SÄUGETIER. Das haben wir in der Schule gelernt und auch, daß das „natürlich" oder „logisch" oder „selbstverständlich" ist.

Diese Einteilung geschieht jedoch nicht auf Grund von sozialen Erfahrungen, sondern bleibt wissenschaftlich abstrakt. Ein Kind z. B. würde sich nicht an dieser biologischen Ordnung orientieren, sondern die Tiere vielleicht nach solchen einteilen, die man streicheln kann, und solchen, die man besser nicht streichelt. Ein Safari-Jäger würde vielleicht Tiere unterscheiden, die man jagen kann, und solche, bei denen es sich nicht lohnt. Wieder andere Leute klassifizieren nach

„nützlich/schädlich" (für wen?), „niedlich/scheußlich", „eßbar/ungenießbar" usw. . . .

Wieder neue, oft ganz unterschiedliche Beziehungen ergeben sich, wenn wir eine fremde Sprache lernen. Sind Kartoffeln „Gemüse"? Für einen Deutschen ist das nicht so, obwohl sie für einen Franzosen „légumes" sind. Gehört ein Lkw zu den Personenbeförderungsmitteln? Für einen Mitteleuropäer sicherlich nicht, aber vielleicht für einen Peruaner (camión). Ist ein Militärflugzeug ein Verkehrsmittel? Natürlich nicht. Aber würde ein brasilianischer Kleinfarmer aus dem Landesinneren auch so antworten? Für ihn kann das Militärflugzeug die einzige Möglichkeit sein, von Zeit zu Zeit etwas in der Stadt zu erledigen.

1 Auf den Seiten 78/79 haben wir einige Mengen von Wörtern und Wortgruppen zusammengestellt. Wählen Sie zwei oder drei Mengen aus, suchen Sie dazu passende Oberbegriffe, streichen Sie einzelne Begriffe, die nicht unter den von Ihnen gewählten Oberbegriff passen, und erweitern Sie die Mengen um jeweils vier weitere Begriffe. Tragen Sie Ihre Ergebnisse im Plenum vor.

2 Suchen Sie in Kleingruppen jeweils einige Mengen heraus und versuchen Sie zu bestimmen, ob die einzelnen Begriffe eher männlichen (♂) oder eher weiblichen (♀) Lebewesen zugeordnet werden können.

3 Suchen Sie sich danach geeignete Begriffspaare (teuer–billig, groß–klein, Lob–Strafe, wichtig–unwichtig) und tragen Sie irgendwelche Begriffe mit einer graduellen Steigerung auf einer Skala ein.

Beispiel zu **3**:

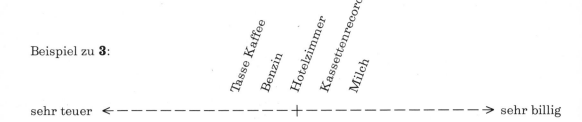

sehr teuer ⟵ — — — — — — — — — — + — — — — — — — — — — ⟶ sehr billig

(Ein Kassettenrecorder kostet zwar mehr Geld als Benzin, ist aber in der Bundesrepublik relativ billig.)
Diskutieren Sie die Ergebnisse mit Ihrem Lehrer oder Ihrer Lehrerin.
Wo gibt es unterschiedliche Einschätzungen. Warum?

4 Begriffe stehen immer in mehreren Zusammenhängen. Man kann z. B. gesund leben und dabei viel oder wenig Geld ausgeben. Wählen Sie aus dem Oppositionenstrauß Seite 82 einige Gegensätze aus und versuchen Sie dann, ein ähnliches Bild wie das folgende zu entwerfen.

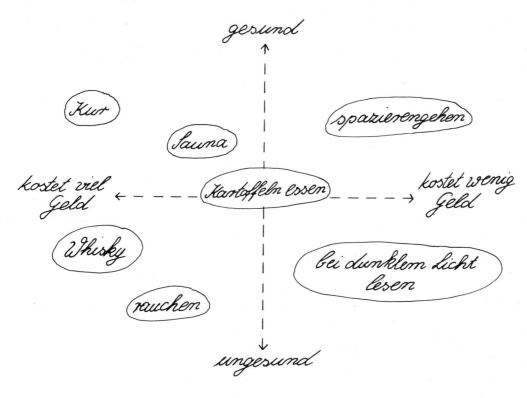

Abwertung

Siegfried Grundmann

Edelmann
Edelfräulein
Edelmut
Edelsinn

Edel
sei der Mensch

Edelstahl
Edelschokolade
Edelstoff
Edelfäule

edle Schneiderkostüme
edle Gemüse
edle Gewürze
aus dem Garten der Natur
Sauerkraut
aus edlen Holzbottichen

Edelganoven
Edelnutten

Oppositionenstrauß

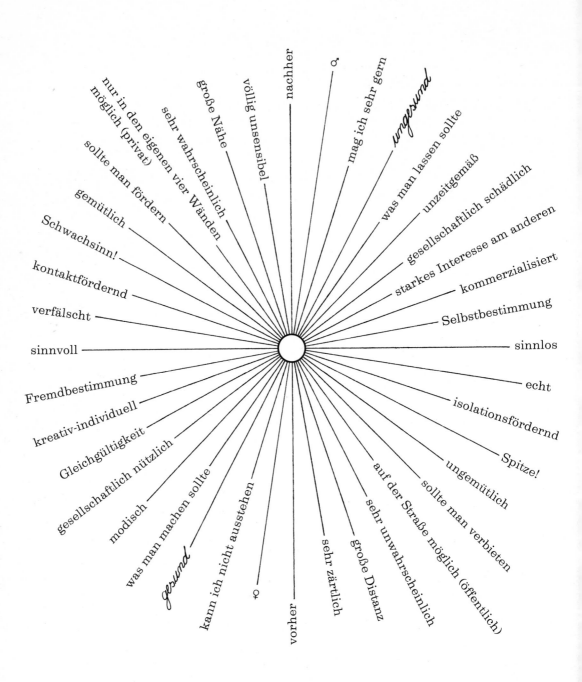

In der Bundesrepublik Deutschland...

C Wortverschiebungen

Sucht euch eine aktuelle (deutsche) Zeitungsmeldung, einen Kommentar oder einen kurzen Bericht. Nehmt ein (einsprachiges) Wörterbuch, sucht die Nomen und alle Verben eins nach dem anderen heraus und setzt das im Wörterbuch vierte oder fünfte folgende Nomen/Verb in den Text ein. (Schummeln ist in Grenzen erlaubt!)
Tragt beide Texte Satz für Satz der Gruppe vor (und erklärt die Wörter, die die anderen nicht verstehen).

Beispiel:

INTERCITY-ZÜGE

In den rollenden Restaurants wachsen Umsatz und Überstunden. Ein-Stunden-Takt verlangt den Mitarbeitern viel ab. In der Küche brutzelt Paco aus Spanien Rühreier mit Schinken, neben ihm klappert Ilona aus Jugoslawien mit den Tellern, während Mario, der Italiener, und Mustafa aus Marokko bei Tempo 200 elegant durchs rollende Restaurant flitzen . . .

Frankfurter Rundschau, 7. 11. 1979

In den rollenden *Resultanten wackeln Umschwung* und *Überzahlen.* Ein-*Stuntman-Talent wandelt* die *Miteigentümer* viel. In der *Kuchenform bückt* Paco aus Spanien *Rührwerke* mit *Schirmen,* neben ihm *macht* Ilona aus Jugoslawien die *Tempelorden klar,* während Mario, der Italiener und Mustafa aus Marokko bei *Tempus* 200 elegant durch *die* rollende *Resultante florieren* . . .

Übung

und

Diskussion

„Logische" Verknüpfungen

Es gibt Situationen, in denen man das, was gesagt wird, nur versteht, wenn man die Bedeutung kennt, die „dahinter" steckt. Diese Bedeutung gilt vielleicht nur im kulturellen Umfeld der Bundesrepublik Deutschland und ist dort immer mitgemeint.
Sie machen z. B. bei jemandem einen kurzen, unvorhergesehenen Besuch, und der Gastgeber sagt: „Entschuldigen Sie, aber ich kann Ihnen nur einen STUHL anbieten." Diese Entschuldigung und das Wort „nur" können Sie eigentlich nur dann verstehen, wenn Sie erfahren haben, daß STUHL in der Bundesrepublik etwas Nicht-Gemütliches, etwas Arbeitsbezogenes ist (das man u. a. auch zum Essen gebraucht), im Gegensatz zu der Gemütlichkeit eines SESSELS oder SOFAS.

1 Wie interpretieren Sie die folgenden Äußerungen? Achten Sie auf die „logischen" Verbindungen, die z. B. durch Konjunktionen ausgedrückt werden.

Ja, Herr Banke, nett, daß Sie mal vorbeikommen. Darf ich Ihnen einen COGNAC anbieten? –
Ja gern, aber ich habe etwas ERNSTES mit Ihnen zu besprechen. (Vermieter)

Morgen kommen meine SCHWIEGERELTERN zu Besuch, aber sie sind ganz nett.

Wir haben uns halbtot gelacht, dabei hatten wir keinen Schluck getrunken.

Er hat gestern den ganzen Tag den Mund nicht aufbekommen. Dabei weiß ich gar nicht, was ich ihm getan haben soll.

Entschuldigen Sie, aber ich wußte nicht, daß das IHR KIND ist. Wissen Sie, ich arbeite manchmal nachts, und da muß ich am Tag schlafen können . . .

Stell Dir vor, die Meiers sind schon 7 Jahre verheiratet.

Du willst mit 'nem Jungen zelten fahren? . . . Aber . . . du hast ja noch nicht mal die Lehre zu Ende!

Mutti, darf ich aufstehen? – Nein. – Aber ich habe doch schon aufgegessen!

Ach, entschuldigen Sie, aber ich glaube, ich habe Ihnen noch gar nicht die Hand gegegeben.

Obwohl sie bald zwanzig wird, wohnt sie immer noch zu Hause.

Also, bei uns nebenan ist auch so 'ne Wohngemeinschaft, Lehrer und so; also, wissen Sie, das wollen GEBILDETE LEUTE sein, dabei laufen die Kinder bei denen nackt im Hause rum.

Setz dich nicht so hin, bist doch schließlich 'n MÄDCHEN!

Mich haben sie in München nachts um zwei aus dem Bett geholt, nur weil jemand ein bißchen an mein Auto gefahren war! (Spanier)

Ein Afghane stellt seinen deutschen Freund vor:
„Und das hier ist mein Freund Hans. Er studiert auch hier in Marburg, aber seine Eltern wohnen in Hamburg."

Iß, mein Sohn, damit du groß und stark wirst!

Ich habe heute Spaghetti gemacht, die KARTOFFELN sind ja so teuer im Moment.

Es ist wirklich nett, daß Sie uns mal besuchen und ich schlage vor, daß wir Ihnen erstmal die WOHNUNG ZEIGEN, nicht, Gerlinde?

Ja, LEGEN Sie das JACKETT ruhig AB und fühlen Sie sich ganz zu Hause.

Der Zweckdiener

Bertolt Brecht

Herr K. stellte die folgenden Fragen:
„Jeden Morgen macht mein Nachbar Musik auf einem Grammophonkasten. Warum macht er Musik? Ich höre, weil er turnt. Warum turnt er? Weil er Kraft benötigt, höre ich. Wozu benötigt er Kraft? Weil er seine Feinde in der Stadt besiegen muß, sagt er. Warum muß er Feinde besiegen? Weil er essen will, höre ich.“
Nachdem Herr K. dies gehört hatte, daß sein Nachbar Musik mache, um zu turnen, turne, um kräftig zu sein, kräftig sein wolle, um seine Feinde zu erschlagen, seine Feinde erschlage, um zu essen, stellte er seine Frage: „Warum ißt er?“

Ein schöner Sonntag!

Peter Meiselmann

Jeden Sonntag, wenn es schön ist, fahren wir (Vater, Mutter, der Hund Schips und ich – manchmal eine Tante oder auch ein Onkel) hinaus ins Grüne.
Alle sagen, daß es hier sehr schön ist.
Dann darf ich mit Schips herumlaufen, aber nicht zu weit, sonst könnte ich mich hinter einem Busch verstecken, und das wollen die Erwachsenen nicht.
Alle sagen, daß mich dann der MOMO holt.
Wenn die Großen vom vielen Reden sehr müde sind, essen wir noch irgendwo eine Jause und fahren dann (Vater, Mutter, der Hund Schips und ich – manchmal eine Tante oder auch ein Onkel) wieder nach Hause.
Alle sagen, daß das ein schöner Sonntag war.

2 Im folgenden finden Sie jeweils zwei Aussagen. Überlegen Sie, welche Beziehung zwischen ihnen bestehen kann, und drücken Sie diese Beziehung aus.

Beispiel: Frau Meier geht einkaufen. – Sie hat Lockenwickler im Haar.

Mögliche Lösung: Frau Meier geht einkaufen, **obwohl** sie Lockenwickler im Haar hat.

▷ Die Tochter von Schulzens hat geheiratet. – Sie erwartet ein Kind.

▷ Jürgen ist gestern fünfzehn geworden. – Er war richtig blau.

▷ Frau Doneit hat das Zeugnis ihres Sohnes unterschrieben. – Ihr Mann war nicht zu Hause.

▷ Herr Kluge hat eine Stelle als Abteilungsleiter gefunden. – Er wird dieses Jahr fünfzig.

▷ Es ist Sonntag. – Herr Kanitz geht in Jeans und Pullover spazieren.
(Hier sollten Sie vielleicht erst entscheiden, ob H. K. in der Stadt oder auf dem Land lebt, welchen Beruf er hat usw.)

▷ Peter frühstückt. – Peter putzt sich die Zähne.

▷ Franziska und Achim gehen in ein Lokal. –
Franziska und Achim feiern wieder mal einen Ehefrieden.

3 Ergänzen Sie:

▷ Bei Kaisers gibt es heute Rumpsteak mit Champignons, weil . . .

▷ Rainer frühstückt. Dann . . .

> 75. der Hochglanz
>
> der alte Händler auf dem ungepflasterten Bahnsteig von Ysilkisar, der die Äpfel und Tomaten auf seinem Bauchladen mit Spucke und Lappen auf Hochglanz poliert, obschon der Zug bereits eingefahren ist.
>
> Aus: Wehrli **Eisenbahnfahrt** . . .

▷ Köhlers erwarten heute abend Besuch. Deshalb . . .

▷ Frau Künzel ist im Morgenmantel, obwohl . . .

▷ . . . . , obwohl heute Sonntag ist.

▷ Krügers essen jeden Tag Fleisch und geben überhaupt einen Haufen Geld fürs Essen aus. Dabei . . .

▷ . . . . , trotzdem hat er ganz vernünftige Ideen.

▷ Frau Kunze grüßt ihre Nachbarin nicht mehr, weil . . .

▷ Das wollen gute Eltern sein! Dabei . . .

4 Erfinden Sie in Kleingruppen oder zu Hause kurze Geschichten, in denen logische Verknüpfungen „nicht stimmen". Tragen Sie Ihre Geschichten den anderen vor. Diese müssen dann herausfinden, was (in einem deutschen oder eventuell in Ihrem muttersprachlichen/heimatlichen Kontext) nicht „logisch" ist. (In vielen Fällen werden Sie sich vermutlich nicht einigen können.)

Beispiele für solche Mini-Geschichten:

1) Herr Meier hat Hunger und geht deswegen ins Restaurant. Im ersten Restaurant hat er Pech: An jedem Tisch sitzen schon ein oder zwei Leute. Deshalb sucht er ein anderes, wo er noch einen freien Tisch findet. Da er nicht nur Hunger hat, sondern auch Durst, bestellt er zuerst mal einen Korn ...

(Kommentar: Es ist in der Bundesrepublik nicht sehr typisch, daß einer ins Restaurant geht, wenn er einfach nur Hunger hat. Ins Restaurant gehen die Leute eher, um etwas zu feiern, um mit Freunden zu diskutieren, um etwas Besonderes zu erleben, oder wenn man zum Beispiel mal keine Lust zum Kochen hat. Normal wäre die Situation, wenn Herr Meier zum Beispiel als Vertreter unterwegs wäre. Aber solche und ähnliche Umstände müßten dann angeführt werden.)

Benennen Sie weitere „unlogische" Elemente in dieser Geschichte.

2) Gestern war ich bei Bekannten. Obwohl sie mich eingeladen hatten, gab es kein richtiges Essen, sondern nur Brot und Wurst. Sie waren trotzdem sehr nett zu mir. Dann haben wir noch zwei Flaschen Wein getrunken, obwohl wir mit dem Essen schon fertig waren.

Marie Marcks

„Ehe und Familie stehen unter dem besonderen Schutz der staatlichen Ordnung."

(Grundgesetz der Bundesrepublik Deutschland, Artikel 6, Absatz 1)

1956

1980

Von der patriarchalischen zur heutigen Familie

[. . .] Mit dem Entstehen der Städte und dem Aufkommen des Kaufmannsstandes entwickelt sich schon seit dem dreizehnten Jahrhundert eine neue Familienform, die von der handwerklichen und bäuerlichen Hausgemeinschaft stark abweicht. Das private Vermögen, das jetzt wächst, ermöglicht es, die Haushaltsgemeinschaft aufzulösen und an ihrer Stelle die Handelsgesellschaft auf freier Vertragsbasis zu gründen. Der Sohn wird nun seinem Vater gegenüber zu einem gleichberechtigten Teilhaber. Indem Haushaltsgemeinschaft und Erwerbsgemeinschaft auseinanderfallen, verliert die Familie ihre wirtschaftliche Eigenständigkeit. Aber erst die kapitalistische Organisation von Großbetrieben der aufkommenden Industriegesellschaft entzieht dem Oikossystem* die Lebensgrundlage. Der Familienbetrieb kann nicht mehr konkurrieren. Die wirtschaftlichen Aufgaben des Familienbetriebes werden an die Gesellschaft abgegeben. Von dem Ausmaß der sozialen Umwälzung bekommt man einen Eindruck, wenn man bedenkt, daß um 1800 noch sechzig Prozent der Deutschen ein eigenes Grundstück besaßen, 1910 nur noch neun Prozent. Es entstehen riesige Häuserkomplexe, die den Massen Wohnmöglichkeiten bieten. Die Großfamilien – soweit sie noch bestehen – lösen sich in Kleinfamilien auf. Das Haus gibt nach und nach die Funktionen der Lebens-, Erziehungs-, Wirtschafts- und Rechtsgemeinschaft ab. Durch den Wechsel vom Einfamilienhaus in das große moderne Mietshaus verliert die Familie ihr Haus und ihren sozialen Halt so wie einst die Sippen ihren Grundbesitz. Begrifflich läßt sich die Entwicklung daran ablesen, daß jetzt seit dem achtzehnten Jahrhundert das Wort Familie in die deutsche Umgangssprache eindringt. Solange das Oikossystem Bestand hatte, konnte man noch nicht von der Familie sprechen. Haus und Familie sind zwei verschiedene Begriffe, die jeweils in einem ganz bestimmten, entsprechenden Gesellschaftssystem ihren Platz haben. Wir verbinden mit dem Wort Familie jene eigentümliche Gefühlsbetontheit, die mit der Herauslösung der Kleinfamilie aus der Gesamtheit des Hauses zusammenhängt. Der „Rationalität" des Betriebs tritt die „Intimität" der Familie gegenüber. [. . .]

*Oikos . . .: das ganze Haus umfassend

Aus: Begemann **Strukturwandel der Familie** Luther-Verlag

Großfamilien haben keinen Anspruch auf Aufenthalt in der Bundesrepublik

Der Siebente Senat des hessischen Verwaltungsgerichtshofes entschied grundsätzlich, daß die Einreise von Verwandten der in Deutschland lebenden ausländischen Arbeitnehmer auf die engeren Familienangehörigen beschränkt werden darf. Das sind nach der Feststellung des Gerichts nur die Ehegatten und die eigenen Kinder der Ausländer. Der Verwaltungsgerichtshof ...

SZ 18. 4. 1979

Bub strickt an Papas Rollenklischee

Elfjähriger boykottiert auf Geheiß des Vaters Unterrichtsfach „Textiles Gestalten"

Von unserem Korrespondenten Josef Schmidt

Braunschweig, 11. Januar

50 Mark Buße plus 13 Mark Gebühren soll ein Braunschweiger Vater zahlen, der seinen elfjährigen Sohn in der Orientierungsstufe dazu anhält, das Unterrichtsfach „Textiles Gestalten" zu boykottieren. „Ich habe keine Lust, zu weben und zu stricken", erklärte der Bub gegenüber der Lehrerin, und der Vater, zur Rede gestellt, ergänzte mit einer patriarchalischen Begründung: „Mein Sohn soll nicht als Hausmann ausgebildet werden. Man sollte die Schüler so ausbilden, daß sie die Möglichkeit haben, später eine ordentliche Lehrstelle zu bekommen. Solche Mätzchen (...Nadelarbeit) sind Zeitverschwendung. Man sollte statt dessen eine Stunde mehr Mathematik oder Deutsch geben."

SZ 12. 1. 1977

Zur Familienförderung will der Bundesrat ebenfalls einen Gesetzentwurf Baden-Württembergs im Bundestag einbringen. Vorgesehen ist die Erhöhung der Altersgrenze von acht auf zwölf Jahre für betreuungsbedürftige Kinder, für die Haushaltshilfe gewährt werden kann. Zugleich sollen Eltern für die Betreuung kranker Kinder statt bisher fünf in Zukunft zehn Tage Arbeitsbefreiung jährlich beanspruchen können. Zugleich sieht der Beschluß eine verstärkte Wohnungsbauförderung vor.
SZ 2. 6. 1979

Reform des elterlichen Sorgerechts im Bundestag bis zuletzt umstritten

Von unserer Bonner Redaktion

mas. Bonn, 10. Mai – Das Gesetz zur Neuregelung des Rechts der elterlichen Sorge wurde am Donnerstag vom Bundestag in dritter Lesung gegen die Stimmen der CDU/CSU-Opposition verabschiedet. Sein Grundgedanke ist die Ablösung des Begriffs der „elterlichen Gewalt" durch den Begriff der „elterlichen Sorge".

SZ 11. 5. 1979

Kinder kitten zerrüttete Ehen

Hamburg (dpa)

Kinder „kitten" zerrüttete Ehen – auf diese Kurzform läßt sich eine repräsentative Untersuchung der Zeitschrift ELTERN bringen, die in Hamburg veröffentlicht wurde. Danach gaben zehn Prozent von 2075 befragten Frauen zu, daß ihre Ehe nur noch aus Rücksicht auf die Kinder bestehe. Insgesamt wachsen etwa 1,3 bis 1,5 Millionen Kinder in der Bundesrepublik nach Angaben des Blattes in zerrütteten Ehen auf. Weitere zwei Millionen Kinder leben danach in Ehen, die nur „überwiegend wegen der Kinder" zusammengehalten werden.

SZ 8. 5. 1979

EINPERSONENHAUSHALTE
1961: rund 4 Mill. (= ca. 20 % aller Haushalte)
1970: rd. 5,5 Mill.
1975: rd. 6,5 Mill. (= ca. 28 % aller Haushalte)
(nach Bericht in der Süddeutschen Zeitung vom 9. 11. 1976)

**Ausschnitt aus einer Sendung des Südwestfunks vom 10. 8. 1977:
Rentnerarmut in der Bundesrepublik**

K: Kommentator; R: Frau R., achtzig Jahre alt, aus dem Sudetenland stammend.

R: Ich bin seit 1946 im Sudeten ... aus dem Sudetenland hierhergekommen. Mein Mann war in der Metzgerei tätig. Wir hatten zu Hause Eigentum (*beginnt zu weinen*), und Rente bekam ich erst hier. Die beträgt jetzt 246 Mark.
K: Frau R. hat ihr Leben lang gearbeitet und dennoch nur eine geringe Rente.
R: Das Österreich, das war ... niemand war da versichert. Das war so: Wenn die Geschäftsleute ihr Haus verkauft ham, und ham's dem Sohn iebergebn, da ham die von der Pacht gelebt, oder von dem Sohn, der dann auch Miete bezahlt hat für das Geschäft, und das war die Rente. Ja, so war das. Und bei Bauern war's ja auch so. Die ham das Gedinge* kriegt, die ham dann Korn, Getreide usw. alles kriegt, und 'n klein bißchen Geld, und ... das war sehr armselig da, und ...

*das Gedinge: Altenteil, d. i. Wohnung und Verpflegung auf Lebenszeit

Einsame Alte

Jeder vierte über 65 Jahre alte Bürger hat nur „sehr selten" Verbindung zur eigenen Familie. Für eine Million der insgesamt neun Millionen Menschen in diesem Alter ist der Kontakt zur Familie ganz abgerissen. Diese „Bilanz der Einsamkeit" hat jetzt das Kuratorium Deutsche Altenhilfe gestern in Köln vorgelegt.

ST 27. 11. 1981

Papas Schulter ist nicht zum Anlehnen

Umfrage unter Jugendlichen ergibt: Mutter noch immer wichtigste Vertrauensperson

Hamburg (ddp)

Väter sind offensichtlich selten gefragt, wenn Kinder Trost suchen. Eine von der Zeitschrift FÜR SIE beim Institut für Jugendforschung in Auftrag gegebene Repräsentativumfrage unter Jugendlichen im Alter zwischen sieben und 16 Jahren ergab, daß die Mutter immer noch Platz eins einnimmt. Den Jugendlichen war die Frage vorgelegt worden: „Wenn Du einmal richtig traurig bist, zu wem magst Du dann am liebsten gehen?" 36 Prozent aller Nennungen entfielen auf die Mutter. An zweiter und dritter Stelle folgen mit 21 beziehungsweise 19 Prozent Freundin und Freund vor dem Vater mit lediglich 14 Prozent. Gleich hinter dem „Familienoberhaupt" rangierte die Antwort „niemand" mit zwölf Prozent.

Auf die Frage: „Wen findest Du besonders gut, wer ist Dein Idol?" nannten 44 Prozent aller Jugendlichen einen Popstar an erster Stelle, wobei die Mädchen mit 54 Prozent deutlich vor den Buben mit 36 Prozent lagen; an zweiter Stelle der Gesamtwertung folgte bereits die Antwort „niemand" mit 30 Prozent. Platz drei der Tabelle besetzten Sportler, für die sich 22 Prozent der Befragten entschieden. Politiker, Wissenschaftler, Fernsehleute, Nobelpreisträger und Filmschauspieler landeten unter „ferner liefen".

SZ 25. 4. 1979

Justiz hat für den Hausmann nichts übrig

Köln (ddp)

Der 29jährige Kölner Harald Utecht hatte mit 30 Mark Zeugengeld gerechnet, weil er mit Fahrt- und Wartezeit mehr als vier Stunden aufwenden mußte, um vor Gericht auszusagen. Hausfrauen steht, wie ein Sprecher der Kölner Justizbehörde bestätigte, ein Zeugengeld von sechs Mark für jede angebrochene Stunde zu. Bei der Berufsangabe „Hausmann" stutzte jedoch der Beamte an der Gerichtskasse. Für ihn war das kein Beruf. Er ließ den Vater von zwei Kindern, der sich mit der Versorgung seines Haushalts voll ausgelastet fühlt, leer ausgehen.

SZ 8. 4. 1978

Fast eine Million Singles müssen Kinder betreuen

Auch viele Väter stehen allein

WIESBADEN (ddp) 1981 gab es in der Bundesrepublik insgesamt 905 000 alleinstehende Väter oder Mütter mit einem oder mehreren Kindern unter 18 Jahren.

Diese Situation war in 244 000 Fällen auf den Tod des Partners und in 545 000 Fällen auf Scheidung oder Trennung zurückzuführen. 116 000 der Singles waren nie verheiratet, teilte das Statistische Bundesamt in Wiesbaden gestern mit.

Bemerkenswert ist die Entwicklung bei den allein erziehenden Vätern, deren Zahl sich von 88 000 im Jahr 1972 auf 141 000 im Jahr 1981 erhöht hat. Von ihnen hatten rund 103 000 für ein Kind, 28 000 für zwei und 10 000 für drei und mehr Kinder zu sorgen.

Die Zahl der alleinlebenden Frauen mit Kindern unter 18 Jahren ist zwischen 1972 und 1981 von 618 000 auf 764 000 gestiegen. Auch hier war in der überwiegenden Zahl der Fälle (497 000) nur ein Kind vorhanden. Immerhin hatten aber 196 000 alleinerziehende Mütter zwei und 71 000 drei Kinder und mehr.

ST 4. 3. 1982

Mein Mann ist jünger

„Ich bevormunde ihn schon ein bißchen, aber ich habe ja auch zurückstecken müssen."

„Als ich ihm sagte, wie alt ich bin, guckte er verdutzt, sagte aber nichts."

„Ich war die Dominierende in der Ehe, aber er war ja so sensibel und bequem."

„Einen älteren Mann würde ich nie heiraten. Mit jüngeren macht es eben mehr Spaß, und man bleibt selber jung."

„Ich habe Angst, daß mein Mann später mit einer jüngeren abhaut."

„Pflegen muß man sich schon, sonst läuft er weg."

Bekenntnisse von Frauen, die einen jüngeren Mann geheiratet haben. Vor einem halben Jahrhundert noch ein Skandal, gehört es heute zum fast Alltäglichen. In jeder fünften Ehe ist der Mann jünger – Auseinandersetzungen über diese „verkehrten" Ehen gibt es nur noch im Familien- und Freundeskreis.

Stern Nr. 46/1976

Mit 20 führte Else Vetter ihren späteren Mann Joachim, damals fünf, spazieren. Mit 40 heiratete sie den 25jährigen. Als sie 65 war, verließ er sie wegen einer Jüngeren. Geschieden ist die 83jährige bis heute nicht.

SZ = Süddeutsche Zeitung
ST = Schwäbisches Tagblatt

Wissen Sie, was ein Schlüsselkind ist?

D Was? Wofür? Wobei? Womit? Woraus?

43 **?** -geschichten

Wolf Wondratschek

Didi will immer. Olga ist bekannt dafür. Ursel hat schon dreimal
Pech gehabt. Heidi macht keinen Hehl daraus.
Bei Elke weiß man nicht genau. Petra zögert. Barbara schweigt.
Andrea hat die Nase voll. Elisabeth rechnet nach. Eva sucht
5 überall. Ute ist einfach zu kompliziert.
Gaby findet keinen. Sylvia findet es prima. Marianne bekommt
Anfälle.
Nadine spricht davon. Edith weint dabei. Hannelore lacht darüber. Erika freut sich wie ein Kind.
10 Katharina muß man dazu überreden. Ria ist sofort dabei. Brigitte ist tatsächlich eine Überraschung. Angela will nichts
davon wissen. Helga kann es.
Tanja hat Angst. Lisa nimmt alles tragisch. Bei Carola, Anke
und Hanna hat es keinen Zweck.
15 Sabine wartet ab. Mit Ulla ist das so eine Sache. Ilse kann sich
erstaunlich beherrschen.
Gretel denkt nicht daran. Vera denkt sich nichts dabei. Für Mar-
got ist es bestimmt nicht einfach.
Christel weiß, was sie will. Camilla kann nicht darauf verzich-
20 ten. Gundula übertreibt. Nina ziert sich noch. Ariane lehnt es
einfach ab. Alexandra ist eben Alexandra.
Vroni ist verrückt danach. Claudia hört auf ihre Eltern.
Didi will immer.

Sagen Sie, was Wolf Wondratschek in seiner Geschichte nicht gesagt hat.
Zum Beispiel:
Didi will immer *Eis essen.*
Olga ist bekannt – *für . . .*
– *dafür, daß . . .*

Jeder/jede nimmt einen Satz und führt den Gedanken fort.
(Fragen Sie dann Ihren Lehrer oder Ihre Lehrerin nach dem Titel, den Wolf Wondratschek seinem Text gegeben hat.)

Kummerkasten

Die Gruppe bildet Paare.
Die einen schreiben auf ein Blatt
Papier ein Problem in der Art: „Lieber
Dr. Braun, meine Katze will nicht mehr
fressen . . ." oder „. . . ich muß immer
schon um 22 Uhr zu Hause sein . . ."
oder „. . . glauben Sie, daß er mich
wirklich liebt?"

Die anderen schreiben eine Antwort,
ohne die Frage zu kennen. Anschließend werden Fragen und Antworten
verlesen und (auf Tonband) aufgenommen. Manchmal paßt die Antwort,
manchmal nicht, und manchmal paßt
sie, obwohl sie eigentlich nicht passen
dürfte.

In der Bundesrepublik Deutschland ...

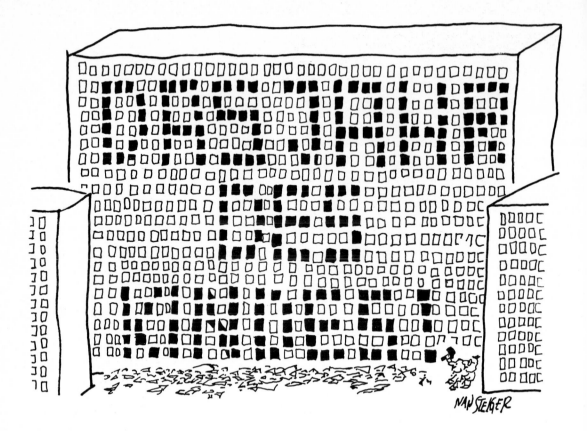

Über einige Davongekommene

Günter Kunert

Als der Mensch
Unter den Trümmern
Seines
Bombardierten Hauses
Hervorgezogen wurde,
Schüttelte er sich
Und sagte
Nie wieder.

Jedenfalls nicht gleich.

Wie geht's?

Zeichnung: Buchegger

A Dialoge

1 Im Sprachlabor

Antworten Sie bitte nach dem Muster:

Frage: Wann gibst du Brigitte das Buch zurück?
Antwort: Ich habe es ihr schon zurückgegeben.

1. Wann schickst du deiner Freundin die 100,– Mark zurück?
2. Wann zeigst du uns die Urlaubsfotos?
3. Wann bringst du deiner Freundin das Auto zurück?
4. Wann schreibst du deiner Mutter?
5. Wann reparierst du mir das Fahrrad?

Würden Sie außerhalb des Sprachlabors oder des Unterrichts genauso auf die Fragen antworten wie soeben in dieser Übung?

2 Außerhalb des Unterrichts

Dialog a

Klaus: Kommst du mit essen?
Mireille: Ja, ich komme mit essen.
Klaus: Hast du gestern auch das Fußballspiel gesehen?
Mireille: Ja, ich habe das Fußballspiel auch gesehen.
Klaus: Was hast du denn?
Mireille: Wieso?
Klaus: Bist du sauer auf mich?
Mireille: Nein, wieso sollte ich sauer auf dich sein?

Woraus schließt Klaus auf eine Verstimmung bei Mireille?
Von welchen Kommunikationsregeln weicht Mireille ab?
Weshalb, glauben Sie, spricht sie so?

> **Dialog b: Telefongespräch zwischen Vater (V) und Sohn (S)**
>
> S: Hast du meinen Brief bekommen?
> V: Ja, den habe ich bekommen.
> S: Hast du ihn gelesen?
> V: Ja, ich habe ihn gelesen.
> S: Dann weißt du also auch, daß ich das Studium unterbrechen und erstmal weg-
>   fahren will.
> V: Ja, ich weiß.
> S: Und was sagst du dazu?
> V: Du bist doch erwachsen.

Wie ist das Verhältnis zwischen Vater und Sohn?
Was will der Vater hier sagen?
Welche Mittel verwendet er dazu?

Intention und Versprachlichung

B

1 Bitte diskutieren Sie, wie in den Beispielen 1 und 2 die kommunikative Absicht (das, was gemeint ist) ausgedrückt wird. Versuchen Sie, weitere Versprachlichungen der Intentionen zu finden.

Gesagt wird ...   **Gemeint ist ...**

Beispiel 1

Es ist kalt heute.   [Gib mir deinen Mantel.]
Du, leih mir bitte deinen Mantel.
Mir ist kalt.
Du scheinst einen warmen Mantel zu
   haben.
B r r r r ...
Ich weiß nicht, ob ich einen Mantel dabei
   habe.
. . .

Beispiel 2

Fährst du bitte etwas langsamer?   [Fahr nicht so schnell.]
Du, ich habe Frau und Kinder zu
   ernähren!
Kannst du bitte etwas langsamer fahren?
Das ist doch kein Porsche!
Morgen ist die Beerdigung von XY.
Du kannst jetzt die Flügel ausfahren.
Ich glaube, es ist wieder Glatteis angesagt.
. . .

2 Finden Sie eigene Beispiele zur Versprachlichung der folgenden Intentionen:
[Bring mir bitte aus der Stadt eine Zahnbürste mit.]
[Ich möchte dich gerne mal treffen.]
[Bitte rauch nicht so viel.]
[Leih mir etwas Geld.]

C Versprachlichung und Intention

1 Bitte beantworten Sie und diskutieren Sie die folgenden Fragen:

1) Was ‹macht› (d. h.: welche Intention verfolgt) Herr Wohlacker, wenn er zu Herrn Baier sagt: „Sie können morgen bei uns anfangen." Was bedeutet diese SPRECHHANDLUNG üblicherweise? Welche Bedeutungsänderungen können sich ergeben, wenn man den Satzakzent verschiebt (z. B. auf ‚morgen' oder auf ‚uns' usw.)?

2) Was ‹macht› Herr Reichelt, wenn er auf die Frage „Können Sie morgen zu mir ins Büro kommen?" mit „Ja" antwortet? Was bedeutet diese SPRECHHAND-LUNG konventionellerweise?

3) Was ‹macht› Fräulein Schöngut, wenn sie auf die Frage des Standesbeamten, ob sie Herrn Schlurig für immer treu sein werde, mit „Ja" antwortet?

2 Welche kommunikativen Absichten (z. B.: eine Frage stellen, eine Behauptung aufstellen, einen Vorwurf machen usw.) verfolgen die Sprecher in diesem Gespräch?

Situation: Frühstück
Personen: Eltern, Kinder

VERSPRACHLICHUNG	KOMMUNIKATIVE ABSICHT
1. Vater: Wo ist der Kaffee, Peter?	
2. Peter: Hier.	
3. Vater: Gut, danke.	
4. Mutter: Es ist schon halb acht!	
5. Eva: Kannst du mir noch schnell ein Brot schmieren? (*Guckt in ein Heft.*)	
6. Vater: Du, Hausaufgaben macht man nachmittags!	
7. Eva: Tut mir leid, aber ich wollte dich noch etwas fragen: Sind die Winkel im gleichschenkligen Dreieck alle gleich?	
8. Vater: Natürlich nicht, Mensch! Oder höchstens in einem Sonderfall.	
9. Mutter: Die Luft ist vielleicht stickig hier!	

3 Was würden die Sprecher sagen, wenn sie ihre kommunikativen Absichten wortwörtlich ausdrücken würden? Konstruieren Sie einen Paralleldialog:

1. Vater: Schenke mir bitte etwas Kaffee ein, Peter.

2. Peter:

Hausaufgabe

Register

Zur Bestimmung der Sprechintentionen mußten Sie zum Teil FUNKTIONSVERBGEFÜGE benutzen. Diese Nomen-Verb-Gefüge werden häufig in der Amtssprache (siehe auch Kap. 7), in der Zeitungssprache und in wissenschaftlichen Texten verwendet. Manchen dieser Funktionsverbgefügen entsprechen einfache Verben, manchen nicht. Es ist eine Frage der Textsorte oder der Sprachebene, welche Form man wählt. Je nachdem, ob Sie die verschiedenen Ausdrucksmöglichkeiten aktiv oder passiv beherrschen wollen, lesen Sie die folgende Liste durch oder lernen Sie sie auswendig.

jdm einen Vorwurf machen		jdm etwas vorwerfen
jdm eine Antwort geben		jdm (etwas) antworten
jdm eine Frage stellen		jdn etwas fragen
jdm seinen Dank aussprechen		sich (bei jdm für etwas) bedanken
eine Bitte aussprechen/äußern		jdn (um etwas) bitten
einen Wunsch äußern		etwas wünschen
jdm eine Rüge erteilen		jdn rügen
gegen jdn Anzeige erstatten		jdn anzeigen

bringen

etwas zur Sprache bringen	etwas besprechen, sagen
jdn zur Vernunft bringen	
jdn aus dem Konzept bringen	
etwas zum Ausdruck bringen	etwas ausdrücken

kommen

zur Sprache kommen (unpersönliche Konstruktion: es kam zur Sprache)	
jdm zu Hilfe kommen	jdm helfen
zu einem Entschluß kommen/gelangen	sich entschließen

führen

einen Beweis führen	etwas beweisen
einen Kampf führen	kämpfen

machen

jdm eine Mitteilung machen	jdm etwas mitteilen
Angaben machen	etwas angeben

leisten

jdm Hilfe leisten	jdm helfen
jdm Zahlung leisten	jdm etwas zahlen
jdm Gehorsam leisten	jdm gehorchen

nehmen

jdn in Haft nehmen	jdn verhaften
jdn in Schutz nehmen	jdn schützen, verteidigen
(von jdm) Abschied nehmen	sich (von jdm) verabschieden
etwas in Anspruch nehmen	etwas beanspruchen

setzen

etwas in Bewegung setzen	etwas bewegen
jdn in Verwunderung/Erstaunen setzen	jdn verwundern/erstaunen
sich zur Wehr setzen	sich wehren
etwas außer Kraft setzen	

stellen

einen Antrag stellen	etwas beantragen
etwas zur Debatte stellen	
etwas unter Beweis stellen	etwas beweisen

treffen

Vorbereitungen treffen (für/zu)	etwas vorbereiten
Abmachungen treffen	etwas abmachen, vereinbaren
Vorsorge treffen (für)	vorsorgen
eine Entscheidung treffen	(etwas) entscheiden

> jdm = jemandem (Person im Dativ)
> jdn = jemanden (Person im Akkusativ)

Übung

🔲 Ansprachen

1 Hören Sie die folgenden Textstücke auf der Cassette und machen Sie sich dabei Notizen (Anlaß der Rede, wichtigste inhaltliche Punkte). Geben Sie dann mit Hilfe Ihrer Notizen eine kurze Zusammenfassung: Wer sind die Angesprochenen in den verschiedenen Reden? Wer ist der Redner? In welchem Rahmen/welcher Situation wird die Rede gehalten?

2 Lesen Sie dann die Texte und unterstreichen Sie die Funktionsverbgefüge und andere Strukturen mit Substantiv, die man auch durch ein Verb ausdrücken könnte. Schreiben Sie die Formulierungen mit den entsprechenden Verben an den Rand.

Meine sehr verehrten Damen und Herren, liebe Freunde,   1

es ist mir – eine außerordentliche – Ehre – und – eine große
Freude –, Sie heute – zum neunzigjährigen Jubiläum unseres Känguruhzüchtervereins – begrüßen zu dürfen. Ich darf
5 besonders meiner Freude darüber Ausdruck verleihen, daß
der Vizepräsident unseres australischen Bruder-, – äh –,
Bruder-, – äh –, Schwesterverbandes – sich nicht – nicht
die Freude nehmen ließ, uns die Ehre seiner persönlichen
Anwesenheit zu geben.

10 Aus der Antarktis erreichte uns ein Funkspruch unseres
langjährigen Mitglieds Dieter Dusselbaum, das sich dorthin verlaufen – äh – verfahren – äh – versegelt hat – und
sich auch nicht die Freude nehmen lassen wollte, und dem
es am Herzen lag, uns auf diesem Wege seine besten Wünsche
15 zu entbieten und seiner Hoffnung Ausdruck zu verleihen,
daß . . . naja. Nun hat es ja mit dem Känguruh an sich
durchaus eine besondere Bewandtnis . . .

* * *

Liebe Eltern, liebe Schüler, meine sehr verehrten Damen   2
und Herren,

ein Schuljahr neigt sich dem Ende zu, und es ist mir eine
große Ehre – große Ehre –, Sie hier und jetzt . . . Naja,
5 Sie wissen schon. Na, was denn wohl? Die Kinder werden
größer, und wir werden nicht klüger. Verzeihen Sie, das
wollte ich eigentlich an dieser Stelle nicht zum Ausdruck
bringen. Also, um wieder zum Thema zurückzukehren: Das
vergangene Schuljahr hat uns allen ja nicht nur viele Sor-
10 gen, sondern durchaus auch viel Freude bereitet, und es
liegt mir besonders am Herzen, allen Eltern, die an unserer schulischen Arbeit Anteil genommen haben, den Ausdruck meines tief empfundenen Dankes auszusprechen. Nun
hat es ja mit der Kindheit und der Jugend seine besondere
15 Bewandtnis. Gerade in der heutigen Zeit ist es . . .

* * *

Liebes Brautpaar, liebe Verwandte, liebe Freunde,   3

es ist mir eine große Freude – und Ehre, heute mit Ihnen
allen gemeinsam die Vermählung von Monika und Serge
(. . .) feierlich zu begehen. Ich stelle mir – und Ihnen
5 allen die Frage: Welchen Nutzen bringen alle Reden und
Städtepartnerschaften usw., wenn die Menschen sich nicht
zusammenfinden, und hier haben wir ein Beispiel, . . .

4 Sehr geehrte Damen und Herren, liebe Freunde,

ich bin kein Freund langer Reden. Langer Rede kurzer Sinn,
ich sage – ganz einfach – erheben Sie Ihr Glas mit mir, und
lassen Sie uns anstoßen auf . . .

* * *

5 Kameraden . . .

* * *

Jetzt machen Sie doch selber mal eine Rede!

Übung oder Spiel,
ganz wie Sie wollen!

Einer sagt den Anfang einer Floskel, eines Sprachklischees.
Wer zuerst eine Fortsetzung findet, sagt sie (oder einen Teil
davon), und wenn die Floskel zuende ist, beginnt er eine neue.

Beispiel:

A Meine sehr . . .
B verehrten Damen und Herren!
 Es ist mir . . .
C eine außerordentliche Ehre, und auch ein Vergnügen . . .
D Sie, besonders Sie, heute . . .
E an dieser historischen Stelle . . .
F begrüßen
G zu dürfen. Und es liegt mir am . . .

Undsoweiter!

Wenn die Fortsetzung nicht paßt, wird sie nicht angenommen.
(Dieses „kaputte" Spiel wird tatsächlich seit langem so ähnlich
von Journalistikstudenten gespielt. Viel Spaß!)

Hausaufgabe

Höflichkeitstest

An dieser Stelle möchten wir Ihnen Gelegenheit geben, Ihre Lernfortschritte zu testen und zu sehen, wie höflich Sie sind. Kreuzen Sie bitte die nach Ihrer Meinung zur Situation passenden Antworten an:

1) Sie bemerken die Hand eines Taschendiebes in ihrer Hosentasche. Wie reagieren Sie?
   A) Sie sagen gar nichts, weil Sie nichts Wertvolles in der Tasche haben.
   B) Sie sagen: Wenn ich Ihnen einen Rat geben darf, so nehmen Sie bitte die Hand aus meiner Hosentasche.
   C) Sie sagen: Ich rate Ihnen, nehmen Sie die Hand aus meiner Tasche!

2) Sie bitten Ihren Chef mit folgenden Worten um eine Gehalts- oder Lohnerhöhung:
   A) Würden Sie mir bitte die Erlaubnis erteilen, mich mit einer Frage an Sie zu wenden: Könnten Sie gelegentlich in Erwägung ziehen, ob nicht meine Verdienste um diese Firma in Form einer Gehaltserhöhung (Lohnerhöhung) Anerkennung finden könnten?
   B) Herr X, ich glaube, es ist mal wieder Zeit für eine Gehaltserhöhung (Lohnerhöhung)!
   C) In Anbetracht meiner langjährigen Tätigkeit in dieser Firma bitte ich um eine Gehaltserhöhung (Lohnerhöhung).

3) Sie haben Ihre Autoschlüssel vergessen und sind dabei, in Ihr eigenes Auto einzubrechen. Ein Polizist kommt hinzu. Sie antworten auf seine Vorhaltungen:
   A) Das ist doch mein Auto!
   B) Herr Wachtmeister, dürfte ich Ihre geschätzte Aufmerksamkeit auf die Tatsache lenken, daß dies mein Auto ist, was ich jederzeit durch Vorzeigen der entsprechenden Papiere unter Beweis stellen kann, wenn Sie nur die Anweisung dazu erteilen.
   C) Das ist mein Auto, ich habe die Schlüssel verloren. Ich habe die Papiere dabei und kann es beweisen.

4) Sie finden eine Frau/einen Mann sympathisch und möchten gern den Abend mit ihr/ihm verbringen. Sie sagen:
   A) Du, ich finde dich nett und möchte heute Abend gerne mit dir ins Kino gehen und hinterher ein bißchen mit dir reden.
   B) Kommst du noch ein bißchen mit?
   C) Darf ich wohl die Bitte an dich richten, mich ins Kino und anschließend nach Hause zu begleiten? Ich habe da eine neue Schallplatte, die ich dir gerne noch zu Gehör bringen möchte. Bei mir kann es auch zu Zärtlichkeiten kommen; ich habe dafür Vorsorge getroffen, daß meine Vermieterin abwesend ist.

5) Jemand beschimpft Sie:
   – wenn Sie männlichen Geschlechts sind:
   Sie Schlappschwanz, Sie aufgeblasener Idiot, Sie Trottel, Sie haben wohl nicht alle Tassen im Schrank, Sie dreckiger Kerl . . .
   – wenn Sie weiblichen Geschlechts sind:
   Alte Ziege, blöde Sau, Schlampe, Sie struwwelige Spitzmaus, Sie hat wohl der Esel im Galopp verloren . . .
   Wie reagieren Sie?
   A) Ich muß Ihnen zum Vorwurf machen, daß Sie Aussagen machen, die alle Regeln der Kommunikation zwischen Menschen außer Kraft setzen. Darf ich Ihnen die Mitteilung machen, daß ich gestern erst ein Bad genommen habe?
   B) Sie sagen gelassen: Selber Arschloch!
   C) Sie bitten einen Polizisten, Sie in Schutz zu nehmen.

AUSWERTUNG DES TESTS

Errechnen Sie Ihre Punktzahl anhand folgender Tabelle:

Punktzahl		0	1	2
Frage	1	A	C	B
	2	B	C	A
	3	A	C	B
	4	B	A	C
	5	B	C	A

Wie viele Punkte haben Sie erreicht?

0–2 Punkte: Ihre direkte, ehrliche Art macht Sie sympathisch, doch werden Sie manchmal anecken (Schwierigkeiten bekommen). Bleiben Sie, wie Sie sind, und besuchen Sie noch einen Deutschkurs für Fortgeschrittene!

3–4 Punkte: Sie sind ein praktischer Mensch, der immer durchkommen wird.

5–8 Punkte: Sie sind ein (manchmal zu) höflicher Mensch, doch noch nicht verloren. Besuchen Sie einen Deutschkurs, doch wichtiger ist: Reden Sie viel mit netten Leuten. Wenn Sie auf die Frage 4 nicht die Antwort C gewählt haben, können Sie heute abend damit beginnen.

9–10 Punkte: Sie sind ein überaus höflicher und sprachgewandter Mensch, doch wirkt Ihre Höflichkeit durch ein gewisses Zuviel penetrant. Vielleicht sind Sie ein Zyniker? Wenn der Polizist nicht dumm ist, glaubt er, daß Sie sich über ihn lustig machen. Die Lohn- bzw. Gehaltserhöhung bekommen Sie wohl auch nicht. Und den heutigen Abend verbringen Sie sicherlich ganz allein.

Neues aus Kalau

Von Tetsche

Diskussion Küssen

Die während des zweiten Weltkriegs in England stationierten amerikanischen Soldaten hatten vielfach Probleme mit ihren englischen Freundinnen, und umgekehrt: Die Engländerinnen fanden die Amerikaner zu stürmisch, und die Amerikaner fanden die Engländerinnen nicht sehr moralisch. Die Erklärung für diesen Widerspruch liegt in folgendem Schema, das die damals in den beiden Kulturen jeweils „normale" Entwicklung einer LIEBESBEZIEHUNG darstellt. Die Zahlen 1–30 stehen für die einzelnen Schritte (Entwicklungsstufen) vom ersten Augenblick der Bekanntschaft bis zum „Geschlechtsverkehr", wie der juristische Ausdruck heißt.

USA		Groß-britannien
1	erste Kontaktaufnahme	1
2		2
3		3
4		4
5	Küssen	5
.		.
.		.
.		.
25	Küssen	25
.		.
29		29
30	Geschlechtsverkehr	30

1 Versuchen Sie bitte in einer Gruppendiskussion, das Schema zu interpretieren und die Lösung des Widerspruchs zu finden. (Wenn Sie nicht alleine darauf kommen, so ist das auch kein Beinbruch: Die richtige Lösung steht im Buch Ihres Lehrers/Ihrer Lehrerin.)

2 Wenn man in der Bundesrepublik mit Frauen verschiedener Nationalitäten spricht, hört man oft Äußerungen wie die folgende: „Wenn ich mit deutschen Männern spreche, habe ich nicht das Gefühl, als Frau behandelt zu werden" – (eine Französin). Entspricht das auch Ihren Erfahrungen? Welche Erlebnisse können zu diesem Eindruck geführt haben?

3 Wenn Sie Lust haben, diskutieren Sie in kleinen Gruppen, in welchen Schritten sich in Ihrem Land/Ihren Ländern eine Beziehung entwickelt und welche Bedeutung jeder dieser Schritte hat. Tragen Sie Ihre Ergebnisse dann den anderen vor.

4 Wie ist es in einem deutschsprachigen Land? Haben Sie da eigene Erfahrungen? Wenn nicht, gibt es auch andere Informationsquellen, z. B.: Gespräche mit Ihren Lehrern und anderen Leuten aus den deutschsprachigen Ländern (auch brieflich), Literatur, Filme . . .

Brief über das Küssen

Lieber . . .

Seien Sie bitte nicht enttäuscht, wenn ich Ihnen heute wahrheitsgemäß schreibe, daß man in Japan nicht küßt.

Nicht freundschaftlich, nicht verwandtschaftlich, nicht diplomatisch und auch nicht, wie Sie meinen, ehrerbietig.

Eltern küssen ihre Kinder nicht, Großeltern ihre Enkel nicht, Onkel und Tanten küssen nicht ihre Neffen und Nichten, und die Neffen und Nichten nicht ihre Onkel und Tanten. Man küßt nicht die Stirn, nicht die Augen, nicht die Wangen, nicht die Haare, nicht Hals, Nase und Ohren, nicht die Lippen und nicht einmal die Hand. Küssen ist kein Gesellschaftsspiel . . .

Ich will versuchen, es Ihnen zu beweisen: Wäre das Küssen als Spiel der Liebe echt japanisch, so würde in vielen Liebesszenen in der Literatur und im Film der Nacken einer Frau den ersten Kuß auf sich ziehen, denn eine lange, sanft geschwungene Nackenlinie ist in Japan der Inbegriff weiblichen Reizes. Das war früher so und ist wohl heute noch nicht ganz überholt. Doch ich kenne keinen Roman und auch keinen Film aus Japan, wo der Nacken einer Frau das Ziel des ersten Kusses gewesen wäre. Man küßt – wenn überhaupt – auf amerikanisch oder, etwas nuancierter, auf französisch. Man küßt so, wie man es vom Westen gelernt hat – oder so, wie man glaubt, daß es „richtig" sei . . .

Abgesehen von denjenigen Japanern und Japanerinnen, die nach amerikanischem Vorbild „kiss fans" geworden sind, wird das Küssen, so glaube ich, auch heute noch in Japan recht ernst genommen. Vor kurzem fragte mich ein japanisches Mädchen, das als Germanistin zwei Jahre hier in Deutschland studiert hatte, um Rat. Ein deutscher Student wolle sie heiraten, sagte sie mir – er hatte versucht, sie zu küssen . . .

Aus: Hisako Matsubara **Blick aus Mandelaugen** Knaus Verlag

sehn
wieder
sehn

Trieb:instinct

Was für Gedankengänge können dem jungen Mädchen in der gleichen Schicksalslage eine Hilfe sein?

Für das junge Mädchen ist ausschlaggebend meist das Mitleid mit dem „armen Mann“, und die Angst, den Verlobten zu verlieren. Sie fürchtet, er könne sich gefälligeren Mädchen zuwenden, wenn sie sich ihm versagt. Die unmännliche Schwäche, die in dem ewigen Gejammer über den schrecklichen Trieb liegt, bemerkt sie meist nicht, denn Liebe macht bekanntlich blind. Daß sie an einem Mann, der sich bei der Wahl seiner Lebensgefährtin nach ihrer Gefälligkeit in sinnlichen Dingen richtet, nicht so sehr viel verlieren würde, macht sie sich teils aus Liebe, teils aus Angst nicht klar. Was man liebt, will man auf keinen Fall verlieren, und jedes junge Mädchen legt sich außerdem bewußt oder unbewußt bei der Auflösung einer Verlobung die Frage vor: Werde ich noch einmal jemanden finden, der mich will?

Gegen die Blindheit aus Liebe anzureden, ist gewöhnlich zwecklos. Denn die Liebe haben wir ja nicht, sondern sie hat uns, und solange sie uns hat, läßt sich der Star meist nicht stechen, der uns blind macht. Aber gegen die Angst lassen sich einige Überlegungen ins Feld führen. Ein junges Mädchen, das im Begriff ist, nachzugeben aus Angst, ihren Verlobten zu verlieren, möge sich folgendes vor Augen halten:

Es gehen sehr viel mehr Verlobungen infolge Aufnehmens als infolge Ablehnung sinnlicher Beziehungen auseinander.

Aus: Gerhard Ockel **Gesundes Liebesleben**, Falken Verl. 1936

. . . **Gejammer** Klagen

. . . **der Star** (Augenkrankheit)

. . . **jdm den Star stechen** jdm die Augen öffnen, jdn warnen

. . . **Trieb** körperliches Verlangen

. . . **nach ihrer Gefälligkeit** nach ihrem Entgegenkommen

. . . **läßt sich der Star meist nicht stechen** hier: kann man nichts gegen diese falschen Vorstellungen tun

. . . **sinnlicher Beziehungen** körperlicher Liebe

Wer als Vater, Mutter, Vormund „dem Geschlechtsverkehr Verlobter Vorschub leistet oder ihn, entgegen seiner Rechtspflicht zur Gegenwirkung, duldet, fördert eine grundsätzlich gegen die geschlechtliche Zucht verstoßende Handlung“.

Aus einer Grundsatzentscheidung des Bundesgerichtshofs in den 50er Jahren

. . . **Vormund** gesetzlicher Vertreter von Minderjährigen

. . . **dem . . . Vorschub leistet** den . . . ermöglicht

. . . **Zucht** Sitte, Anstand

Süddeutsche Zeitung, 12. 2. 1979

DDR-Bürger heiraten aus Liebe, aber mit Ansprüchen an Partner
Berlin (dpa)

Die jungen Leute in der DDR heiraten fast ausnahmslos „aus Liebe“. Das jedenfalls haben jetzt veröffentlichte Untersuchungen des Zentralinstituts für Jugendforschung in Leipzig ergeben. Danach gibt es Eheschließungen, wobei Vermögenserwägungen oder das Streben nach Prestige eine vorrangige Rolle spielen, „so gut wie nicht mehr“. Dafür knüpfen die heiratswilligen DDR-Jungbürger große Erwartungen an bestimmte Persönlichkeitseigenschaften des Partners – Verläßlichkeit, Treue, Hilfsbereitschaft, Rücksichtnahme. Die früher gewohnte „altersmäßige Überlegenheit des Mannes“ beeinflußt der Untersuchung zufolge hingegen die Heiratsabsichten junger DDR-Bürger kaum.

Doris: Wenn sie Bräute in Leder sehen, daß die eben so auf Karre stehen, dann denken sie, mit denen können sie alles machen, die denken, hör zu, Alter, die brauchen bloß ankommen, du, Alte, ich hab 'ne Karre, mach die Beene breit oder wat. Aber det geht nicht an, wa. Det kann garnicht angehen . . . Ist mir lieber, wenn ich zu hören krieg, Alte, det is heute nisch, setz dir mal drei Stühle weiter, oder so, vergiß es heute, ist mir immer noch lieber, als wenn de dann immer hörst, na ja, na ja, und denn verkrümelt der sich und so, verstehe. Und die Rocker-Typen sagen eben, eh, Alte, laß mir zufrieden, looft heute nischt, wa, ich hab heute keen Bock oder wat, und dann ist det gut, wa. Und das wird dann eben auch akzeptiert. Die schmiern dir da nicht irgendwie was vor. Da weeßte eben, wo de dran bist. Genauso wenn die mit dir ins Bette gehen wollen. Dann sagen sie eben, hör zu, Alte, ich hab Bock auf dich, und dann ist det gut, wa. Wenn du nicht willst, sagste, nee, Alter, looft nischt, und wenn de willst, sagste, ist gut, ist gebongt, wa. Und nicht erst mit groß irgendwat, muß ich ihr erst 'ne Blume schenken oder weiß ick.
[Berlinerisch]

Aus: Kursbuch 54 **Jugend** 1978

. . . **Bräute** Mädchen

. . . **wat** was

. . . **verkrümelt der sich** verschwindet der

. . . **looft heute nischt** heute läuft nichts

Die schmiern dir da nicht irgendwie was vor. Die machen dir nichts vor.

. . . **ist gebongt** ist in Ordnung

. . . **daß die . . . auf Karre stehen** daß die . . . wild sind aufs Motorradfahren

. . . **det** das

. . . **ich hab . . . keen Bock** ich hab keine Lust

In der Bundesrepublik Deutschland.

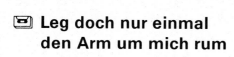

Leg doch nur einmal den Arm um mich rum

Charly Niessen/Charly Niessen

Die siebente Party diese Woche,
du wirst umschwärmt und ich verehrt,
das erfolgreichste Paar der Epoche,
und trotzdem gehen unsere Uhren verkehrt.
Leg doch nur einmal den Arm um mich rum,
dann weiß ich, du bist mein Mann.
Sprich mit den andern und sag es mir stumm,
sei nicht der Herr Nebenan.
Leg doch nur einmal den Arm um mich rum,
eh' sieben Stunden vergehn.
Glänze nur einsam, du hast Publikum,
aber laß mich nicht so stehn.
Leg doch nur einmal den Arm um mich rum,
daß du mir wieder gehörst.
Ich hab so Angst und weiß nicht warum,
daß du sonst alles zerstörst.
Leg doch nur einmal den Arm um mich rum,
dann weiß ich, du bist mein Mann.
Sprich mit den andern und sag es mir stumm,
sei nicht der Herr Nebenan.

Spiel

Kontaktaufnahme

(Fragen Sie Ihren Lehrer oder
Ihre Lehrerin nach den
Regeln.)

11 Uhr. Ich habe um diese Zeit immer das ganz ehrliche Gefühl, acht Stunden sind rum. Alle arbeiten weiter. Ich möchte mich freikaufen. Einen Schein auf den Tisch legen und raus für heute. Diesen Luxus habe ich mir einmal geleistet. Das war letztes Jahr in München. Ich war nicht im Akkord, ich war im Stundenlohn, Stunde 6,30 DM, Schwerarbeit. „MAN"-LKW-Ersatzteile verpacken für Übersee. Ich war übermüdet. Wir waren drei Frauen in der Wohnung, zwei arbeiteten Schicht. Ich war aufgewacht, als beide gegen 24 Uhr von der Spätschicht gekommen waren. An dem Freitag waren die Männer in der Halle besoffen, kurvten mit den Stapelfahrern durch die Gegend. Ich dachte, wenn ich jetzt nicht gehe, baue ich einen Arbeitsunfall oder werde in einen verwickelt. Eine Kurbelwelle konnte ich gerade noch abdrehen, statt sie auf den Fuß zu bekommen. Ich habe Bescheid gesagt und bin um 12 Uhr gegangen. Unbezahlt, freigekauft. Ich habe es als Luxus empfunden. Draußen schien die Sonne. Ich bin aufs Rad und die Schleißheimerstraße runter auf dem Fahrradweg. Ich stelle mir gerade vor, was Ruth und Adriane sagen, wenn ich während der Arbeitszeit komme, fahre schneller, um sie mit Sicherheit vor der Schicht zu treffen.

Aus: Marianne Herzog **Als Akkordarbeiterin in der Metallindustrie** Kursbuch 43

Was verkürzt mir die Zeit? – Tätigkeit. Was macht sie unerträglich lang? – Müßiggang.

(Goethe **Die Leiden des jungen Werther**)

Vorgabezeiten werden nach Kostengesichtspunkten vorbestimmt. Kosten werden durch die Konkurrenz innerhalb der Branche bestimmt. Aus dem Jahr 1969 stammt folgende Aufstellung über die Kosten von Bewegungen in der PKW-Endmontage im Daimler-Werk in Sindelfingen:

Bei einer Fertigung von täglich 1000 Stück fallen jährlich im Mittel folgende Lohnkosten an:

Handbewegung über 30 cm, Hinlangen und Bringen	690 DM
Beinbewegung, 40 cm, hin und zurück	1 040 DM
Bücken und Aufrichten	1 610 DM
Längsschritte, zwei Schritte hin und zurück	1 800 DM
Seitenschritte, zwei Schritte hin und zurück	1 810 DM
Körperdrehung, 90 Grad hin und zurück	1 970 DM
Körperdrehung, 180 Grad hin und zurück	3 940 DM
Ein- und Aussteigen in Innenraum	5 690 DM
Ein- und Aussteigen in Kofferraum	6 350 DM
Gehen von Wagen zu Wagen	6 770 DM
Gehen von Band zu Band	9 450 DM
Ein- und Aussteigen im Vorbau	10 700 DM

Die Bewegungen können während eines Arbeitsvorgangs mehrere Male vorkommen. Bei Körperbewegungen ist zu beachten, daß sie nicht nur teuer, sondern auch anstrengend sind.

Aus: Stuttgarter Arbeiter **Tarifbombe mit Zeitzünder** Kursbuch 43

Die Lückenlosigkeit der Planung – das ist die technische Bewältigung der Bedrohung durch die Zeit: Nahtlos muß sich ein Abschnitt an den anderen fügen, der Gesamtplan macht es mit präzisen didaktischen Fahrplanangaben deutlich: 5 Minuten Motivation (Tonband zum ersten Mal), 5 Minuten Lösungsversuch (erste Schüleräußerungen), 5 Minuten Problematisierung (Tonband zum zweiten Mal), 15 Minuten Erarbeitung I (Still- und Partnerarbeit), 15 Minuten Erarbeitung II (Unterrichtsgespräch). In gleicher Weise, wie es den Lehrer in Panik versetzen muß, wenn da Schüler in einer Phase vorzeitig fertig sind und nichts tun, weil sie nichts zu tun bekommen – in gleicher Weise müßte Panik entstehen, wenn leere Zeiten im Gesamtplan entstünden oder wenn der Zeitrahmen nicht ausreichte. Man ist nicht fertig geworden, es hat Hohlräume gegeben – das sind schon Alpträume, in ihnen melden sich die tatsächlichen Herren des Unterrichts.

Horst Rumpf in: päd. extra 3/1977

Dauer, Schnelligkeit, Langsamkeit ausdrücken

Das ist im Handumdrehen erledigt.
Das hab ich in Null Komma nix fertig.
Das geht wie's Brezlebacke. (süddeutsch)
im Schneckentempo
wie der (geölte) Blitz
Schwuppdiwupp

Zeit

Wendungen mit „Zeit"

. . . Z. sparen, gewinnen, für etwas erübrigen; die [freie] Z. ausnutzen, gut anwenden, verwenden, ausfüllen, für etwas benutzen; die [kostbare] Z. verplaudern, ungenutzt verstreichen lassen; Z. [mit etwas] verschwenden, vergeuden, vertrödeln (ugs.); seine Z. [mit etwas] verbringen, hinbringen; sich (Dativ) die, seine Z. [gut] einteilen; einige Z., eine kurze Z. [lang] warten; die ganze Z. [hindurch, über] war er damit beschäftigt; lange Z., die längste Z. seines Lebens hat er dort gewohnt; hier war ich die längste Z. (ugs.: *ich gehe von hier weg*); jmdm. die Z. stehlen, rauben (geh.: *jmdn. unnötig aufhalten*); wir dürfen keine Z. verlieren (*müssen uns beeilen*); dazu habe ich noch nicht die Z. gefunden (*bin ich aus zeitlichen Gründen noch nicht gekommen*); damit hat es noch Z. (*das eilt nicht*); Sport: er hat, ist die beste Z.

Aus: DUDEN **Stilwörterbuch der deutschen Sprache,** Bd. 2 1971

Die regelmäßige Arbeitszeit beträgt 40 Stunden wöchentlich, ausschließlich Pausen. Sie verteilt sich auf 5 Tage, grundsätzlich von Montag bis Freitag.

(Manteltarifvertrag für Arbeitnehmer des Buchhandels in Baden-Württemberg und Bayern vom 6. 11. 1978)

Die mittelalterlichen Menschen erfuhren die Zeit nicht vorwiegend visuell, sondern durch den Klang.

Man unterschied das „Erntegeläut", das „Abendgeläut", das „Geläut der Feuerglocken" und das „Geläut zum Viehaustrieb". Das gesamte Leben der Bevölkerung wurde vom Glockengeläut geregelt und paßte sich damit dem Rhythmus der kirchlichen Zeit an. Um eine Vorstellung zu erhalten, wie ungenau die Zeitbestimmung im Mittelalter war, sei ein Vorfall erwähnt, der sich Ende des 12. Jahrhunderts in Mons ereignete. Wie der Chronist berichtet, erschien zu einem gerichtlichen Zweikampf, der zu Tagesanbruch festgesetzt war, nur einer der beiden Beteiligten. Nachdem dieser vergeblich auf seinen Gegner gewartet hatte, verlangte er von den Richtern einen Beschluß, daß er den Rechtsstreit gewonnen habe, da sein Kontrahent nicht zur festgesetzten Zeit erschienen sei. Dazu mußte festgestellt werden, ob tatsächlich bereits die neunte Stunde angebrochen war, und die Beamten mußten sich mit dieser Frage an den Geistlichen wenden, der sich besser in den Stunden auskannte.

Da das Lebenstempo und die Hauptbeschäftigungen der Menschen vom Rhythmus der Natur abhingen, konnte ein ständiges Bedürfnis, genau zu wissen, wie spät es ist, nicht entstehen, und die gewohnte Einteilung in Tagesabschnitte war völlig ausreichend. Die Minute als Zeitabschnitt und integrierender Bestandteil der Stunde wurde einfach nicht wahrgenommen. Sogar nach der Erfindung und Verbreitung mechanischer Uhren in Europa hatten diese sehr lange Zeit keinen Minutenzeiger.

Aus: Gurjewitsch **Das Weltbild des mittelalterlichen Menschen** Verlag der Kunst, Dresden

Für wann man sich verabreden kann

Kommt doch zum Kaffee vorbei.
Treffen wir uns, wenn die Kinder
im Bett sind.
Treffen wir uns am Samstag nach der
Sportschau.
Ich habe am Dienstag nächste Woche
um neun Uhr fünfzehn noch einen
Termin frei.

Der Freizeit - Gewinn

Kürzere Arbeitszeit — Längerer Urlaub

	Kürzere Arbeitszeit			Längerer Urlaub	
1960	1970	1980	1960	1970	1980
44,6	41,5	40,1	15,5	21,2	28,3

Tarifliche Wochenarbeitszeit in Stunden — Tariflicher Jahresurlaub in Arbeitstagen

Durchschnittswerte für alle Arbeitnehmer

G 3945

Zeit

Jemanden bitten, ein bißchen zu warten

Augenblick!
Moment!
Sekunde!
Kannst du nur noch eine
Zigarettenlänge warten?

„Unmögliches erledigen wir sofort. Wunder dauern etwas länger."

(Spruch, den man manchmal auf Ämtern und in Dienstleistungsbetrieben findet.)

Der Fütter-Fahrplan rund um die Uhr

Fünfmal täglich – im Abstand von etwa vier Stunden – wird Ihr Baby gestillt oder es bekommt sein Fläschchen. Die Trinkmenge pro Flasche ersehen Sie aus den Angaben im Ernährungsteil.

Aus dem **Alete Baby-Buch**

Was versteht man unter Freizeit?

Was wird nun eigentlich unter dem Begriff „Freizeit" verstanden?

Im allgemeinen Sprachgebrauch bezeichnet man Freizeit als den Zeitabschnitt, der von Arbeit frei ist. Damit deuten wir an, daß Arbeit der wichtigste Bestandteil unseres Lebens ist. Das muß nicht unbedingt so sein!

Werfen wir einen kurzen Blick in die Geschichte. Wir stellen fest, daß die Freizeit zu anderen Zeiten anders begriffen und erlebt wurde.
Die Römer nannten die Arbeit „Nicht-Muße". Sie brachten damit zum Ausdruck, daß sie die Freizeit als Normalzustand des Menschen sahen und die Arbeit als die Abwesenheit von Freizeit.
Die Industrialisierung bewirkte eine Steigerung der Arbeit und veränderte das Verständnis von Freizeit.

Früher, bevor die Menschen Maschinen zur Herstellung von Gütern einsetzten, gab es ebenfalls eine von Arbeit freie Zeit. Jedoch war diese „Freizeit" durch natürliche Abläufe bestimmt. Zum Beispiel begann der „Feierabend" bei Einbruch der Dunkelheit. Aber auch gesellschaftliche und religiöse Bedingungen bestimmten die „Freizeit", wie z. B. die „Feiertage".

Der Übergang von Arbeitstag und Feierabend war im damaligen bäuerlichen oder gewerblichen Familienbetrieb fließend. Der „Feierabend" spielte sich im gleichen Hause ab, in dem tagsüber gearbeitet wurde. Man verbrachte ihn mit den gleichen Menschen, mit denen man zuvor zusammengearbeitet hatte. Jedoch war er in den seltensten Fällen wirklich frei von jeglicher Verrichtung. Während des Feierabends versah man notwendige Hausarbeiten, wie z. B. Spinnen, Nähen und Herstellen und Flicken von Geräten.

Aus: Dieter Grosser (Hrsg.) **Politik, Wirtschaft, Gesellschaft** Westermann 1981

Aktuelles Lexikon

Stechuhr

Etwa ein Drittel aller deutschen Industriebetriebe und Dienstleistungsunternehmen hat in den letzten Jahren die starre Arbeitszeitregelung durch gleitende Arbeitszeit ersetzt. Dabei gibt es immer eine sogenannte Kernzeit, in der alle Mitarbeiter am Arbeitsplatz sein müssen, während Vor- und Nachzeit selbst bestimmt werden können. Zur Zeitkontrolle werden meistens die schon aus der Frühzeit der Industrialisierung bekannten und damals noch weithin verpönten Stechuhren verwendet. In moderner Version geben sie häufig die aufgenommenen Zeitdaten gleich an einen Computer weiter, der sie für Abrechnungszwecke erfaßt. In vielen Betrieben werden die Zeituhren ausnahmslos vom Direktor bis zu dessen Fahrer benutzt, nicht selten sind aber auch die Managementetagen ausgenommen. Statt der Stechuhren verlassen sich manche Unternehmen auf die Zeiterfassung durch die Mitarbeiter selbst, wobei Plus- und Minuskonten einmal monatlich vom Vorgesetzten abgezeichnet werden. Auch in vielen Behörden wurde die Gleitzeit mit Stechuhrkontrolle bereits eingeführt. In Baden-Württemberg sollen Stechuhren von 1978 an landesweit im öffentlichen Dienst verwendet werden, wobei man nach den Worten des Finanzministers Gleichauf vor allem auf Mitarbeiter zielt, „deren Arbeitsmoral zu wünschen übrig läßt".

Süddeutsche Zeitung 10. 11. 1976

Zeit

Beobachtet einmal, wer (k)eine Uhr trägt. Ab welchem Alter haben Kinder Uhren? Versucht herauszubekommen, was es bedeutet, wenn jemand keine Uhr trägt. (Fragt ruhig auch einmal danach.)

Tab. 1: *Täglicher Zeitumfang bei Schülern*

	Großstadt		Mittelstadt		Kleinstadt/Landgem.	
	Stunden	Minuten	Stunden	Minuten	Stunden	Minuten
Abhängige Zeit	15	45	16	01	16	01
davon Schlaf	8	53	8	57	8	43
Körperpflege, Essen	2	22	2	34	2	48
Unterricht	4	30	4	30	4	30
Gebundene Zeit	3	56	3	20	4	12
davon Schulpausen	0	40	0	40	0	40
Schulweg	0	30	0	26	0	46
Hausaufgaben	2	24	1	52	2	14
häusliche Mithilfe	0	22	0	22	0	32
Freie Zeit	4	19	4	39	3	47

Aus: Dieter Grosser (Hrsg.) **Politik, Wirtschaft, Gesellschaft** Westermann 1981

Zum Schutz der Sonn- und Feiertage

Rasenmähen, Wagenwaschen und Gartenarbeit ist sonntags verboten

Nach dem Gesetz zum Schutz der Sonn- und Feiertage kann bestraft werden, wer an solchen Tagen eine nach außen hin bemerkbare Arbeit verrichtet, und nach § 360 Ziffer 11 des Strafgesetzbuches wird bestraft, wer ungebührlicherweise ruhestörenden Lärm erregt. Das Gesetz zum Schutz der Sonn-und Feiertage ist den Ländern überlassen, die sich allerdings im Hinblick auf die verbotene Sonntagsarbeit ziemlich einig sind.

Das nach dem Grundgesetz garantierte Recht auf die persönliche Freiheit des einzelnen Bundesbürgers kann an diesem Gesetz nichts ändern. So werden also weiterhin Gartenbesitzer und Autobesitzer sich damit abfinden müssen, an Sonn- und Feiertagen nichts zu tun, was ein öffentliches Ärgernis erregen könnte. Man wird also keinen Rasen mähen, keinen Wagen vom Alltagsschmutz reinigen und im Garten kein Land umgraben dürfen. Es spielt dabei keine Rolle, ob die Arbeit Lärm bereitet oder nicht, denn es geht hier allein um die Arbeit.

Daß anstößige Arbeit an Sonn- und Feiertagen Protest auslöst, darin sind sich wohl alle Bundesbürger einig. Wer aber in seinem Garten innerhalb einer geschlossenen Ortschaft leichtere Arbeiten verrichtet, verstößt nicht gegen das Gesetz zum Schutz der Sonn- und Feiertage. Zu diesen leichteren Arbeiten gehört beispielsweise das Besprengen der Beete, denn junge Pflanzen brauchen auch an Sonntagen Wasser.

Schwäbische Zeitung, 30. 6. 1965

Kindergedicht
Jürgen Spohn

5 Jahre alt,
ich kenne
keinen Wald,
die Stadt
ist meine Wiese,
der Vater ist
der Riese

6 Jahre alt,
das Fernsehn
spielt Gewalt,
die Eltern
sind nicht nett,
ich will noch
nicht ins Bett

7 Jahre alt,
die Wohnung
die ist kalt,
der Vater trinkt
sein Bier,
ach spiel doch
mal mit mir!

8 Jahre alt,
die Faust
die ist geballt,
die Schule
ist ein Dreck,
ich will
hier weg

9 Jahre alt,
der Vater
zählt Gehalt,
die Mutter will sich
scheiden lassen,
weil sich
meine Eltern hassen

10 Jahre alt,
ich heiße
Willibald,
die Eltern
tun mir leid –
sie haben
keine Zeit

Arbeit und Lohn

– Die Entwicklung zeigt einen deutlichen Trend zur Verkürzung der Arbeitszeit: ein Teil der gestiegenen Produktivität wird statt durch erhöhte Realversorgung durch ein Mehr an Freizeit der Verbesserung der ökonomisch-sozialen Wohlfahrt zugeführt. Eine Verkürzung langer Arbeitszeit wurde erfahrungsgemäß nicht durch entsprechenden Produktionsrückgang erkauft, sondern durch gestiegene Arbeitsintensität und -qualität überproportional aufgewogen.

Aus: Paulsen **Allgemeine Volkswirtschaftslehre** Walter de Gruyter 1969

Seitdem ich eine Digitaluhr habe, antworte ich nicht mehr wie ein vernünftiger Mensch auf die Frage, wie spät es ist.

Val d'Isere: Weltcup in Zahlen

1. Klammer (Österreich) 2:05,22 Minuten, 2. Müller 2:05,48, 3. Burgler (beide Schweiz) 2:05,63, 4. Podborski 2:05,70, 5. Read (beide Kanada) 2:06,09, 6.Wirnsberger 2:06,29, 7. Resch 2:06,45, 8. Weirather 2:06,48, 9. Pfaffenbichler (alle Österreich) und Meli (Schweiz) 2:06,72, 11. Walter...

In der Bundesrepublik Deutschland . . .

Wetter: weiterhin warm, heute überwiegend heiter, zeitweise höhere Wolkenfelder, im ganzen trocken, 22 bis 26 Grad, nachts Ostwind und Sterne, morgen gewittrig, weiterhin warm, gestern: am Morgen bei klarer Luft Nebelschwaden, mittags Nudelsuppe mit Petersilie, abends Machdaßdurauskommst mit heißen Kirschen als Nachspeise, nachts Westwind und keine Sterne.

Nach: Melanie Jaric **Geh mir aus der Sonne** Suhrkamp

A Gespräche I

Dialog a Personen: Gustav Hartung, Antonio Rojas
Ort: Eine Fabrik

1 Welches Verhältnis zwischen den beiden Personen kommt im folgenden Dialog zum Ausdruck? Wie wirkt es auf Sie?

```
 1  G: He, Antonio, hast du mal 'ne Zigarette für mich?
 2  A: Natürlich!
 3  G: He, Antonio, hol mir doch mal 'ne Flasche Bier!
 4  A: Moment, sofort. – Hier.
 5  G: Antonio, machst du am Samstag meine Schicht?
 6  A: Aber ich will am Wochenende wegfahren.
 7  G: Was, schon wieder?
 8  A: Naja, gut.
 9  A: Gustav, hilf mir doch mal bei dem Formular hier.
10  G: Keine Zeit, mach es doch allein!
```

2 Welche sprachlichen Merkmale drücken die Beziehung zwischen den beiden Sprechern aus?

3 Satz 3 und Satz 9 sind grammatisch sehr ähnlich. Wodurch gewinnen Sie ihre Bedeutung im Dialog?

Dialog b Personen: Bernhard Maier, Kuno Obermacher
Ort: Ein Büro

```
 1  O: Ach, Herr Maier, haben Sie vielleicht eine Zigarette da?
 2  M: Selbstverständlich!
 3  O: Sie, Herr Maier, könnten Sie eine Flasche Bier mitbringen?
 4  M: Einen Augenblick, sofort. – Bitte.
 5  O: Herr Maier, am Samstag habe ich Schwierigkeiten, meinen Dienst hier zu
        machen . . .
 6  M: Ich habe selbst schon Pläne für das Wochenende.
 7  O: Ach ja??
 8  M: Naja, in Ordnung.
 9  M: Hm, Herr Obermacher, helfen Sie mir vielleicht bei dieser Rechnung hier?
10  O: Können Sie denn nicht selbständig arbeiten?
```

4 Welche sprachlichen Merkmale drücken die Beziehung zwischen den beiden Sprechern aus?

5 Bitte vergleichen Sie die Sätze 1–10 mit denjenigen von Dialog a und stellen Sie grammatische Unterschiede oder Gemeinsamkeiten fest.

6 Bitte vergleichen Sie, was die Personen in beiden Dialogen voneinander wollen und in welchem Verhältnis sie zueinander stehen.

Gespräche II

B

Anton Torso hat einen Verdacht

1 Bitte bestimmen Sie bei den folgenden Dialogen, wie formell oder informell die Beschäftigten einer Firma miteinander sprechen.

Dialog a Personen: Anton Torso, Emil Greibel (Angestellte, Kollegen)

> A: Du Emil, hast du gesehen, wie der Karl gestern zehn Packen Schreibmaschinenpapier mitgenommen hat?
> E: Nee, erzähl mal!
> A: Da ist nichts zu erzählen; er hat zehn Packen Schreibmaschinenpapier geklaut. Weiter nichts.
> E: Willst du ihn jetzt etwa verpfeifen?
> A: Muß ich doch, hinterher meinen die noch, ich hätte das Zeug mitgehen lassen.
> E: Na, du bist vielleicht gut, anschwärzen, was? – Außerdem mußt du das beweisen.
> A: Kann ich auch, wirst du sehen.

Dialog b Wenige Tage später spricht Anton Torso mit Eberhard Großlehm, dem stellvertretenden Direktor seiner Firma.

> G: Sie möchten uns also etwas mitteilen, Herr –
> T: Torso, Anton Torso, aber ich möchte Ihre Zeit nicht zu sehr beanspruchen, Herr Großlehm.
> G: Ja doch, Herr Torso, bitteschön.
> T: Tja, nach langen Überlegungen habe ich mich entschlossen, Herrn Karl Recke anzuzeigen.
> Ich habe gesehen, wie er zehn Packen Schreibmaschinenpapier gestohlen hat.
> G: Gestohlen?? Interessant! Aber – können Sie das gegebenenfalls beweisen?
> T: Natürlich, ich habe es gesehen. Ich wollte es aber eigentlich nur zwischen uns besprechen und nicht an die große Glocke hängen.
> G: Tja, wir werden sehen, was wir da machen können. Haben Sie vorerst vielen Dank, Herr Torso.

> – Sie möchten uns also eine . . . ., Herr –
> – Torso, Anton Torso, aber ich möchte Ihre Zeit nicht zu sehr in . . . ., Herr Großlehm.
>
> – Tja, nach langen Überlegungen bin ich . . . ., gegen Herrn Karl Recke . . . .
>
> – Gestohlen?? Interessant! Aber – können Sie das gegebenenfalls . . . .?
> – Natürlich, ich habe es gesehen. Ich wollte es aber eigentlich nur zwischen uns zur . . . . und nicht an die große Glocke hängen.

2 Das Formelle der Gesprächssituation kann noch verstärkt werden durch den Gebrauch von Funktionsverbkonstruktionen. Bilden Sie kleine Gruppen und tragen Sie (eventuell mit Hilfe der Liste auf Seite 99) die entsprechenden Formen in die Lücken ein.

C Einführungsrede
von einem, der von einem anderen etwas will

🔲 **1** Hören Sie den Text auf der Cassette.

... **so übel in der Bredouille drinstecken würde** in einer so unangenehmen Situation wäre

... **überrannt hat es mich** Es ist mir alles zu viel geworden.

... **Ich spekuliere ja auf nichts.** Ich will ja gar nichts Besonderes.

„Weißt Du, es fällt mir nicht leicht. Das muß ich Dir gleich zu Anfang sagen. Und ich würde es auch bestimmt nicht machen, wenn ich nicht so übel in der Bredouille drinstecken würde. Scheiß-Termine. Aber auf einmal hat sich alles zugespitzt. Einfach überrannt hat es mich. Ja, und jetzt ist die Situation eben so, daß ich sehen muß, wie ichs hinkriege, dringend sehen muß. – Scheiß-spiel, aber im Moment ist für mich Zeit wirklich Geld. Je schneller es jetzt geht, desto besser. Besser für mich. – Ich hab es auch schon überall versucht. Es ist ja nicht so, daß ich gleich zu Dir gekommen bin. Ich meine, so einfach habe ich es mir ja nicht gemacht. Ich spekuliere ja auf nichts. Das mußt Du mir glauben. Und Hemmungen habe ich auch, das gebe ich zu. Das ist kein Pappenstiel für mich, sowas zu machen. Wirklich nicht. Es ist nur so: Es geht nicht mehr anders. Und darum eben Du. Und natürlich ist auch gehörig Vertrauen dabei ...“ (...)

Aus: Norbert Klugmann **Selten allein.** Szenen einer WG. Kursbuch 54

... **hat sich alles zugespitzt** ist es ganz schlimm geworden

... **wie ichs hinkriege** wie ich es fertigbringe

... **Das ist kein Pappenstiel für mich.** Es fällt mir nicht leicht.

2 Wer (Alter, soziale Schicht, Beruf usw.) will hier etwas von wem? In welche Umgebung paßt dieser Text?

3 Wofür könnte dieser Text auch noch die Einleitung sein?

4 Verfolgen Sie die gleiche Redeabsicht [– Der andere soll mir Geld leihen. –] in Form von Rollenspielen gegenüber dem Kreditsachbearbeiter einer Bank oder Sparkasse, einer geliebten oder ungeliebten Erbtante, einem wirklichen Freund/einer wirklichen Freundin ... Nehmen Sie die Rollenspiele auf Band auf und vergleichen Sie dann die Strategien und die verwendeten sprachlichen Mittel.

Der Kalauer der Woche
„Ab und zu dürfen wir ein Gläschen
Bier oder Wein trinken. Aber alles in
Maßen, versteht sich."
„Fein, Herr Doktor, wann paßt es
Ihnen denn?"

SIE oder DU?

D

1 Wie finden Sie das Verhalten des Post-
beamten, der zu einem ausländischen
Arbeiter sagt: „Du mußt hier noch unterschreiben."

„. . . Die Italiener beschwerten sich in erster
Linie darüber, sie würden wie andere Ausländer von der Polizei von vornherein
geduzt . . ."

Süddeutsche Zeitung, 10. 11. 1976

2 Welche deutschen Anredepronomen kennen Sie? Vervollständigen Sie die Tabelle:

	Singular	Possessiv	Plural	Possessiv
duzen	Kannst **du** mir helfen?	. . . .	. . . .	. . . .
siezen	. . . .	. . . .	Können **Sie** mir helfen?	. . . .

Schreiben Sie bitte die entsprechenden Possessivpronomen (du–dein, usw.) daneben.

3 Wen duzen und wen siezen Sie? Wen
duzt und wen siezt du? Beschreiben Sie
Ihre Beziehung zu den Betreffenden. Von
wem möchten Sie geduzt und von wem
gesiezt werden? (Stellen Sie diese Fragen
bitte auch Ihren deutschen Bekannten.
Können Sie Unterschiede feststellen?)

Vorgesetzter:
„Monika, übernehmen Sie bitte
Gruppe eins, ach, und . . . *(an alle)* . . .
könnt ihr mir bitte mal 'n Terminvor-
schlag machen für eine Lehrerkonfe-
renz . . ."

In der Bundesrepublik Deutschland...

4 Du/Sie-Regel aus Helbig/Buscha, Deutsche Grammatik, Leipzig 1974, S. 30:

> „Falls die angesprochene Person erwachsen, mit der sprechenden Person nicht verwandt, befreundet oder näher bekannt ist, wird im Singular und Plural statt *du* und *ihr* die Höflichkeitsanrede *Sie* verwendet."

Versuchen Sie, diese Regel so zu erweitern, daß Sie auch die folgende oder ähnliche Situationen umfaßt:

Bei einem Konzert erzählte Wolf Biermann, der aus der DDR ausgewiesene Sänger, daß ihn viele Leute in Ost-Berlin besuchten, die er gar nicht kannte. Er sei jedoch in der Lage gewesen, sie sofort als Westdeutsche oder als Ostdeutsche zu erkennen, und zwar nicht an der Kleidung oder am Aussehen, sondern daran, ob sie ihn duzten oder siezten. – Leute aus der Bundesrepublik duzten ihn sofort als Ausdruck einer gemeinsamen politischen Basis und Solidarität. In der gleichen Absicht boten jedoch Besucher, die in der DDR wohnten, das „Sie" als Anrede an, und zwar in bewußter Ablehnung des „Genossen-Du".

5 Im Deutschen gibt es folgende Möglichkeiten, eine einzelne Person anzureden:

Vorname + du:	*Monika, weißt du, wann Herr Krämer am Bahnhof ankommt?*
Vorname + Sie:	*Monika, wissen Sie, wann Herr Krämer am Bahnhof ankommt?*
Herr Frau Fräulein + Familienname + Sie:	*Herr Meier,* *Frau Schmitz,* *Fräulein Schulze,* *wissen Sie, wann Herr Krämer am Bahnhof ankommt?*
Familienname + Sie:	*Meier, wissen Sie, wann Herr Krämer am Bahnhof ankommt?*
Familienname + du:	*Meier, weißt du, wann Herr Krämer am Bahnhof ankommt?*

Fragen Sie bitte Ihre deutschen Bekannten, wie diese Anredeformen auf sie wirken, und welche sozialen Beziehungen sie ihrer Meinung nach ausdrücken.

6 Lesen Sie bitte folgenden Text:

Frau Student

Die Juso-Hochschulgruppe an der PH Weingarten will sich für die Abschaffung der Anrede „Fräulein" in Lehrveranstaltungen und im Schriftverkehr an der PH einsetzen. Wie aus einer Resolution der Lehrenden der PH hervorgeht, sind die PH-Jusos der Ansicht, daß jede erwachsene Frau das Recht auf eine dem Gleichheitsgrundsatz des Grundgesetzes entsprechende Anrede hat. Mit der generellen Anrede „Frau" ließe sich manche Peinlichkeit vermeiden. Etliche Studentinnen an der PH haben diese Initiative bereits begrüßt und dabei auf die fehlende Differenzierung in der Anrede unverheirateter Männer hingewiesen. Auch einige Lehrende zeigten inzwischen Verständnis für dieses Anliegen und wollen künftig nur die Anrede „Frau" verwenden, sofern ein entgegengesetzter Wunsch der Adressatin nicht bekannt sei.

Schwäbisches Tagblatt, 5. 10. 1976

[Abkürzungen: Jusos = die Jungsozialisten, Nachwuchsorganisation der SPD. PH = Pädagogische Hochschule, Ausbildungsstätte für Lehrer an Grund-, Haupt- und Realschulen.]

Kommentieren Sie dazu bitte auch das folgende Schema:

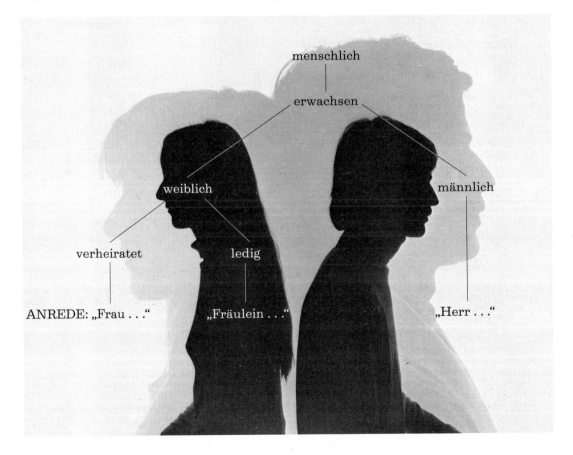

Hausaufgabe

Verbote

Innenstadt, Lindenstraße, **Nachmieter** gesucht, 5 Räume, Toilette, Bad in Bau, ohne Heizung, Dachgeschoß, 300,–, keine Wohngemeinschaft, Studenten, ausländischen Arbeitnehmer, Kinder oder Tierhalter, Diplomaten erwünscht, frei 1. Juli, Köln
Aus dem „Kölner Stadt-Anzeiger"

Verdeutschung einiger Verbotsschilder

Peter Schneider

Das Betreten des Rasens ist verboten

Ich bin ein Ästhet. Absätze, die meinem Rasen auch nur ein Haar krümmen, hasse ich. Ich kann nicht schlafen. Ich verbiete Ihnen das Betreten des Rasens. Ich könnte Sie umbringen.

Ihr Hausverwalter

Keine Zimmervermittlung an Studenten und Ausländer

Meine Klienten sind der Meinung, daß Studenten Schweine, daß Ausländer Zuhälter sind. Darüber hinaus pflegen Ausländer zu stinken. Aus diesem Grund empfiehlt Ihre Zimmervermittlung, Ihre Zimmervermittlung mit einem Besuch zu verschonen.

Ihre Zimmervermittlung

Das Spielen der Kinder auf Hof, Flur oder Treppe ist im Interesse aller Mieter untersagt

Das Spielen der Kinder und Mieter auf Hof, Flur und Treppe ist im Interesse aller Hauseigentümer untersagt.

Der Besitzer

Betreten und Befahren verboten. Privateigentum

Nicht umsonst habe ich ein Leben lang andere Leute für mich arbeiten lassen. Jetzt bin ich kaputt von der Schinderei, und mein Privateigentum ist meine einzige Freude. Und der Hund. Da kommst Du daher und glaubst, Du könntest hier einfach betreten und befahren. So fängt es an. Erst betreten und befahren des Privateigentums, dann enteignen. Was glaubst Du, was ich im Betrieb mit Leuten mache, die sich an meinem Privateigentum vergreifen. Es geht nämlich nicht um dieses Privateigentum hier, darum geht es natürlich auch. Es geht durchaus ums Prinzip, Du Prolet!

Der Eigentümer

1 Bitte „verdeutscht" doch mal die folgenden Schilder:

Vorsicht,
bissiger Hund!

**Betteln
und
Hausieren
verboten**

**Dienstboteneingang
um die
Ecke rechts**

Plakate ankleben verboten

Nach 22 Uhr
sind keine
Besucher
mehr erlaubt.

Nicht hinauslehnen
Do not lean out of the window
Ne pas se pencher au dehors
E'pericoloso sporgersi

Jugendlichen
unter 18 Jahren
ist der Zutritt verboten

Privatparkplatz
Widerrechtlich parkende Fahrzeuge werden kostenpflichtig abgeschleppt.

2 Wie die VERDEUTSCHUNGEN von Peter Schneider zeigen, drücken die Verbots-
schilder nicht nur Aufforderungen aus an die, die sie lesen, sondern beinhalten auch
eine bestimmte Beziehung zwischen „Eigentümer", „Stadtverwaltung" usw. und den
Betroffenen. Wie würdet ihr diese Beziehung charakterisieren?

3 Entwerft doch einmal Schilder, die etwas erlauben.

Diskussion Wer spricht wie?

Einladung zum Essen

* Hast du Lust, heute abend mit mir zu essen?

* Ach, kommen Sie doch heute abend bei uns zum Essen vorbei!

* Darf ich Sie am Freitag zum Essen einladen?

* Habt Ihr am nächsten Freitag schon etwas vor? Ich habe einige Leute zum Essen eingeladen.

* Du bleibst doch zum Abendessen hier?!

* Kommt doch einfach heute abend zu uns, wir machen Pizza.

* Willst du nicht heute abend zu uns kommen, zum Essen?

* Ich würde dich gerne für heute abend zum Essen einladen. Hast du Zeit?

* Wie wär's, wenn du heute abend zu uns zum Essen kommen würdest?

* Du, wir machen heute abend Pizza. Hast du Lust und Zeit, so um acht Uhr ungefähr?

* Wir wollten Sie doch so lange schon einmal zu uns einladen, hätten Sie vielleicht heute abend Zeit? Wir geben ein ganz kleines, zwangloses Essen mit ein paar Freunden.

* Es wäre uns wirklich ein großes Vergnügen, wenn wir Sie heute abend zu einem kleinen Imbiß bei uns begrüßen dürften!

* Herr Simon, meine Frau und ich würden uns sehr freuen, wenn wir Sie – vielleicht diese Woche noch? – einmal abends zum Essen begrüßen könnten.

* Wir haben zwar nichts Besonderes im Haus, und meine Frau ist mit den Kleinen auch sehr beschäftigt, aber Sie können gern gleich mitkommen, es macht wirklich nichts aus.

* Klara, komm doch auch mal abends, mein Mann kocht eine ausgezeichnete Ente, wirklich, das letzte Mal konnte ich nicht mehr ,mäh' sagen!

* Kommen Sie doch über Mittag vorbei; alles Weitere können wir beim Essen besprechen. Sie sind selbstverständlich eingeladen.

* Du, wenn du wirklich kommst, koch ich was ganz Feines für uns. Und ich hab einen Rotwein da, den du unbedingt probieren mußt.

* Ich weiß zwar nicht, was wir konkret feiern können, aber ich fänd's gut, wenn du mal zum Essen vorbeikommen würdest.

* Du, wenn ihr Hunger habt, müßt ihr halt an den Kühlschrank gehen. Ich weiß zwar nicht, was da ist, aber es wird sich schon was Eßbares finden.

Ablehnung einer Einladung

* Der Freitag paßt mir überhaupt nicht. Da habe ich bereits einen Termin im Kalender.

* Dieses Wochenende nicht. Ich muß mal wieder einen Sonntag mit meiner Familie verbringen.

* Leider kann ich Ihre Einladung nicht annehmen. Am Sonntag habe ich schon eine Verabredung.

* Wenn ich das früher gewußt hätte! Jetzt haben wir bereits für das Wochenende eingekauft.

* Ach laß mal. Ich will euch nicht den Abend vermiesen. Ich fühl mich gerade ziemlich kaputt.

* Du, ich bin im Moment unheimlich im Streß. Wollen wir das nicht später mal machen?

* Ich bin augenblicklich leider total überlastet. Ich schließe gerade eine größere Arbeit ab. Würde es Ihnen etwas ausmachen, wenn wir den Besuch etwas verschöben?

* Diese Woche sind wir leider schon total ausgebucht. Wie wäre es denn nächste Woche?

* Nee du, heute abend! Mein Mann hat leider Karten bestellt für die Premiere. Das tut mir wirklich schrecklich leid.

* Können wir das nicht verschieben, mir paßt's heute abend nicht so sehr. Ich muß diese Woche noch ein Referat fertigschreiben.

* Ach, das ist jetzt aber mal schade! Gerade an dem Tag kommen unsere Verwandten aus der Ostzone. Aber es ist auf jeden Fall furchtbar nett von Euch. Kommt doch vielleicht am Sonntag bei uns vorbei. Wir würden uns arg darüber freuen.

Kritik an einer Person äußern

* Das war wohl nix, alter Junge, das nächste Mal überlegste vorher ein bißchen, o.k.?

* Erst die Sache mit dem Lehmann, dann das Auto, es fehlt bloß noch, daß du dich morgen absetzt und krank spielst.

* Sagen Sie mal, Sie können wohl nicht bis drei zählen, was?

* Ich möchte mich ja nicht in fremder Leute Angelegenheit mischen, aber ich hätte sofort nach dem letzten Brief alles abgesagt.

* Jeder normal denkende Mensch würde sich mindestens fünf Minuten hinstellen und überlegen, ob er das überhaupt verantworten kann.

* Ach so, gedacht haben Sie. Interessant. Das sollten Sie lieber den Pferden überlassen, mein Lieber, die haben größere Köpfe!

* Herr Gerold, wenn Sie erlauben, ich würde in dem vorliegenden Fall diesmal einer Mischfinanzierung den Vorzug geben wollen.

* Du Blödi!

* Würdest du das Kind wirklich haben wollen?

* Passen Sie doch gelegentlich auf, wenn Ihnen wieder mal so ein Brief in die Hand fällt.

* Also, wenn man sich schon mit zwei Promille ans Steuer setzt, dann sollte man sich nicht erwischen lassen.

* Da haben Sie ja mal wieder eine Glanztat vollbracht, kann ich nicht anders sagen, das kann ja heiter werden.

* Klar, das war mal 'ne Gelegenheit, aber man muß manchmal auch warten können.

* Ach, Kino und dann Eisdiele! Erzähl mir doch keine Märchen, herumtreiben tust du dich!

* Sagen Sie mal, was haben Sie sich eigentlich dabei gedacht?

Ein Gespräch beenden

* Tja, dann müssen wir wohl.

* Entschuldigen Sie mich bitte, ich habe einen dringenden Termin.

* Oh, ich glaub, meine Uhr ist stehengeblieben!

* Scheiße, wenn ich jetzt nicht nach Hause gehe, flippt meine Frau (mein Mann) aus.

* Sie nehmen mir das doch nicht übel, wenn ich jetzt verschwinde?

* Tja, ich glaube, wir haben morgen alle einen harten Tag vor uns.

* Hätten Sie etwas dagegen, das Gespräch zu einem späteren Zeitpunkt fortzusetzen?

* Also, wenn ich jetzt nicht abhaue, komm ich hier nie weg.

* Ich darf mich wohl jetzt entschuldigen.

* Tja, ich glaub, wir haben hier alles ausgetrunken.

* Sie nehmen mir das doch nicht übel, wenn ich mich jetzt zurückziehe?

* Also, ich glaube nicht, daß wir da heute noch eine Lösung finden.

* Hat jetzt noch jemand etwas Wesentliches zu dem Thema zu sagen?

* Vielen Dank für den netten Abend.

* Unsere Sachen hängen da draußen, nicht?

* Also, ich glaube, ich leg jetzt den A . . . ins Bett.

E Amtsdeutsch

1 Den Text, der hierhergehört, sollt ihr euch auf der Cassette anhören. Es ist ein Dialog zwischen einem Ausländer und einem deutschen Beamten. Nach dem ersten Hören könnt ihr schon einmal kurz zusammenfassen, worum es in diesem Dialog geht.

2 Hört den Text noch einmal und haltet fest, an welchen Stellen die Verständigung nicht klappt. Versucht herauszufin-

den, warum sie nicht klappt. (Übrigens, ihr findet den Text auf S. 216 abgedruckt.)

3 Habt ihr schon Erfahrungen mit deutschen Ämtern gemacht? Wie spricht man dort am besten? Hochdeutsch oder Dialekt? Mit Akzent? Mit welchem? Mit welchem besser nicht? Wie sprechen die Leute, die dort arbeiten?

4 Was meint ihr zu diesem Text?

Leitfaden für Bremer Beamte:

Der Bürger muß das Amtsdeutsch verstehen

Senatskommission prangert auch den unpersönlichen Stil der Verwaltung an

BREMEN (ddp). Bremens Beamte sollen künftig „nach der erfolgten Inangriffnahme der Arbeiten" diese nicht mehr „unterschriftlich vollziehen": Die Senats-
5 **kommission für das Personalwesen hat jetzt Ratschläge und Hinweise über den Umgang mit der deutschen Sprache für die Mitarbeiter in der bremischen Verwaltung erarbeitet.**

10 Wichtigste Erkenntnis: „Schwerverständliches Amtsdeutsch und ein umständlicher Kanzleistil sind Hindernisse auf dem Weg zu einer bürgernahen Verwaltung."

Die Formulierung „ausweislich der Akte" wurde
15 als mißlich empfunden. Künftig soll es heißen: „Aus der Akte ergibt sich . . ." Die Stilblütensammler stoßen sich auch an so häufig verwendeten Ausdrücken wie „käuflich erwerben", an „besagten Paragraphen" mit „echten Problemen", die womöglich
20 „absolut richtig" sind.

Nicht nur bürgerfernes Amtsdeutsch, auch

unpersönlicher Stil wird angeprangert. So soll nicht barsch „ersucht", sondern höflich „gebeten" werden: das Unpersönliche ist dem Bürger fremd,
25 sagen die Ratgeber, es wirkt auf ihn kalt und überheblich und fördere Mißtrauen, Ärger und Widerspruch.

Dazu gibt Innensenator Helmut Fröhlich in seinem Nachwort zu den Tips der Senatskommission
30 einen zusätzlichen Hinweis: Er beklagt, daß Mitteilungen und Bescheide, die mit Hilfe von Datenverarbeitungsanlagen gefertigt werden, schwer verständlich seien. Die Mitarbeiter der Bremer Senatsverwaltung sollen deshalb auch diese Mitteilungen
35 so abfassen, daß sie der Bürger nicht nur lesen, sondern auch verstehen kann.

Senator Fröhlich appelliert an die „lieben Mitarbeiterinnen und Mitarbeiter", mitzuhelfen, die „Verständlichkeit unserer amtlichen Schreiben" weiter zu verbessern. Mit diesem Hinweis ist er aller-
40 dings selbst jener „Hauptwörter-Krankheit" zum Opfer gefallen, die in der Broschüre beklagt wird.

Südwestpresse, 3. 8. 1979

5 Es ist keine böse Absicht, wenn Beamte unverständlich reden oder schreiben. Sie haben oft nur vergessen, wie man „es" auf Deutsch sagt. Könnt ihr ihnen helfen? Dann „verdeutscht" den nebenstehenden Text, eine Satire auf das Beamtendeutsch von dem schwäbischen Dichter Thaddäus Troll. Vielleicht entdeckt ihr dann auch das in diesem Amtsdeutsch verlorengegangene Märchen wieder. Gibt es dieses Märchen auch in eurem Kulturkreis?

Beamter: Ich weiß gar nicht, was die Leute gegen uns haben, wir tun doch gar nichts!

....

„Im Kinderanfall unserer Stadtgemeinde ist eine hierorts wohnhafte, noch unbeschulte Minderjährige aktenkundig, welche durch ihre unübliche Kopfbekleidung gewohnheitsrechtlich Rotkäppchen genannt zu werden pflegt" . . .
oder:
„Da wolfseits Verknappung auf dem Ernährungssektor vorherrschend war, faßte er den Beschluß, bei der Großmutter der R. unter Vorlage falscher Papiere vorsprachig zu verden. Weil dieselbe wegen Augenleidens krank geschrieben war, gelang dem in Freßvorbereitung befindlichen Untier die diesfallsige Täuschungsabsicht, worauf es unter Verschlingen der Bettlägrigen einen strafbaren Mundraub zur Durchführung brachte."

Aus: Thaddäus Troll **Der himmlische Computer und andere Geschichten** Hoffmann u. Campe

F. K. Waechter

Übung

Gesprächsfetzen

1 Ordnet den Inhalten der Sprechblasen passende Adjektive zu, z. B.: herzlich – sehr freundlich – verständnisvoll – nett – korrekt – neutral – kühl – entgegenkommend – abweisend – scharf – aufgebracht – aggressiv – höhnisch – beleidigend ... oder andere.

2 Legt den Angesprochenen passende Antworten in den Mund. (Einzelarbeit)

3 Legt den Angesprochenen unpassende Antworten in den Mund. Wie reagiert dann der erste Sprecher?

Diskutiert die Ergebnisse im Plenum.

4 Wenn ihr Lust habt –, malt ein großes Wandbild mit weiteren Situationen, die ihr vielleicht selbst erlebt habt.

5 Die Menschen in der Bundesrepublik reisen viel. Diese und ähnliche Situationen können in jedem Land der Welt, das einen schönen Strand hat, vorkommen. Überlegt, wie man als Einheimischer reagieren könnte.

Ferien

Ferien, was bedeutet FERIEN? Wenn man sich einen einzelnen alltäglichen Begriff vornimmt, um seine Bedeutung zu erarbeiten, kann man an sehr vielen Stellen des Alltags Hinweise bekommen: Freunde kommen von Reisen zurück, im Radio wird ein Reiseruf durchgegeben, zwei Paar Ski werden auf ein Autodach geschnallt, eine Reisegruppe in Shorts und mit Fotoapparaten beladen kommt aus einem Restaurant, ein Reisebüro reduziert zum zweiten Mal ein Pauschalangebot für eine Flugreise.

Im folgenden findet ihr eine Auswahl von Texten, die direkt oder indirekt den Bereich FERIEN beschreiben.

Versucht bitte beim Lesen, das Bild von FERIEN langsam entstehen zu lassen. Die Vorstellung, die ihr gewinnt, wird natürlich auch von Informationen beeinflußt, die ihr jetzt schon über FERIEN habt (oder über einen entsprechenden Begriff in eurer Muttersprache). Wie komplex der Begriff FERIEN ist, zeigen beispielsweise die Stichwörter der Schüler für „miese" oder „tolle Ferien". Bei manchen Antworten (bei welchen?) hat man das Gefühl, daß die Kinder sehr stark Vorstellungen von Erwachsenen (unkritisch) übernommen haben und sich bei ihren eigenen Vorstellungen noch nicht sicher sind. Dies deutet darauf hin, daß sie ihren Begriff von FERIEN noch nicht abgeschlossen haben, sondern ihn weiterentwickeln und verändern werden.

FERIEN haben auch eine politische und ökonomische Dimension.
Erwachsene Leute, die in der Wirtschaft oder als Selbständige ihr Geld verdienen, haben keine FERIEN, sondern URLAUB.
Sie MACHEN URLAUB.

Ferien im getauschten Haus

Erfahrung im Umgang mit fremden Wohnungen sammelte Ute Kröger, Galeristin im bergischen Waldbröl, schon zum zweiten Mal in Schweden im Haus eines Lehrerehepaares. „Reizende Leute, die wir vor unserer Abreise bei uns noch selber kennenlernten und die uns später unsere Wohnung und unseren Garten tipptopp übergaben." Im „Gast-Haus" machte sie die Feststellung, „daß man im fremden Haus noch mehr um Ordnung besorgt ist als im eigenen. Sogar die Kinder gingen mit dem fremden Eigentum besonders vorsichtig um".

property

Südwestpresse, 5. 1. 1980

– Nach der Lehre bin ich erstmal drei Monate nach Südamerika.
– Na und was hast du da gemacht? Ferien?
– Nein, so rumreisen.

Ferien? Nee, seit ick nimma arbeite, bleib ick zu Haus, mit Muttern.

Berliner Rentner

> Wir gehen davon aus, daß der Auslandsreisende als Urlauber ein Recht darauf hat, sich als Urlauber, d. h. als Betrachtender erholend zu verhalten und nicht durch wissenschaftliche oder journalistische Darstellungen belehrt zu werden. Was wir darum hier versuchen, ist dies: die Objekte selbst „zum Sprechen" zu bringen, an ihnen – in der Anschauung – das an geschichtlichen, politischen, ökonomischen Zusammenhängen gewissermaßen „mit leichter Hand" zu vermitteln, von dem wir meinen, daß es zu einem besseren Verständnis dieses Landes beiträgt, anstatt, wie in der Regel der Fall, nur ästhetische Informationen zu liefern.
>
> Aus: Kammerer/Krippendorf: **Reisebuch Italien. Über das Lesen von Landschaften und Städten.** Rotbuch Verlag

Es ist eben nicht so einfach, die unterschiedlichen Vorstellungen „unter einen Hut" zu bringen. Nicht selten ergaben sich für uns auch deshalb Probleme, weil bei der Vorbereitung einer Gruppenfahrt die Gruppe selbst vorher zu wenig herausgearbeitet hatte, was sie eigentlich wollte; die Unzufriedenheit rührte jedoch auch daher, daß man im fremden Land die dortige Art zu leben mit Maßstäben beurteilte, die eigentlich nur für unser Land gelten.

Aus einem Prospekt „Internationaler Fahrten- und Austauschdienst e. V."

Schüler einer 8. Klasse über

miese Ferien

- Autoscheibe kaputt
- mit der Schwester das Bett teilen müssen
- keine Kinder am Strand
- alles überfüllt
- platter Reifen
- schlechte Laune
- Öl im Wasser
- Pläne fallen aus
- Heimfahrt wegen Verletzung
- Streit mit dem Bruder
- Tauwetter
- Langeweile, wenig Schnee, Unfall auf der Hinfahrt
- nicht tanzen
- Schwimmbad ist zu
- Haus wird renoviert
- im Heim
- keine Zeitung
- Stubenarrest
- Schimpfe
- für die Schule lernen
- keine Spielkameraden
- von etwas abhängig sein
- Nachhilfestunden, für Schule lernen

tolle Ferien

- Ferien von der Schule
- schönes Wetter, die See oder das Meer
- Ferien mit Freunden oder Jugendgruppe (zelten)
- neue Bekanntschaften schließen
- viele Feten feiern, was vom Land sehen, Fahrten unternehmen
- die Lebensweise der Leute kennenlernen
- tolle Betreuer, Erlebnisse
- Lagerfeuer
- Nachtwanderungen, faulenzen
- lange aufbleiben und lange schlafen
- unter sich sein, Geld haben
- Welt beglotzen
- faulenzen
- feiern bis zum nächsten Tag
- mit Stars zusammentreffen
- ordentliches Essen
- Feten besuchen (Diskotheken)
- viel Geld dabeihaben
- mit einer Gruppe verreisen, auf sich selbst angewiesen sein
- netten Leuten begegnen
- Kissenschlacht
- Fußballstadien besuchen
- vor den Eltern Ruhe haben

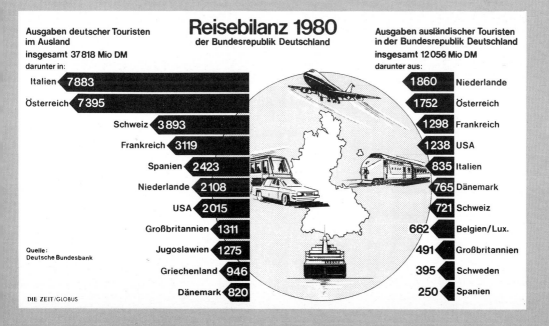

Reisebilanz 1980
der Bundesrepublik Deutschland

Ausgaben deutscher Touristen im Ausland
insgesamt 37818 Mio DM
darunter in:

Italien	7883
Österreich	7395
Schweiz	3893
Frankreich	3119
Spanien	2423
Niederlande	2108
USA	2015
Großbritannien	1311
Jugoslawien	1275
Griechenland	946
Dänemark	820

Quelle: Deutsche Bundesbank

Ausgaben ausländischer Touristen in der Bundesrepublik Deutschland
insgesamt 12056 Mio DM
darunter aus:

1860	Niederlande
1752	Österreich
1298	Frankreich
1238	USA
835	Italien
765	Dänemark
721	Schweiz
662	Belgien/Lux.
491	Großbritannien
395	Schweden
250	Spanien

DIE ZEIT/GLOBUS

Interrail: Billig bis 26

Die Interrail-Karte bietet Jugendlichen mit nicht allzu vollem Geldbeutel eine relativ preisgünstige Möglichkeit, Europa kennenzulernen, eine Gelegenheit, die ungefährlicher ist als zum Beispiel eine „Fahrt auf dem Daumen" (Autostopp), Bahnfahrten sind auch zeitlich besser einzuplanen. Aber alle Vorteile einer Interrail-Rundtour sollten nicht darüber hinwegtäuschen, daß ein solcher Urlaub auch sehr strapaziös sein kann, selbst wenn man nicht gerade eine Mammut-Tour macht. Nicht immer klappt es mit den Anschlüssen, preiswerte Unterkünfte sind oft schwer zu finden. So sind die Jugendherbergen meist schon lange vorher ausgebucht.

Junge Leute bis 26 Jahre können mit der Interrail-Karte einen Monat lang unbegrenzt durch 20 Länder Europas (alle westeuropäischen Länder sowie Ungarn und Rumänien) und Marokko reisen. 395 Mark kostet diese Netzkarte, gegen Vorlage des Personalausweises ist sie an allen Fahrkartenschaltern, in den DER-Reisebüros und anderen DB-Verkaufsagenturen zu haben. Mit dem Interrail-Ticket sind die Bahnfahrten auf allen Strecken der beteiligten Länder umsonst, in der Bundesrepublik kostet der Trip auf Schienen die Hälfte des regulären Fahrpreises. Ermäßigungen gewähren auch die Fährlinien auf Nord- und Ostsee, im Mittelmeer und zwischen England und Irland. Wer in der Hauptreisezeit unterwegs sein will, sollte, sofern er eine feste Route plant, möglichst vorher Plätze reservieren lassen, auch wenn es in überfüllten Zügen nicht immer gelingt, die Reservierung auch durchzusetzen. Bei einer Reise ins Blaue hilft ein Auslandskursbuch (Preis: vier Mark), in dem alle wichtigen Verbindungszüge auf Europas Hauptstrecken aufgeführt sind.

Michael Vageler . . . wie in einer Herde

Das Gedränge und der Dreck nehmen kontinuierlich zu. Die zweite Nacht beginnt.

Ich komme mir vor wie in einer Herde: übermüdete Tiere auf dem Transport. Mit rotgeränderten Augen schauen alle durch die schwarzen Fensterlöcher nach draußen, wo ein heftiges Gewitter niedergeht. Es stinkt nach Müll. Hinten auf dem Gang schreit ein Säugling. Wir stehen apathisch. Inzwischen sind wir wohl so an die zehn Personen hier vor dem Klo. An einen Sitzplatz auf dem Fußboden, geschweige denn an einen Liegeplatz, ist nicht mehr zu denken. Es ist wie in einem überfüllten Fahrstuhl, wo die Zusammengewürfelten nicht wagen, einander in die Augen zu blicken und jede zufällige Berührung entschuldigt und registriert wird, um es nur ja nicht zu Mißverständnissen kommen zu lassen. Distanz wahren – das gerät zur Farce. Niemand will auch nur einen Fußbreit Boden abgeben.

Einmal steigt ein Mann aus, und es gibt etwas Luft. Der freigewordene Platz wird an der nächsten Station wieder von einem älteren Jugoslawen eingenommen. Geballte Aggressivität schlägt ihm entgegen, obwohl er nur einen kleinen Rucksack mit einer Thermoskanne und wahrscheinlich ein Stullenpaket bei sich hat. Er kommt von der Spätschicht und will nur die paar Stationen bis nach Hause fahren. „Besetzt – hier ist kein Platz mehr", schlägt es ihm in mehreren Sprachen entgegen. Er läßt sich jedoch nicht abschrecken. Ruhevoll und mit geübtem Blick übersieht er die Situation, drängelt etwas, schiebt geduldig und steht endlich inmitten unseres dicken Pulks.

DIE ZEIT, 25. 5. 1981

Spiel

AUSREDEN
Euer Lehrer/Eure Lehrerin
hat das Material
und die

Spielregeln.

vorbeifahren
vorbeifahren

Ich trocknete mich ab, steckte mir eine Zigarette an und betrachtete mich im Spiegel: ich war mager geworden. Beim Klingeln des Telefons hoffte ich einen Augenblick lang, es könnte Marie sein. Aber es war nicht ihr Klingeln. Es hätte Leo sein können. Ich humpelte ins Wohnzimmer, nahm den Hörer auf und sagte: „Hallo."

„Oh", sagte Sommerwilds Stimme, „ich habe Sie doch hoffentlich nicht bei einem doppelten Salto gestört."

„Ich bin kein Artist", sagte ich wütend, „sondern ein Clown – das ist ein Unterschied, mindestens so erheblich wie zwischen Jesuiten und Dominikanern – und wenn hier irgend etwas Doppeltes geschieht, dann höchstens ein Doppelmord."

Er lachte. „Schnier, Schnier", sagte er, „ich mache mir ernsthaft Sorgen um Sie. Sie sind wohl nach Bonn gekommen, um uns allen telefonisch Feindschaft anzusagen?"

„Habe ich Sie etwa angerufen", sagte ich, „oder Sie mich?"

„Ach", sagte er, „kommt es wirklich so sehr darauf an?"

Ich schwieg. „Ich weiß sehr wohl", sagte er, „daß Sie mich nicht mögen, es wird Sie überraschen, ich mag Sie, und Sie werden mir das Recht zugestehen müssen, gewisse Ordnungen, an die ich glaube und die ich vertrete, durchzusetzen."

„Notfalls mit Gewalt", sagte ich.

„Nein", sagte er, seine Stimme klang klar, „nein, nicht mit Gewalt, aber nachdrücklich, so wie es die Person, um die es geht, erwarten darf."

„Warum sagen Sie Person und nicht Marie?"

„Weil mir daran liegt, die Sache so objektiv wie nur möglich zu halten."

„Das ist Ihr großer Fehler, Prälat", sagte ich, „die Sache ist so subjektiv, wie sie nur sein kann."

Mir war kalt im Bademantel, meine Zigarette war feucht geworden und brannte nicht richtig. „Ich bringe nicht nur Sie, auch Züpfner um, wenn Marie nicht zurückkommt."

„Ach Gott", sagte er ärgerlich, „lassen Sie Heribert doch aus dem Spiel."

„Sie sind witzig", sagte ich, „irgendeiner nimmt mir meine Frau weg, und ausgerechnet den soll ich aus dem Spiel lassen."

„Er ist nicht irgendeiner, Fräulein Derkum war nicht Ihre Frau – und er hat sie Ihnen nicht weggenommen, sondern sie ist gegangen."

„Vollkommen freiwillig, was?"

„Ja", sagte er, „vollkommen freiwillig, wenn auch möglicherweise im Widerstreit zwischen Natur und Übernatur."

„Ach", sagte ich, „wo ist denn da die Übernatur?"

„Schnier", sagte er ärgerlich, „ich glaube trotz allem, daß Sie ein guter Clown sind – aber von Theologie verstehen Sie nichts."

„Soviel verstehe ich aber davon", sagte ich, „daß Ihr Katholiken einem Ungläubigen wie mir gegenüber so hart seid wie die Juden gegenüber den Christen, die Christen gegenüber den Heiden. Ich höre immer nur: Gesetz, Theologie – und das alles im Grunde genommen nur wegen eines idiotischen Fetzens Papier, den der Staat – der Staat ausstellen muß."

„Sie verwechseln Anlaß und Ursache", sagte er, „ich verstehe Sie, Schnier", sagte er, „ich verstehe Sie."

„Sie verstehen gar nichts", sagte ich, „und die Folge wird ein doppelter Ehebruch sein. Der, den Marie begeht, indem sie euren Heribert heiratet, dann den zweiten, den sie begeht, indem sie eines Tages mit mir wieder von dannen zieht. Ich bin wohl nicht feinsinnig und nicht Künstler, vor allem nicht christlich genug, als daß ein Prälat zu mir sagen würde: Schnier, hätten Sie's doch beim Konkubinat gelassen."

„Sie verkennen den theologischen Kern des Unterschieds zwischen Ihrem Fall und dem, über den wir damals stritten."

„Welchen Unterschied?" fragte ich, „wohl den, daß Besewitz sensibler ist – und für euren Verein eine wichtige Glaubenslokomotive?"

„Nein", er lachte tatsächlich. „Nein. Der Unterschied ist ein kirchenrechtlicher. B. lebte mit einer geschiedenen Frau zusammen, die er gar nicht kirchlich hätte heiraten können, während Sie – nun, Fräulein Derkum war nicht geschieden, und einer Trauung stand nichts im Wege."

„Ich war bereit zu unterschreiben", sagte ich, „sogar zu konvertieren."

„Auf eine verächtliche Weise bereit."

„Soll ich Gefühle, einen Glauben heucheln, die ich nicht habe? Wenn Sie auf Recht und Gesetz bestehen – lauter formalen Dingen –

warum werfen Sie mir fehlende Gefühle vor?"

„Ich werfe Ihnen gar nichts vor."

Ich schwieg. Er hatte recht, die Erkenntnis war schlimm. Marie war weggegangen, und sie hatten sie natürlich mit offenen Armen aufgenommen, aber wenn sie hätte bei mir bleiben wollen, hätte keiner sie zwingen können, zu gehen.

Aus: Heinrich Böll **Ansichten eines Clowns**
Kiepenheuer & Witsch

Projekt

Stumm

Wir haben jetzt so viel über das Reden gesprochen, daß es mal wieder Zeit wird, etwas zu sagen ohne zu reden. Falls ihr noch nicht im Kreis sitzt, rückt jetzt zusammen.

1) Nehmt einen Gegenstand (Tafellappen, Stock, Radiergummi, . . .). Einer/eine geht mit dem Gegenstand in die Mitte, macht etwas damit und gibt den Gegenstand dann weiter. Der/die nächste greift die Idee auf oder macht etwas anderes damit.
(Mit dem Tafellappen kann man zum Abschied winken und sich die Tränen trocknen, ein Hemd bügeln und es zusammenlegen, einen Brief schreiben . . . Der Stock kann ein Regenschirm, ein Geigenbogen, eine Meßlatte, ein klebriger Lutscher . . . sein.)

2) Gebt eurem Nachbarn/eurer Nachbarin ein (nicht vorhandenes) Geschenk (eine Goldkette in einer Schachtel, einen frisch gewaschenen Elefanten, einen Topf voll Blumensamen, einen Korb voll frisch gepflückter Äpfel . . .). Der/die Beschenkte ist überrascht, will das Geschenk erst zurückweisen, freut sich aber doch und nimmt es dankend an.

3) Macht jetzt den Kreis ein bißchen größer. Die Hälfte der Gruppe geht in den Kreis, die anderen bleiben sitzen und rufen denen in der Mitte zu, was sie spielen sollen. (Kinderspielplatz, Supermarkt, großes Essen, Kirche, Disko, Frisör, Balettschule . . .) Nach einiger Zeit sollen die Gruppen wechseln.

4) Geht zu einem Theater und laßt euch zu einer Probe einladen (auch ein nicht deutschsprachiger Probenbesuch lohnt sich). Seht euch die Techniken gut an und verwendet sie dann im Deutschunterricht. Übt ein Theaterstück ein.

Vor-„schläge"

PILLE & MILLE

von Howie Schneider

ENTSCHULDIGE, ABER ICH DACHTE, DU WÄRST IM BEGRIFF GEWESEN, MICH ZU SCHLAGEN.

DESHALB MUSSTE ICH DICH SCHLAGEN, UM MICH ZU VERTEIDIGEN!

IN DER SPRACHE DER MILITÄRS NENNT MAN DAS PRÄVENTIV-SCHLAG...

...DAMIT SOLL EIN AGGRESSIVER AKT SCHON IM KEIM ERSTICKT WERDEN!

DAS NENNT MAN "EINEM EINS AUF DIE FRESSE HAUEN", ES SOLL EIN GUTER SCHUTZ GEGEN PRÄVENTIV-SCHLÄGE SEIN!

A Produktwerbung

1 Diese Abbildungen sind Ausschnitte aus drei verschiedenen Werbeanzeigen. Ratet, für welche Produkte mit diesen Bildern geworben wird. Begründet eure Entscheidung. Sucht passende Werbeslogans dazu.

2 Fragt doch bitte mal euren Lehrer/eure Lehrerin und andere Deutsche, ob sie wissen, was die Wörter
GLANZPREIS
GLANZPOKAL
DURCH-UND-DURCH-GLANZ
ZARTPFLEGEN
bedeuten.

Sprechhandlungen

(Fortsetzung von Kapitel **6**)

B

1 Überlegt, ob es sich bei die-
◁ sem Fragesatz tatsächlich um
eine Frage handelt oder ob
sich hinter der Frageform
nicht etwas ganz anderes ver-
steckt, z. B. eine Behauptung
oder eine Feststellung, eine
Aufforderung oder ein Rat,
eine Warnung oder eine Emp-
fehlung, ein Befehl oder ein
Versprechen?

2 Bestimmten SPRECHHANDLUNGEN liegen bestimmte Bedingungen zugrunde. Für
die folgenden Beispiele werden einige dieser Bedingungen stark vereinfacht wiedergegeben.
Versucht herauszufinden, inwiefern diese Bedingungen im jeweils zweiten Beispielsatz
nicht gegeben sind.

1) **FRAGEN** Der Sprecher kennt die Antwort auf seine Frage nicht. Er wünscht eine
Information, die er von dem Angesprochenen zu erhalten hofft.

Beispiel:
Frage: Wie groß wird das Defizit nächstes Jahr sein?
Keine Frage: Kannst du mir mal das Salz geben?

2) **BEHAUPTEN/FESTSTELLEN** Der Sprecher hat Beweismittel bzw. Gründe für
die Wahrheit seiner Aussage. Gleichzeitig nimmt er an, daß der Angesprochene
nicht über diese Information verfügt, bzw. daran erinnert werden muß.

Beispiel:
Behauptung/Feststellung: Ich habe die Rechnung gestern bezahlt.
Keine Behauptung/Feststellung: Und ich behaupte, wir gewinnen ganz sicher diese Woche im Fußballtoto!

3) **AUFFORDERN** Der Sprecher wünscht, daß der Angesprochene etwas Bestimmtes tut, und glaubt, daß dieser in der Lage ist, es zu tun, es aber andererseits nicht ohne diese Aufforderung, d. h. aus eigenem Antrieb tun würde.

Beispiel:
Aufforderung: Bewerben Sie sich bitte schnell für das Stipendium.
Keine Aufforderung: Die Demonstranten werden aufgefordert, das Werksgelände sofort zu verlassen, sonst wird die Polizei geholt!

4) **BEFEHLEN** Der Sprecher befindet sich in einer Machtposition gegenüber dem Angesprochenen, die es ihm möglich macht, ein Nichtbefolgen des Befehls mit Sanktionen zu bedrohen.

Beispiel:
Befehl: Stillgestanden!
Kein Befehl: Halt die Ohren steif!

5) **RATEN** Der Sprecher glaubt, daß die Handlung, zu der er dem Angesprochenen rät, diesem nützen wird, bzw. in dessen Interesse liegt. Gleichzeitig nimmt er an, daß der Angesprochene die Handlung nicht ohne seinen Rat durchführen würde.

Beispiel:
Ratschlag: Sie sollten mal zwei bis drei Wochen ausspannen.
Kein Ratschlag: Ich rate euch, für morgen die Lektion dreizehn und besonders die Vokabeln sehr gründlich zu lernen.

6) **VERSPRECHEN** Der Sprecher verpflichtet sich zu einer zukünftigen Handlung, die im Interesse des Angesprochenen liegt.

Beispiel:
Versprechen: Ich werde morgen bestimmt kommen.
Kein Versprechen: Wenn du nicht bald gehst, verspreche ich dir, daß du den Zug versäumst.

7) **WARNEN** Der Sprecher hat Grund zu glauben, daß ein Ereignis eintreten wird, das gegen die Interessen des Angesprochenen gerichtet ist.

Beispiel:
Warnung: Wenn Sie zu schnell fahren, kann Ihnen etwas passieren, es besteht Rutschgefahr.
Keine Warnung: Sie sollten besser aufpassen beim Einbiegen, beinahe wäre der Radfahrer gestürzt!

8) **DROHEN** Der Sprecher drückt aus, daß er (unter bestimmten Bedingungen) Handlungen zum Nachteil des Hörers ausführen wird.

Beispiel:
Drohung: Wenn Sie nicht sofort den Eingang freimachen, schlage ich zu!
Keine Drohung: Hör auf, mich zu küssen, ich zähle bis tausend.

Bedürfnisse?   C

Auf den beiden folgenden Seiten sind verschiedene Werbe-Anzeigen abgedruckt.

1 Sammelt noch mehr Werbematerial (nicht unbedingt nur deutsches) zum gleichen Themenkomplex. Bezieht auch Werbesendungen in Rundfunk und Fernsehen mit ein, die ihr auf Tonband oder Cassette mitschneiden könnt.

2 Setzt euch in kleinen Gruppen zusammen und analysiert dieses Werbematerial. Ihr könnt euch dabei an folgenden Fragen orientieren:
- Welche Sprechhandlungen kommen vor?
- Welche Bedürfnisse der Adressaten werden direkt oder indirekt angesprochen?
- Welche gesellschaftlichen Werte lassen sich aus dem Material ableiten?
- Welche Rollenklischees werden durch dieses Werbematerial verbreitet und gefestigt? (Wer sorgt für Sauberkeit, wer pflegt sich?)
- Welche Versprechungen werden direkt oder indirekt gemacht?
- Wie sehen die Werbefachleute ihre Adressaten?
- Welche Funktion haben die Bilder? (Schaut euch die Personen an. Welche Personentypen werben wofür? Welches Verhältnis besteht zwischen Produkt und Person?)

3 Entwerft Slogans (und Bilder) für Anti-Werbung.

Fewamat hat spezielle Kraft. Gegen Schmutz.
Für leuchtende Farben. Das richtige Waschmittel
für farbige moderne Gewebe. Denn grobe Waschmittel
verwaschen die Farben. Und schwache Waschmittel
beseitigen nicht jeden Schmutz.
Nehmen Sie deshalb das kraftvolle
Farbwaschmittel: Fewamat.

fewa

Fewamat wäscht gründlich sauber, läßt Farben leuchten.

Das „Tischlein-deck-Dich-Persil."

Nichts gegen Männer, die im Haushalt helfen Aber zum Geschirrspülen ist ein Miele einfach besser.

Es gibt viele gute Gründe für einen Geschirrspüler – aber noch mehr für einen Miele.

1. Lästiger Abwasch – vorbei!
Ganz gleich, wer in der Familie
abwäscht – der Miele Geschirrspüler befreit Sie von der unange-
nehmsten Arbeit, die es im Hause
gibt. Auch vom hygienischen Standpunkt aus gibt es nichts Besseres
als einen modernen Geschirrspüler!

2. Alles auf einmal
Der Miele Geschirrspüler spült und
trocknet das Geschirr eines ganzen
Tages auf einmal. Das spart
Wasser- und Stromkosten.
Gebrauchtes Geschirr kommt
sofort in den Miele – die Küche
sieht immer tiptop aus!

3. Freizeitgewinn inclusive
Es ist erwiesen, daß man am Tag
zwischen 46 und 60 Minuten für
das Abwaschen per Hand verliert.
Das sind im Jahr immerhin 49
komplette Arbeitstage zu 8 Stunden.
Was können Sie mit dieser Zeit
alles anfangen...!

Diskussion Sauberkeit

1 Lest bitte den folgenden Textauszug aus einem Krimi. Vielleicht bekommt ihr dabei sogar Lust, das ganze Buch zu lesen?

„Aber wie ist er auch aufgewachsen, verdammt nochmal? Wie wachsen sie denn *alle* auf in Kaffs wie diesem hier? Ich kann jetzt nicht aus dem Bauch eine Kritik der
5 bürgerlichen Sozialisation entwickeln, aber nimm doch bloß mal die empirischen Details, wie man sie ja selber erfahren hat, am eigenen Leib ...

Auf was wird einer wie Maurice denn
10 dressiert? Schön gewaschen und gekämmt muß er sein, wenn er in die Schule kommt. Die Zähne und die Fingernägel muß er sich geputzt haben. Sein Hemd darf keine Flecken haben. Seine Kleidung sollte nicht zu
15 ungewöhnlich sein, sonst ist er gleich Outsider ... Reden, lachen, rumlaufen darf er nicht ... Stillsitzen muß er, zuhören, funktionieren ... Und dafür kriegt er dann einen Platz im Klassenzimmer – allerdings auch
20 wieder nur einen ganz bestimmten, den er sich nicht aussuchen kann, einen vom Lehrer bestimmten ... Auf den muß er sich setzen, hinter den Vordermann, vor den Hintermann. Ob er will oder nicht."
25 „Alles muß seine Ordnung haben."

„Genau. Und zwar eine, die *er* nicht mitbestimmt. Sein Körper, bringt man ihm bei, ist nur erträglich, wenn er dauernd kosmetisch behandelt wird, geputzt und gestriegelt.
30 Und im Religionsunterricht hört er dann, daß die Bedürfnisse dieses Körpers etwas Sündhaftes sind; wer sie befriedigt, frönt dem sogenannten heimlichen Laster ... Er lernt, daß er nicht geliebt wird,
35 wie er ist, sondern daß er sich Liebe erst verdienen muß: durch Wohlverhalten, durch Gehorsam. Und Gehorsam besteht darin, daß er seine angeblich bösen Triebe unterdrückt. Und wenn er das nicht tut, dann wird
40 er von der Gesellschaft und ihrem Oberaufseher namens GOTT grauenhaft bestraft ...

Natürlich hat er Angst vor Strafen. Natürlich tut er alles, um sie zu vermeiden. Natürlich ist er so *anständig* und leistungsfähig wie nur möglich ... Und so vorbereitet kommt 45 er dann in die Cafeteria. Sieht Leute mit Bärten und langen Haaren. Mit abgetragenen Kleidern. Sie saufen Bier aus der Flasche und setzen sich hin, wo es ihnen paßt. Wie soll er denn reagieren, Mensch? Natürlich 50 haßt er diese Typen, die ja anscheinend meinen, sie könnten sich alles erlauben ..."

Seine Argumentation beunruhigte mich etwas. „Du hebst so sehr stark auf die hygienischen Gesichtspunkte ab. Ich meine, für 55 Hygiene gibt's ja nun auch 'ne objektive, 'ne medizinische Indikation ... Sicher, der Körper so eines Kindes wird entsexualisiert, wird hergerichtet zur profitbringenden Arbeitsmaschine ... Aber was du sagst, das 60 klingt ja so, als ob sich keiner mehr waschen sollte ..."

„Wenn du eine Ahnung hättest von den Waschritualen, die in meinem Elternhaus durchgesetzt worden sind ... Schau dir mal 65 meine Mutter an, wie sie dauernd Waschmittel kauft und Putzmittel, wie sie die Fenster putzt und die Böden putzt und sich selber putzt und alles putzt ... In schlimmen Träumen steh' ich noch heute dabei und 70 halte den Eimer. Und dann hört man von den Marineinfanteristen, die den Dschungel *säubern*. Und von den Nazis, die die germanische Rasse r e i n hielten ... Ich hab' ja gesagt, ich kann nicht aus dem Bauch 'ne 75 Kritik der bürgerlichen Sozialisation abliefern. Aber was hat der Junge denn konkret gesehen, als er in die Cafeteria kam?"

„Da ist schon was Wahres dran."

Aus: Michael Molsner **Rote Messe** Heyne Verlag

Worterklärungen:

Z 3 **das Kaff** abwertend für: kleines Dorf – Z 4 **aus dem Bauch** unvorbereitet – Z 5 **die Sozialisation** Prozeß, in dem einem Menschen von Kindheit an die Normen und Werte seiner Gesellschaft vermittelt werden, in diesem Falle die Normen und Werte einer bürgerlichen Gesellschaft – Z 6 **empirische Details** die konkret erfahrbaren Einzelheiten – Z 15 **der Outsider** (engl.) Außenseiter – Z 29 **geputzt und gestriegelt** sehr sauber und ordentlich – Z 32 **sündhaft** von der Religion verboten (die Sünde) – Z 33 **einem Laster frönen** eine schlechte Angewohnheit haben – Z 38 **der Trieb** körperliches Verlangen – Z 40 **der Aufseher** Aufpasser – Z 41 **grauenhaft** furchtbar – Z 54 **auf etwas abheben** (umgangsspr.) hier: etwas betonen – Z 64 **das Ritual** feierliche (religiöse) Handlung

* * *

2 Orientiert euch bei der Diskussion des Textes an den folgenden Fragen:

- Wo klagt der Sprecher an, wo analysiert oder interpretiert er, welche Beispiele zieht er heran?
- Welche Rolle spielt sein Gesprächspartner? Argumentiert er?
- Wie hat der Junge (Maurice) die andern in der Cafeteria „gesehen"? Warum hat er sie so „gesehen", und was hat dies bei ihm bewirkt?
- Wie wird SAUBERKEIT gelernt? Welche Rolle spielt die Sprache dabei?
- Welche weiteren Aufforderungen zur Sauberkeit kennt ihr? (Wie z. B. in der Bundesrepublik Deutschland: „Das Schwimmbecken darf nur mit Bademütze betreten werden!" Oder: „Aber Luise, nicht alles in den Mund stecken!" u. a.)
- Wie reagiert ihr, wenn andere Menschen Normen überschreiten, die ihr selbst akzeptiert?

3 Was bedeuten „sauber", „schmutzig", „rein" und „weiß" in den folgenden Ausdrükken? Fragt auch Deutsche nach ihrer Meinung.

- eine saubere Weste haben
- schmutzige Wäsche waschen
- die Braut in Weiß
- schmutzige Absichten
- schmutziger Krieg
- ein reinrassiger Sportwagen
- schmutzige Gedanken
- Sauber! (Ausruf)

An meinen Tisch setzte sich, ungebeten, ein großer starker Mann meines Alters und begann alsbald ein Gespräch, das sich auf heißem Boden bewegte. Die heutige Jugend, sagte er, sei schlecht, sie habe keine Ideale, zu seiner Zeit sei das anders gewesen. Er war sehr früh zur SS gegangen und „mit Leib und Seele dabeigeblieben bis zum bitteren Ende". Und die Ideale? Alle, die ein junger Mann braucht: Glaube an die Zukunft des eigenen Volks, Gefolgschaftstreue, Zucht, Sauberkeit. Was denn ›Sauberkeit‹ war, fragte ich. Nun: keine Frauengeschichten, keinerlei Ausschweifungen, Zucht. Ich stellte eine klare Frage: „Und Mord – gehörte der auch zur Sauberkeit?" Mord? Man habe doch nicht gemordet! Man habe Kriegsdienst getan wie jeder Mann in jeder Nation zu Kriegszeiten.

Aus: Luise Rinser **Gefängnistagebuch, Vorwort** S. Fischer Verlag

MENSCHENBILD (II)

„Na gut", sagte der Direktor, „es waren keine
ausgewaschenen Jeans, es waren hellblaue
Cordhosen, einverstanden. Aber müssen es
überhaupt Hosen sein? Wenn die Mädel so
angetreten sind, alle in ihren kurzen Röcken,
das gibt doch ein ganz anderes Bild." Dabei
schnalzte er mit der Zunge.

Aus: Reiner Kunze **Die wunderbaren Jahre** S. Fischer Verlag

Mathematik ist eine „reine"
Wissenschaft, weil sie un-
abhängig ist von menschlichen
Emotionen.
Was ist das Gegenteil von
„reiner" Wissenschaft?

»So, heute sind Sie 25 Jahre bei mir, nun denken Sie
mal, wieviel Geld Sie mir schon haben weggeschleppt.«

D Positive Wörter

Eike Christian Hirsch
Deutsch für Besserwisser

Kernkraft

**Informations-Gruppe Kernenergie. Bonn.
An unsere Mitglieder. Wir weisen Sie
nochmals auf den richtigen Sprachge-**
5 **brauch hin.**

Das Wort Entsorgungspark hat sich noch immer
nicht durchgesetzt für die in Gorleben geplante
Anlage und Lagerstätte. „Park" läßt an Wiesen
und Bäume denken, „Entsorgung" das Gefühl auf-
10 kommen, man könne sich aller Sorgen entledigen.
Entsorgungspark Gorleben, das wäre werbewirk-
sam. Allerdings sind auch Wiederaufbereitung oder
Anreicherung positive Wörter, die die volkstümli-
chen Ausdrücke „Giftfabrik" und „Todeslager" ver-
15 drängen werden. Auch Endlagerung hat einen

guten Klang, weil hier hörbar endgültig eine
Lagerstätte bereitet wird, ohne daß allzu spürbar
wird, wie lange dies Lager bewacht werden muß
(etwa 200 000 Jahre).

Sorgen macht uns noch das verbreitete Wort 20
Atommüll, das dringend durch Kern-Ablagerungen
oder Kernaltstoffe zu ersetzen ist. Das Wort
„Atom" soll überhaupt verschwinden, weil es an
Atombomben erinnert. Die deutsche Wortschöp-
fung friedliche Nutzung der Kernenergie zeigt den 25
Weg. Vier wundervolle Wörter in einem wohlklin-
genden Akkord: Frieden, Nutzen, Kern, Energie. [...]

Von „Gefahren" darf nicht die Rede sein, aber

von Risiken, von denen man offen sprechen sollte, damit keine Debatte über die Gefahren aufkommt. Störfälle ist ein besseres Wort für Unglücksfälle; auch von Katastrophen darf keinesfalls gesprochen werden, allenfalls vom E-Fall (dem Ernst-Fall), der den Großnotstand auslöst. Sind Personenschäden zu beklagen, so handelt es sich um Energieopfer (analog gebildet zu den Verkehrsopfern, die auch jedermann hinnimmt).

Stern, 9/1978

Die Ausgangssituation dieses Textes (Schreiben einer „Informations-Gruppe Kernenergie") ist zwar eine satirische Fiktion, alles andere aber ist nicht erfunden.

1 Bittet euren Lehrer/eure Lehrerin erst einmal, euch über Gorleben zu informieren.

2 Tragt in die Spalten unten die jeweils „positiven" und „negativen" Bezeichnungen aus dem Text ein. Gibt es in eurer Muttersprache Entsprechungen?

3 Wörter wie „Endlagerung, Atommüll, Entsorgung, Wiederaufbereitung" stehen in jedem deutschen Zeitungstext über Atomenergie. Fragt euren Lehrer/eure Lehrerin und andere Deutsche, ob sie wissen, welche technischen Vorgänge diese Wörter eigentlich bezeichnen. Wißt ihr es?

Zeichnung: Dietrich Lange

„positiv"

Entsorgungspark

„negativ"

Giftfabrik

Niemand hat es getan

Die folgende Parodie auf den Sprachgebrauch in Zeitungsartikeln schrieb Kurt Tucholsky, freier Journalist und Schriftsteller, im Jahre 1929.

...In erotisch-kultureller Beziehung denke ich mir den Liebesbrief eines solchen Korrespondenten so:

Geheim! Tagebuch-Nr. 69/218.

Hierorts, den heutigen

1. Meine Neigung zur Dir ist unverändert.

2. Du stehst heute abend, 7 1/2 Uhr, am zweiten Ausgang des Zoologischen Gartens, wie gehabt.

3. Anzug: Grünes Kleid, grüner Hut, braune Schuhe. Die Mitnahme eines Regenschirms empfiehlt sich.

4. Abendessen im Gambrinus, 8.10 Uhr.

5. Es wird nachher in meiner Wohnung voraussichtlich zu Zärtlichkeiten kommen.

(gez.) Bosch,
Oberbuchhalter.

Aus: Kurt Tucholsky **Zeitungsdeutsch und Briefstil** In: Gesammelte Werke, Band 3, Rowohlt

---

1 Wodurch entsteht die komische Wirkung in den Punkten 3 und 5?

2 Wie würdet ihr die fünf Punkte formulieren? Schreibt einen neuen Brief.

* * *

3 Bildet zwei Gruppen und nehmt euch die Texte **a** und **b** vor. Fragt beim Lesen bei jedem Satz genau nach, wer da etwas tut oder sagt, woher die Information kommt und wie sicher sie ist. Wenn ihr diese Fragen aus dem Text heraus nicht beantworten könnt, unterstreicht die Strukturen, die bewirken, daß ihr die Antworten nicht findet. Welche Gründe kann es haben, daß in den Zeitungsartikeln der Handelnde nicht genannt wird? – Tauscht dann im Plenum eure Ergebnisse aus. Auf Seite 150 findet ihr einige Worterklärungen zu Text **b**.

Bluttat vom Hauptbahnhof geklärt

Text a

„Er ist mir ins Messer gelaufen"

Der zunächst unbekannte Täter, der am 3. April einen 18jährigen Frankfurter Schlachtenbummler schwer verletzte, ist ermittelt. Der Beschuldigte, der 17jährige Lehrling Peter O., gestand die Tat, deren Hergang er jedoch sehr eigentümlich schilderte: Er habe nicht gestochen. Der andere müsse ihm ins Messer gelaufen sein.

Zum Hergang der Tat sagte er folgendes: Auf dem Heimweg vom Spiel seines Clubs sei es zu einer Schlägerei gekommen. Er habe einem Sportsfreund zu Hilfe kommen wollen, der von einer Gruppe von Fans verprügelt wurde. Plötzlich sei ein Klappmesser in seiner Hand gewesen, das ihm ein Freund „zum Aufheben" gegeben habe. In diesem Augenblick habe der Frankfurter ihn am Arm gepackt und sei dabei wohl an den Knopf des Springmessers gekommen. Dabei müsse die Klinge herausgefahren sein und sich dem Gegner in die linke Brustseite gebohrt haben.

Nach einer Gerichtsreportage von J. Freudenreich

Nach dem Cadmium-Debakel:

Text b

Ein Giftberg nach Großlappen?

Stadtverwaltung plant Klärschlamm-Deponie in der Nähe des Müllbergs

Freimann soll in unmittelbarer Nähe des Müllbergs jetzt auch noch einen Giftberg erhalten. Wie die SZ aus gut unterrichteter Quelle erfuhr, wird im Rathaus nach dem Cadmium-Debakel jetzt eine Lagerung des Klärschlamms in einer Deponie in Erwägung gezogen. Als einziger Standort ist bislang ein Gelände bei Großlappen zwischen dem Autobahnring und dem Burgfrieden im Gespräch. Das Klärschlammproblem soll am Donnerstag nächster Woche im Stadtrat beraten werden.

Der Münchner Klärschlamm wurde jahrzehntelang auf den städtischen Gütern landwirtschaftlich verwertet und in den letzten Jahren zusätzlich bei Landwirten der Gemeinden Ismaning und Garching untergebracht. Erst Anfang des Jahres sickerte die alarmierende Nachricht durch, daß das Abfallprodukt der Abwasserreinigung in Großlappen hochgradig mit dem schwer gesundheitsgefährdenden Metall Cadmium durchsetzt ist. Ein Untersuchungsbericht deckte auf, daß die zulässigen Cadmiumwerte stellenweise um das Zehnfache überschritten wurden. Daraufhin wurde die Abgabe des Klärschlamms an private landwirtschaftliche Betriebe eingestellt, die Kontrollen des Cadmiumgehalts verstärkt und vor allem nach anderen Unterbringungsmöglichkeiten geforscht.

Obwohl auch hier noch alle Probleme nicht gelöst sind, trägt man sich mit dem Gedanken, den Klärschlamm auf den Rosten des Müllkraftwerkes Nord zu verbrennen. Dies ist freilich erst vom Jahr 1982 an möglich, wenn der Ausbau der Kraftwerksanlage abgeschlossen ist. Offen ist auch noch die Frage, ob mit dieser Lösung die Probleme nur vom Boden in die Luft verlagert werden. Es bedarf noch eingehender Versuche, inwieweit die gefährlichen Schadstoffe aus den Kraftwerksabgasen und der Flugasche gefiltert werden können.

Als Übergangslösung wird die Lagerung des Klärschlamms in einer Deponie in Erwägung gezogen, da er wegen des hohen Cadmiumgehalts jetzt nur mehr zum Teil auf den städtischen Gütern verwendet werden kann. Der Klärschlammberg soll in unmittelbarer Nähe des Müllbergs bei Großlappen aufgeschüttet werden. Voraussetzung für die Deponierfähigkeit ist jedoch die Entwässerung des organisch stabilisierten, das heißt des ausgefaulten Klärschlamms und seine Aufbereitung zu einem standfesten Schüttgut.

„Erweiterung des Erholungsgeländes"

Für die leidgeprüften Bewohner des Münchner Nordens versucht die Stadt die bittere Pille mit einer „Erweiterung des Erholungsgeländes um den begrünten Müllberg in Großlappen" zu verpacken. Neben dem gifthaltigen Abfall der Stadtentwässerung soll auch die Schlacke aus der Müllverbrennung nördlich des Autobahnringes aufgeschüttet werden. Der Stadtrat wird sich am Donnerstag mit den neuen Plänen zur Bereinigung des Cadmiumdebakels befassen.

Otto Fischer

Süddeutsche Zeitung, 21. 4. 1979

Worterklärungen zu Text **b**:

Z 1 **das Debakel** hier etwa: schlimme Geschichte, böse Überraschung – Z 9 **der Klärschlamm** Schlamm, der bei der Abwasserreinigung zurückbleibt – Z 10 **die Deponie** Lagerstätte für Müll – Z 18 **die städtischen Güter** landwirtschaftliche Betriebe, die der Stadt gehören – Z 21 **durchsickern** eine Nachricht sickert durch: eine Nachricht kommt langsam an die Öffentlichkeit – Z 24 **hochgradig** in hohem Maße – Z 26 **zulässig** erlaubt – Z 32 **die Unterbringung** hier: Lagerung – Z 35 **der Rost** hier: Gitter – **das Müllkraftwerk** Kraftwerk, das durch Verbrennung von Müll Energie erzeugt – Z 42 **die Abgase** Gas, das bei industriellen Verbrennungsvorgängen in die Luft entweicht, z. B. auch beim Auto – Z 52 **ausgefault** alle organischen Bestandteile sind bereits verfault – Z 54 **das Schüttgut** Material, das durch Schütten umgeladen werden kann, z. B. Sand, Erde, Getreide… – Z 60 **begrünt** grün durch Bepflanzung – Z 62 **die Schlacke** harter Rest bei Verbrennung

1

Der Baum steht.

2

Der Baum wird gefällt.

3

Er ist gefällt.

4

Das Kind hat Dummheiten im Kopf.

5

Das Kind wird „gut" erzogen.

6

Es ist „gut" erzogen.

4 Auf welchen Zeichnungen wird ein Zustand, auf welchen eine Handlung oder ein Vorgang dargestellt?

5 Wer tut etwas? In welcher sprachlichen Form könnt ihr die Handlungsträger (die „Täter") nennen?

6 Bildet kleine Gruppen und versucht, alle Verbindungen zusammenzustellen, in denen das Verb „werden" vorkommt.

Strukturmodell	Gebrauch/Funktion	Beispielsatz
1) *werden* + Partizip Perfekt	Handlungspassiv	Wir werden hier mit dem Passiv gequält.
2) *werden* + ...		
3) ...		

Lebenslauf

Im Anfängerunterricht nach Sinn, Gebrauch und Bedeutung des Wortes WERDEN gefragt, haben wir einmal folgende Antwort gegeben, am Beispiel des Lebenslaufs eines Kursteilnehmers.

Greg wird geboren.

Ein Geschehen, auf das Greg keinen Einfluß hatte, aber trotzdem geschieht mit ihm etwas Wesentliches.

Greg wird größer.

Auch hierauf hat Greg kaum Einfluß; das Wort ERDE in WERDEN kann das Wachsen, das Sich-Entfalten verdeutlichen. Irgendwann sagt Greg:

„Ich will Arzt werden."

Der Wunsch, etwas aus sich zu machen. Und dann heißt es:

Greg wird Arzt.

Das ist vom Inhalt her aktiv und passiv zugleich. Er bestimmt sein Berufsziel, erhält aber gleichzeitig durch andere eine Ausbildung. Und die Zukunft:

„Ich werde irgendwann sterben."

Durch den Prozeß der Gegenwart und des Zukünftigen hindurch wird etwas passieren, was nicht allein vom Handelnden her bestimmt werden kann.

Ein Küchenrezept? Vielleicht auch mehr!

7 Analysiert die unterstrichenen Strukturen in den folgenden Zitaten. Welche Fragen bleiben auf diese Weise unbeantwortet? Stellt die Fragen und versucht, Antworten zu finden.

„Der Bevölkerungszuwachs der vergangenen Jahre und der Zustrom der Menschen vom Lande trug zur hoffnungslosen Übervölkerung der Großstädte bei, die dafür nicht geplant waren. Deutsche Experten untersuchten die Probleme der südbrasilianischen Hafenstadt Porto Alegre und setzten die gewonnenen Erfahrungen bei einem Großraum- und Stadtentwicklungsprojekt ein, mit dem vor kurzem in den neuen Großstadtzentren begonnen wurde."

Frankfurter Allgemeine, 26. 10. 1976

„... Wieder geöffnet ist eine Ausstellung mit Plakaten des Heidelberger Grafikers Klaus Staeck in den Räumen der evangelischen Studentengemeinde (ESG) Karlsruhe. Die Ausstellung war am 28. September durch einen Beschluß des Kollegiums des evangelischen Oberkirchenrates geschlossen worden. Die Begründung: ,Eine solche Ausstellung in landeskirchlichen Räumen in der Endphase des Wahlkampfs wird als einseitige parteipolitische Stellungnahme in der Öffentlichkeit verstanden.'"

Schwäbisches Tagblatt, 5. 10. 1976

„Andere Schwerpunkte der deutschen Entwicklungshilfe für Brasilien, die als kooperative Hilfe angesehen werden will, liegen in der landwirtschaftlichen Beratung und in der Rohstoffsuche."

Frankfurter Allgemeine, 26. 10. 1976

„Er [Papst Paul VI.] bezog sich dabei [bei seiner Warnung vor dem Teufel] auf die Unsicherheit, durch die die innere Einheit der Kirche untergraben werde, und auf die Interpretation, die heute weithin dem Pluralismus gegeben wird."

DIE WELT, 15. 10. 1976

„Über 400 Millionen Heranwachsende leiden zur Zeit an schwerwiegender Unterernährung. Wenn man bedenkt, daß das menschliche Nervensystem zur Zeit der Geburt noch wenig entwickelt und erst um das 5. Lebensjahr zu 90 % ausgereift ist, wird klar, daß diese Kinder dazu verurteilt sind, ein abgestumpftes Leben zu führen ... "

Zitiert aus einem Flugblatt der Hilfsorganisation AMURT über die „WELTHUNGERKRISE"

„Personen, die ihren Lebensunterhalt durch Betteln, Hausieren oder in ähnlicher Weise suchen, sind von der Aufnahme ausgenommen."

Aus den Bestimmungen über die Benutzung von Jugendherbergen

Nichtzutreffende Teile des Mietvertrages sind durchzustreichen, freie Stellen sind auszufüllen oder durchzustreichen.

Deutscher Einheitsmietvertrag

Der Meldeschein ist wahrheitsgemäß und lückenlos in deutlicher Schrift auszufüllen. Falls eine Antwort, weil nicht zutreffend, ausfällt, ist ein Strich einzutragen. Auf Verlangen der Meldebehörde sind Ausweise zum Nachweis der Angaben vorzulegen.

Aus dem Formular einer „Anmeldebestätigung" für Wohnortwechsel

8 Formuliert die unterstrichenen Textstellen so, daß deutlich wird, wer was tun soll.

Hausordnung   Deutscher Einheits-Mietvertrag

Erhaltung der Ordnung, Sauberkeit und Sicherheit

1. Jeder Mieter hat seine Räumlichkeiten einschl. den dazugehörigen Treppen und Vorplätzen sauber und in Ordnung zu halten. Parkettböden, wie überhaupt sämtliche Hartholz- und die Parkett-Treppen dürfen ohne Zustimmung ... und nicht geölt, son... Fensterläden

...ten
...ppi-
...Ge-
...nten
...s bis

..., das
...enom-
...ocken-
...r oder

...ten des
Mieters ... Wasch-
kessel samt Feuerung ... reinigen
und in Ordnung zu bringen.

Würden Sie dieser Frau ein Zimmer vermieten?

5. Das Haus wird im Sommer um 21 Uhr, um .... Uhr *), im Winter um 20 Uhr, um .... Uhr *), geschlossen, an Sonn- und Feiertagen um 14 Uhr, um .... Uhr *). Nach dieser Zeit haben Ein- und Ausgehende die Haustüre wieder zu verschließen. Der Hausschlüssel darf nur Familienangehörigen dauernd überlassen werden. Niemand darf ohne Genehmigung des Vermieters sich einen Schlüssel anfertigen lassen. Angefertigte Schlüssel zur Mietsache sind beim Auszug dem Vermieter abzugeben. Das Schließen des Hauses haben, wo nichts anderes bestimmt ist, die Mieter des Erdgeschosses zu besorgen.

6. Auf Fluren, Treppen, Gängen, im Hof oder in sonstigen gemeinschaftlichen Räumen in oder am Hause darf nichts gestellt, gelegt oder aufgehängt werden.
Die Eingänge und sonstige zu gemeinschaftlicher Begehung bestimmte Räume, insbesondere das Treppenhaus, sind freizuhalten. Zur Verhütung von Unfällen sind die Zugänge zu den Kellern, Plattformen usw. nach Gebrauch wieder zu verschließen.

Rücksichtnahme auf Mitbewohner

1. Das Singen, Musizieren, Benützen von elektroakustischen Geräten (Ton- und Fernsehrundfunkempfangsgeräte und andere

Tonwiedergabegeräte) ist nur von 8 bis 12 Uhr und von 14 bis 22 Uhr bei geschlossenem Fenster und verminderter Lautstärke gestattet und ist in Fällen schwerer Erkrankung eines Hausbewohners zu unterlassen. Die Benützung von elektroakustischen Geräten außerhalb dieser Zeit ist nur bei Zimmerlautstärke gestattet.
Nähmaschinen sind auf schalldämpfende Unterlagen zu stellen. Alle unnötigen Geräusche, Türzuwerfen und starkes Treppenlaufen sind im Hinblick auf die Ruhe und gegenseitige Rücksichtnahme zu vermeiden.

2. Das Halten von Haustieren ist untersagt. Wird es aber dennoch ausdrücklich oder stillschweigend geduldet, so kann es vom Vermieter jederzeit widerrufen werden.
Versteigerungen irgendwelcher Art dürfen in den gemieteten Räumen ohne Genehmigung des Hausbesitzers nicht abgehalten werden.

Verhütung von Schäden

1. Wasserverschwendung ist zu vermeiden. Dem Mieter obliegt die sorgfältige Überwachung aller Wasser... guß stellen. Die V...

Hausordnung für Jugendherbergen

Aufnahme
Jedes Mitglied des deutschen oder eines anderen JH-Verbandes mit einem gültigen Jugendherbergsausweis ist als Gast in der Jugendherberge (JH) willkommen. Maßgebend sind die Bestimmungen über die Benutzung der Jugendherbergen.

Eintreffen
Die Gäste sollten bis 20.00 Uhr in der JH eintreffen. Eine spätere Ankunftszeit muß vorher mit den Herbergseltern vereinbart werden, da sonst die zugesagten Plätze anderweitig vergeben werden können. Es wird gebeten, den JH-Ausweis beim Eintreffen abzugeben.

Aufenthalt in der Jugendherberge
Jeder Gast ist mitverantwortlich für die Ordnung in der Jugendherberge. Er soll daher Rücksicht auf andere Gäste nehmen, die Hausordnung einhalten und sich dem JH-Betrieb einfügen. Die Gruppenleiter tragen die Verantwortung für die Mitglieder ihrer Gruppe.
Alle Gäste, besonders die Gruppenleiter, haben dafür zu sorgen, daß die Räume besenrein gesäubert, die Betten hergerichtet, die Wascräume sauber gehalten werden und das benutzte Geschirr gereinigt wird.
Aus hygienischen Gründen dürfen Betten nur mit Bettwäsche benutzt werden. Jeder Gast bringt am besten seine eigene saubere Bettwäsche mit. Er kann aber auch Wäsche in der Jugendherberge gegen die vorgesehene Gebühr entleihen.
Die Jugendherberge kann zu Reinigungszwecken von 9.30 Uhr bis 12.00 Uhr geschlossen werden. Unterricht, Lehrgänge und Tagungen können während dieser Zeit fortgesetzt werden. Bei Regen oder Kälte entfällt diese Schließzeit.
Die Jugendherbergen werden um 22.00 Uhr geschlossen. Einzelne, im Jugendherbergsverzeichnis besonders gekennzeichnete Jugendherbergen schließen erst um 23.00 Uhr.
Wenn die Gäste im Hause dadurch nicht gestört werden, kann die Schließzeit auch in anderen Jugendherbergen nach Absprache mit den Herbergseltern bis 23.30 Uhr hinausgeschoben werden, soweit es die Personallage gestattet. Unter denselben Voraussetzungen kann für die ab 22.00 Uhr beginnende und um 7.00 Uhr endende Nachtruhe eine abweichende Vereinbarung getroffen werden.
Um die ab 22.00 Uhr beginnende Nachtruhe zu sichern, werden später kommende Gäste um Ruhe und Rücksichtnahme gebeten.

7. Das Betreten des Daches ist verboten.

Wird die Wohnung von den Mietern vorübergehend nicht benutzt, so ist dem Vermieter ein Vertreter zu benennen, der alle sich aus vorstehender Hausordnung ergebenden Verpflichtungen an Stelle des Mieters erfüllt und für außergewöhnliche Fälle den Zutritt zur Wohnung verschaffen kann.

---

*) Der Vermieter kann hier andere Zeiten einsetzen.

9 Unterstreicht in der auf Seite 153 abgedruckten **Hausordnung für Jugendherbergen** jene Textstellen, in denen ähnliche unpersönliche Strukturen wie in den bisherigen Beispielen vorkommen.
Teilt den Text in Abschnitte und bildet Gruppen. Jede Gruppe schreibt ihren Abschnitt so um, daß – wo immer es möglich und sinnvoll ist – die handelnden oder bestimmenden Personen genannt werden.

10 Bildet Kleingruppen. Schaut nochmals alle Textauszüge durch und stellt eine Liste von Wörtern und Strukturen auf, mit denen man es vermeiden kann, diejenigen Personen oder Institutionen zu nennen, die etwas tun oder für etwas verantwortlich sind.

11 Sucht einen Text (z. B. aus einer Zeitung oder einer Zeitschrift), in dem Handlungen beschrieben werden, und versucht, möglichst alle Handlungsträger zu entfernen.

Können Wörter lügen?

E

Wer in unserer Zeit *statt Volk Bevölkerung* und *statt Boden Landbesitz* sagt, unterstützt schon viele Lügen nicht. Er nimmt den Wörtern ihre faule Mystik. Das Wort *Volk* besagt eine gewisse Einheitlichkeit und deu-
5 tet auf gemeinsame Interessen hin, sollte also nur benutzt werden, wenn von mehreren Völkern die Rede ist, da höchstens dann eine Gemeinsamkeit der Inter-essen vorstellbar ist. Die Bevölkerung eines Landstri-ches hat verschiedene, auch einander entgegengesetz-
10 te Interessen, und dies ist eine Wahrheit, die unter-drückt wird. So unterstützt auch, wer *Boden* sagt und die *Äcker* den Nasen und Augen schildert, indem er von ihrem Erdgeruch und von ihrer Farbe spricht, die Lügen der Herrschenden; denn nicht auf die Fruchtbar-
15 keit des Bodens kommt es an, noch auf die Liebe des Menschen zu ihm, noch auf den Fleiß, sondern haupt-sächlich auf den Getreidepreis und den Preis der Arbeit. Diejenigen, welche die Gewinne aus dem Boden ziehen, sind nicht jene, die aus ihm Getreide
20 ziehen, und der Schollengeruch des Bodens ist den Börsen unbekannt. Sie riechen nach anderem. Dage-gen ist *Landbesitz* das richtige Wort; damit kann man weniger betrügen. Für das Wort *Disziplin* sollte man, wo Unterdrückung herrscht, das Wort *Gehorsam* wäh-
25 len, weil Disziplin auch ohne Herrscher möglich ist und dadurch etwas Edleres an sich hat als Gehorsam.

faul hier umgangsspr.: bedenk-lich, verdächtig

auf etwas hindeuten
auf etwas hinweisen

der Landstrich kleines Gebiet

nicht – noch – noch
„noch" hat die gleiche Bedeu-tung wie in „weder noch"

die Scholle Erdklumpen; Im übertragenen Sinn oft für Boden, Heimatboden, Heimat gebraucht und dann sehr emo-tional gefärbt.

Aus: Bertolt Brecht **Fünf Schwierigkeiten beim Schreiben der Wahrheit**
(1935) In: Gesammelte Werke, Suhrkamp

Was denkt ihr über diese unterschiedlichen Begriffe? Befragt Deutsche dazu, wenn ihr könnt, oder sucht entsprechende Begriffspaare in eurer Muttersprache.

Kleiner Streit

Hans Manz

„Ich bin 2fellos größer als du",
sprach zum Einer der Zweier.

„3ster Kerl, prahle nicht so!"
knurrte der größere Dreier.

„Und ich!" rief der Einer, „bin zwar der kl1te,
aber dafür bestimmt auch der f1te."

„Nein, mir gibt man sogar noch den
Sch0er", piepste der Nuller.

Achterbahnträume

Hans Manz

8
W8soldaten
bew8en
W8eln in Sch8eln
und l8en:
„Auf der W8,
um Mittern8,
werden Feuer entf8
und die W8eln geschl8et.
Wir haben lange genug geschm8et."

„8ung",
d8en die W8eln,
„wir öffnen mit Sp8eln
die Sch8eln,
denn der Verd8,
daß man uns hinm8,
ist angebr8",
und entflogen s8,
abends um 8.

Heinz Brudler, Leo Kettler und andere

Schüttelreime

(für stumme Denker und dumme Stänker)

Es klapperten die Klapperschlangen,
bis ihre Klappern schlapper klangen.

Ich fuhr auf einem Leiterwagen,
wo Steine und so weiter lagen.

Es sprach der Herr von Rubenstein:
„Mein Hund, der ist nicht stubenrein."

„Was macht ihr mit der Fackel dort?"
„Wir treiben hier den Dackel fort."

In der ganzen Hunderunde
sah man nichts als runde Hunde.

Menschen mögen Möwen leiden,
während sie die Löwen meiden.

Ins Teppichhaus die Käufer laufen,
sie alle wollen Läufer kaufen.

Es gibt so viele stumme Denker,
doch häufiger sind dumme Stänker.

Warum trinken Warzenschweine
immer nur vom schwarzen Weine?
Weil sie, wenn sie weißen hätten,
würden anders heißen. Wetten?

Der Vater auf der Liege wacht.
Der Säugling in der Wiege lacht.
„Bleib nur in dieser Lage, Wicht,
dann stört dich nicht das vage Licht!"

A Alltagsdialoge

Herr Neumann ist eigentlich ein ganz lieber Mensch. Tagsüber arbeitet er und abends sitzt er gern vor dem Fernsehapparat, oder er geht zum Stammtisch. Schwierigkeiten hat er nur manchmal mit seinen Freunden, die ihm vorwerfen, er „quatsche" zuviel, er mische sich in alles ein, wisse alles besser und überhaupt gehe er allen ziemlich auf die Nerven. Nun, Herr Neumann ist Briefträger und versucht, mit allen Kunden gut auszukommen. Begleitet ihn einmal auf seinem Weg und hört euch auf der Cassette an, wie er mit den Leuten umgeht.

Man kann sich vorstellen, daß unser „Held" so fortfährt. Es ist amüsant, ihm zuzuhören, nicht wahr? Wenn man aber etwas genauer auf die Kommunikationsbedingungen achtet, die entstehen, muß man sich doch einige Fragen stellen.

1 Fällt euch etwas daran auf, wie Herr Neumann mit den Leuten redet? Wie reagieren sie?

2 Warum redet er so? Versucht, seine Arbeit als Kommunikationssituation zu bestimmen.
(Zur Lösung dieser Aufgaben könnt ihr den Text auf Seite 217 zu Hilfe nehmen.)

3 Was passiert, wenn Herr Neumann sich auch im Umgang mit seinen Freunden so verhält? Bildet Gruppen und konstruiert Dialoge zu den Situationen a) und b). Sammelt zuerst einmal gemeinsam Redensarten.

a) Herr Neumann besucht abends eine befreundete Familie mit zwei Kindern.

b) Herr Neumann trifft sich mit seinen Freunden Karl und Manfred am Stammtisch.

B Sprüche

1 Hört euch zunächst das folgende Gespräch auf der Cassette an und versucht, die Situation grob zu bestimmen. (Worum geht es? In welchem Ton findet das Gespräch statt?)

2 Unterstreicht die Stellen im Dialog, die nach eurer Meinung Redensarten sind. Untersucht auf Grundlage der Diskussion von Teil A, ob auch in diesem Dialog die Redensarten unpassend oder unkommunikativ sind.

Lottoglück und Neid Personen: Herr Arnold, Frau Bertram

A: Hast du schon gehört!? Der Krause hat 'ne halbe Million gewonnen!

B: Mach keinen Quatsch! Das gibt's doch gar nicht!

A: Da legst' dich nieder, was?

B: Ich glaub, mein Schwein pfeift!

A: Ausgerechnet der Krause, der nicht bis zehn zählen kann...

B: Der kreuzt sechs Richtige an! Ich werd verrückt und zieh aufs Land!

A: Du, stell dir den Krause doch jetzt mal vor, so mit Mercedes und Chauffeur...

B: Tja, die dümmsten Bauern...

A: Ich glaub, ich spinne!

B: Nicht ärgern, nur wundern!

3 Beobachtet selbst Kommunikationssituationen, in denen Menschen häufig „in fertigen Sätzen" reden. (Vielleicht fällt es euch in eurer Muttersprache eher auf?)

4 Spielt den Dialog mit einem anderen „Aufhänger", z. B.: „Du, ich glaube, Kollegin Kaltes wird Abteilungsleiterin!" oder „Stell dir vor, der Döhring hat seinen Job als Sachbearbeiter aufgegeben und macht jetzt auf Hausmann!"

5 Welche Funktion hat der Gebrauch von Redensarten eurer Meinung nach in den Teilen A und B? Bitte kreuzt an und diskutiert eure Ergebnisse. (Fügt eventuell eigene Kriterien hinzu.)

Teil		Kommunikative Funktion der Redensart(en):
A	B	Der Sprecher will –
○	○	– den andern herabsetzen
○	○	– ihn bestärken
○	○	– ihn verspotten
○	○	– sich über ihn lustig machen
○	○	– ihn informieren
○	○	– ein Gemeinsamkeitsgefühl ausdrücken
○	○	– Distanz ausdrücken
○	○	– nett zu ihm sein
○	○	– eigene Unsicherheit überspielen
○	○	–

Lexikalischer Anhang

Im folgenden findet ihr eine ganze Reihe gängiger REDENSARTEN. Diese Redensarten werden von Deutschen meist in sehr informellen Situationen, d. h. unter Freunden oder guten Bekannten, benutzt. Ob ihr als Ausländer diese Ausdrücke benutzen solltet, kann vielleicht in einer Klassendiskussion besprochen werden; es gibt darüber verschiedene Meinungen und Erfahrungen. Manche Deutsche meinen, daß diese Ausdrücke meist in dialektalisch gefärbter Umgangssprache, spontan und emotional geäußert werden und daß es komisch wirkt, wenn ein Ausländer sie auswendig lernt und (auch noch mit Akzent!!) „nachplappert". Andere meinen, daß Ausländer etwa dann solche Ausdrücke verwenden können, wenn sie absichtlich eine etwas steife Situation durchbrechen wollen.

Erstaunen

Ich glaub', ich steh' im Wald!
Ich glaub', ich steh' im Busch!
Ich glaub', ich spinne!
Ich glaub', mein Schwein pfeift!
Ich glaub', mein Bett brennt!
Ich glaub', mich tritt 'n Pferd!
Ich glaub', mich rammt 'n Panzer!
Ich glaub', mich küßt 'n Elch!

Ich glaub', es hackt!
Hast du Töne!
Sachen gibt's, die gibt's gar nicht!
Da legst di(ch) nieder!
Da packst'e dich an'n Kopp!

Ich glaub', du spinnst!
Ich glaub', du hast 'n Hammer (gefrühstückt)!
Bei dir ist wohl 'ne Schraube locker!

Ich glaub', du hast nicht (mehr)
    alle Tassen im Schrank!
Bei dir piept's wohl!
Aber sonst geht's dir gut, was?

......

Spöttischer Kommentar

Liegen lassen, tritt sich fest.
Tritt sich fest, gibt ein neues
    Muster.
Jeder hat drei Wurf.
Drei Wurf haben Sie noch.

Wer such(e)t, der findet.
Suchen Sie was Bestimmtes?
Na, wo haben wir's denn?
    (zu den anderen gewandt)
    Keiner verläßt den Raum!

Nicht ärgern, nur wundern!
Wer lacht, hat mehr vom Leben.
Nicht verzagen, Pappi (Oma, Onkel
    Albert usw.) fragen.
Tja, erstens kommt es anders,
    zweitens als man denkt.
Sie stehen da wie bestellt und
    nicht abgeholt.

......

Erwiderung

Nichts zu danken (gern geschehn).
Nichts zu danken, macht vier fuffzig.

Und noch 'n dick' Ei!
Immer auf die Kleinen (die keinen
    Vater mehr haben).

......

ze rr ed et

Viele dieser SPRÜCHE werden nur von bestimmten Gruppen (z. B. Jugendlichen, Studenten) benutzt. Sie ändern sich ständig, werden fallengelassen und durch neue Sprüche ersetzt, die gerade „in" sind. Fragt am besten mal Deutsche, welche dieser Sprüche sie kennen, welche sie verwenden, in welchen Kommunikationssituationen und ob sie sie von einem Ausländer akzeptieren oder bei einem Ausländer lächerlich finden würden.

Verändert die Liste gegebenenfalls. Streicht Sprüche, mit denen keiner (weder ihr noch eure Kontaktpersonen) etwas anfangen kann und schreibt andere dazu.

Wenn ihr im Ausland Deutsch lernt, könnt ihr vielleicht die anderen Lehrer/ Lehrerinnen in eurem Sprachinstitut und eure Briefpartner/Briefpartnerinnen fragen (wenn ihr welche habt).

Das Entschuldigungs-Verabschiedungs-Ritual

C

Situation/Personen: Ehepaar Schröder zu Besuch bei Ehepaar Kaiser.

1 Hört euch auf der Cassette an, wie sich das Ehepaar Schröder nach einem Besuch bei dem Ehepaar Kaiser verabschiedet. Wie, glaubt ihr, ist der Abend bis dahin verlaufen? Wie ist die Beziehung zwischen den Ehepaaren?

2 Schlagt den Text auf Seite 219 auf. Schreibt neben jeden gesprochenen Satz,

was die Person eurer Meinung nach wirklich denkt.

3 Wählt aus eurer Mitte zwei Paare. Das eine Paar spielt das Ehepaar Schröder auf dem Nachhauseweg, das andere Paar das Ehepaar Kaiser, das jetzt aufräumt und zu Bett geht.

„Durch die Blume"

1 Es gibt viele Situationen, in denen man nicht sagen will oder darf, was man denkt, in denen man HÖFLICH sein muß. Wenn ihr Lust habt, könnt ihr solche Situationen jetzt spielen und im Spiel richtig übertreiben:

Beispiele:

1) Ein Filialleiter will dem Verkäufer sagen, daß er nicht gut genug angezogen ist. (Aber sonst ist er ein guter Verkäufer.)

2) Eine Sekretärin will ihrem Chef sagen, daß er Mundgeruch hat.

3) Zwei Freunde wollen, daß der andere weggeht, denn gleich kommt eine Frau, mit der jeder allein sein will.

Wenn „höflich" von „Hof" kommt...
Wurde „bei Hofe" so viel gelogen???

D

Variation: Zwei Freundinnen wollen..., denn gleich kommt ein Mann...
(Reden Frauen anders als Männer?)

4) Eine Frau will ihrem Mann sagen, daß er abends nicht immer sofort einschlafen soll.

5) Ihr wollt eurem Lehrer/eurer Lehrerin jetzt endlich sagen, was ihr ihm/ihr schon immer sagen wolltet (und umgekehrt!).

6) Denkt euch selbst solche Situationen aus.

2 Könnte man die gleichen Dinge auch direkt, UNVERBLÜMT, sagen? Probiert das einmal in Rollenspielen aus. Diskutiert dann darüber, wie sich die Spieler verhalten haben.

3 Könntet ihr das, was ihr in den Rollenspielen jetzt hier im Unterricht gesagt habt, in eurem Kulturkreis auch so sagen?

Rosi S., 34, Sekretärin, verheiratet, ein Kind.

Das Haus, in dem ich wohne

Hier ist so ein Spruch von meinem Nachttisch. „Ich habe etwas gegen das Enthüllungsspiel. Man kann der Zwiebel alle Häute abziehen, und dann bleibt nichts. Ich werde dir sagen: Man beginnt zu sehen, wenn man aufhört, den Betrachter zu spielen, und sich das, was man braucht, erfindet; diesen Baum, diese Welle, diesen Strand . . ." Ich erfinde mir auch, was ich brauche. Ich sehe in Menschen was hinein, was möglicherweise nicht da ist. Das macht man, wenn man liebt. Meinen Mann sehe ich gelegentlich so schön, daß mir ein anderer sagen könnte: Du bist blind, der ist nicht so. Wer sagt dir, daß er nicht so sein *könnte*? Mit der Wahrheit und mit der Gerechtigkeit ist das so ein Ding. Denn jeder Mensch hat seine *eigene* Wahrheit, sein eigenes Lebensgesetz. Das kannst du bei allen möglichen klugen Leuten nachlesen, ich weiß, aber ich sage es dir mit meinen Worten, und darauf bin ich stolz. Mit der Wahrheit kommt man nicht weit, wenn man wie ein Richter von außen die Menschen beurteilt. Diese Selbstgerechten, weißt du, die nie zweifeln, schon gar nicht an sich selber, die sind die Pest in den menschlichen Beziehungen.

Aus: Maxie Wander **Guten Morgen, du Schöne** Luchterhand

E Personenwahrnehmung und -beschreibung

1 Füllt bitte den VIP-Partner-Testbogen aus.

2 Bildet Gruppen und untersucht die Heiratsanzeigen auf Seite 164 unter folgendem Gesichtspunkt: Wie beschreiben Leute in der Bundesrepublik Deutschland sich und andere. Legt Tabellen an mit den Rubriken: Weibliche Selbstdarstellung / gewünschte weibliche Merkmale, männliche Selbstdarstellung / gewünschte männliche Merkmale. Stellt dann verschiedene Kategorien auf, in die ihr die gewünschten oder gepriesenen Eigenschaften einordnen könnt, z. B. Rollen, Beruf, soziales Verhalten, Charakter, usw.

Weibliche Selbstdarstellung	Gewünschte weibliche Merkmale
Beruf Rollen ...	
Männliche Selbstdarstellung	Gewünschte männliche Merkmale
Beruf ...	

Finden Sie jetzt den Partner Ihrer Liebe

Liebe und Zuneigung sind nur selten eine Frage des Zufalls. Viele Menschen sind allein, obwohl sie gern jemanden hätten, mit dem sie ihre Freizeit und ihr Leben gemeinsam verbringen möchten.
Doch wie soll man diesen Partner finden? Wie ihm begegnen? Wie ihn erkennen? Die Partnerin oder den Partner Ihrer Liebe können Sie JETZT finden. Machen Sie einfach den kostenlosen VIP-Partner-Test. Sie erfahren so, welche Chancen Sie haben. Aus vielen tausend Alleinstehenden suchen wir den zu Ihnen am besten passenden Partner. Dieser wird Ihnen in Form eines Partnervorschlags vorgestellt, so daß Sie sich ein genaues Bild machen können. Die Teilnahme am VIP-Partner-Test ist für jeden Alleinstehenden (Mindestalter 18 Jahre) kostenlos und völlig unverbindlich. Deshalb einfach mitmachen: Das kann auch für Sie der Start ins Glück sein!

JWP

Heiraten

Blödelei des Tages:
Landwirt, 18 ha, sucht Frau mit TRAKTOR. Bitte um Foto vom Traktor (neueres Datum). Nur ernstgemeinte Zuschriften unter Ch. 6979 an Zeitschrift „Wie bringe ich meine Kuh zu höherer Legeleistung?"

1 Wer möchte die 23jährige Arbeiterin Elli heiraten? Sie ist hübsch, fleißig und sehr einsam. Ein Mann wie Du könnte ihr ganzes Glück bedeuten, wenn Du es ehrlich meinst und kein billiges Abenteuer suchst, sondern ein Mädel, das wie alle sich nach Liebe und Geborgenheit sehnt. Schreibst Du gleich? ■ Institut Maier, Freihofstr. 5, 7320 Göppingen
Südwestpresse

2 Suche für meine Freundin: MTA, 34/1,70, lebenslustigen Ehepartner, möglichst Raum Heidelberg. Witwer mit Kind angenehm. ■, DIE ZEIT

3 Lieb, reizend, schlk. u. hübsch, ist die 28jähr. **Hilde,** (171), ein fröhl., natürl., naturverb. Mädel. Gern würde sie bald einem soliden, charakterf. Mann in Liebe angehören u. ihm eine zärtl., treue Ehefrau sein. Sie i. ledig. o. Anhang u. würde gern Weihnachten zu zweit verleben. SW-51277
Wochenblatt

4 MTA in leitender Stellung im geographischen Abseits tätig (Osthessen), 28 J.,/1,71, dunkler Typ, gepflegte Erscheinung, mittelschlank, sportlich bis elegant gekleidet, kulturell interessiert, aus Akademikerfamilie sucht „emanzipierten" Mann, finanziell unabhängig in gesicherter Position, liberal-konservativ denkend, reisefreudig, unternehmungslustig, Skifahrer. Porsche oder Kind nicht Bedingung, aber angenehm. (Bild-)Zuschriften unter ■ DIE ZEIT, Postfach 10 68 20, 2000 Hamburg 1.

5 Sie, 36 J., junges attraktives Aussehen, geschieden, Kinder, gutes Einkommen, schöne Wohnung, sucht liebevollen, fleißigen Partner. Kein Trinker. Gerne Nichtraucher.
□ unt. ■ a. d. Verlag
Südwestpresse

6 Brigitte, 20 J., led., schlank, ein natürliches, bildhübsches Mädchen. Sie wohnt ganz allein, ist häuslich, kocht gerne und begeistert sich für Fußball. Weil sie nicht tanzt, sucht sie einen treuen, aufrichtigen Mann. Post unter Nr. ■ an Institut Erika, 7 Stuttgart 30. Antwort m. Foto kommt sofort.
Südwestpresse

7 Hamburgerin
Ende 40, 175 cm, schlank, blond, frankophil., – kocht, fotografiert und wandert gern, interessiert an Sprachen, klassischer Musik, heiterer Geselligkeit und ernsten Gesprächen unter Freunden, sucht ähnlich gelagertes, zärtliches, lebensbejahendes, unspießiges Mannsbild bis 58 mit guter Mischung aus Herz und Verstand. ■, DIE ZEIT

8 Zollbeamter, 34/180, ein charaktervoller, aufgeschlossener Mann, m. sehr gt. Eink., gesicherter Existenz, sportl. schlank, m. Humor u. Familiensinn, sucht ein natürl., liebenswertes Mädel m. Niveau u. Herzensbildung für baldige, glückl. Ehe. Sie sollte, wie er, gern reisen u. tanzen, e. gepfl., gemütl. Heim lieben, jedoch auch v. geselliger Natur sein.
Wochenblatt

9 Wahl '76
Jurist im Staatsdienst, 31/1,78, wünscht im R 7 dauerhaftes Koalitionsbündnis mit zuverlässiger u. ansehnlicher Demokratin bis 27 J., die auch sportl. u. kulturell interessiert ist, Kontaktaufnahme zwecks Koalitionsgesprächen unter ■, DIE ZEIT

10 Stuttgart
Ich wünsch' mir eine Partnerin zu fröhlichem Miteinander, denn (wieder) allein zu frühstücken, macht mich trist. Sind Sie um 25–30, intelligent, herzlich und hübsch, teilen meinen Spaß an Büchern und Bildern, am Skifahren, Schwimmen und Tennis, am Kochen und einem gemütlichen Zuhause, dann schreiben Sie mir – 34/1,80, blond, prom. Akad., leit. Angest. –
■ DIE ZEIT

11 Ich hoffe auf eine Begegnung, die nicht flüchtig bleibt, die über ein Mittelmaß hinauswächst, bestimmt vom Wunsche nach Harmonie und liebevoller Zuwendung. Die ihre eigenen Formen phantasievoll entwickelt, eigenwillig, ein wenig maniert und etwas romantisch. Die gelebt wird mit sensibler Vitalität, mit Charme und nicht ganz ohne Eleganz.
Junggeselle, 36 J., 1,72, schlank u. nicht unansehnlich, mit bildnerisch-künstlerischem Beruf und Segeln als Hobby, wohnhaft südlich des Mains, sucht eine um etliche Jahre jüngere Partnerin, der Musisches nicht wesensfremd ist. – Ich würde mich freuen, wenn Sie sich zur Kontaktaufnahme (vielleicht mit Bild) entschließen könnten. ■, DIE ZEIT

12 JUNGGESELLE, 28/182, schlank, guter Beruf, sucht Lebenspartnerin! Aber wo? In der Disco? Aus dem Alter bin ich raus. Auf der Straße? Ich möchte nicht warten, bis mich eine anspricht, ich mag keine Liebesabenteuer. Und auf den Zufall warten, das kann noch lange dauern. Aber es muß ein nettes, natürliches und liebensw. Fräulein (bis ca. 30, gerne aus päd. Ber.) geben, die eine ehrliche Partnersch. anstrebt. Sind Sie es? Schreiben Sie mir doch bitte unter ■ an den Verlag.
Südwestpresse

13 Netter Arbeiter, 39/179, schlank, ledig, evangelisch, möchte eine Partnerin kennenlernen für gemeinsame Zukunft. Kind kein Hindernis, eigenes Haus vorhanden.
□ unt. ■ a. d. Verlag
Südwestpresse

14 ER, 34 J., ledig, kath., sucht eine nette Sie, mit der es wieder Freude macht, seinen eigenen, modern einger. Hof zu betreiben. Er wird Dich verwöhnen und aufrichtig lieben. Melde Dich, Du wirst es nicht bereuen. Kind kein Hindernis, geschieden zwecklos.
□ unt. ■ a. d. Verlag
Südwestpresse

3 Wie beschreibt man sich in ähnlichen Situationen in eurem Land? Verwendet man ähnliche Kategorien und ähnliche Merkmale? Haben Männer und Frauen ähnliche Wunschvorstellungen?

Wer sucht wen?

1

Möchten Sie

an der Seite ein... feinfühlend..., zuverlässig... Unternehm.. von ......hafter Unbeschwertheit und großem beruflichem Engagement im Raum Düsseldorf leben?

Suchen Sie

ein... groß... (1,83), ledig..., dunkelhaarig..., sportlich..., gutaussehend... (und gutsituiert...) ..... von 40 Jahren, für d... die Ehe mit Kindern noch erstrebenswert ist? Dann suchen Sie (26–34, fröhlich, attraktiv, charmant, helläugig, blond/schwarz, ohne Anhang, aus adäquatem Elternhaus) nicht länger – nehmen Sie

Mich!?

Ihre freundliche Bildzuschrift erreicht mich unter ■, DIE ZEIT, Postfach 10 68 20, 2000 Hamburg 1
Unternehmer/Unternehmerin? jungenhafter/
mädchenhafter? Mann/Frau?

2

Dem Leben einen Sinn gegeben

habe ich – 28/1,75 und ziemlich attraktiv (Typ „kühl...
.........") – bisher hauptsächlich durch berufliches Engagement, ohne dadurch zu .. Emanz... geworden zu sein. Eigentlich möchte ich mein Single-Dasein zugunsten einer Zweierbeziehung jetzt gerne aufgeben und suche dazu ...: ... adäquat... humorvoll... Partner...,
d... Zärtlichkeit geben und nehmen nicht für
un............ hält und eine Ehe nicht für das Ende jeder persönlichen Freiheit. Falls Sie, genau wie ich, ein Faible für gepflegtes Wohnen, lange Gespräche und gutes Essen haben, freue ich mich auf Ihre (Bild-)Zuschrift, auch aus dem Ausland, ■, DIE ZEIT

Blonder/Blonde? ihn/sie? unmännlich/unweiblich?

3

Haben Sie auch die Nase voll?

Von Zufallsbekanntschaften, die Sie im Grunde nicht interessieren? Von Reisen mit jemandem, der nicht die gleiche Wellenlänge hat? Vom Einschlafen und Aufwachen, ohne jemand Vertrautes zu spüren? Ich (Freiberuf...., Vierzig...., 1,80/72, vorzeigbar, rauchfrei, eheerfahren, aber nicht -geschädigt, o. Anh.) suche Sie, um mit Ihnen möglichst immer zusammen zu sein, viel zu reisen, intensiv zu leben.
Sie sollten sein: Intelligent, heiter, ehrlich, wirklich attraktiv, ..., schlank, 1,55–1,70, 26–33 ±, temperamentvoll, zärtlich, (be)sinnlich, reisefreudig, ortsungebunden.
Ihre Haarfarbe, Nationalität, Vermögenslage und Konfession ist dabei völlig unwichtig.
Ich mag: Behagliches Zuhause, Gespräche mit Ihnen, Bücher, Schwimmen, Tauchen, See.
Ich bin (hoffentlich): Zärtlich, sensibel, selbstkritisch, lebendig und beruflich viel auf Reisen (meistens außerhalb Europas und möglichst immer mit Ihnen). Ersparen Sie mir jedoch hier weitere Selbstdarstellung – es klingt zu leicht nach Bla-Bla. Schreiben Sie doch bitte (mit Foto und mögl. Tel.-Nr.) und lassen Sie uns dann telefonieren und treffen. (Und falls Sie dieses Inserat lesen und selbst kein Interesse haben – vielleicht kennen Sie jemanden, der es hat?)
■, DIE ZEIT, Postfach 10 68 20, 2000 Hamburg 1

Freiberufler/Freiberuflerin? feminin/maskulin?

4

Sinnvoller leben

mit ein... aufrichtig..., klug... und sehr zärtlich... Partner..., viel menschliche Wärme geben und bekommen. Das wünsche ich mir nach 5 Jahren Alleinsein (Witw... o. A.). Würde gern am Beruf mein... Partner... Anteil nehmen. Bin z. Z. Krankenpfleger..., war zwischen Abitur und Ehe Assistent... in soziol. Forschungsinstitut. Bin 44 Jahre alt, viel jünger aussehend, 1,67/54. Tanze sehr gern, aber auch Wandern, Segeln, Yoga. Wenn Sie mir schreiben, legen Sie bitte ein Foto bei. ■, DIE ZEIT

Partner/Partnerin?

5

Raum 7

Fröhlich..., gutaussehend.... ...., Fachpraxis, 48/1,74; auf dem Lande lebend, in mittelgroßer Stadt praktizierend, vermögend, sportlich aktiv (Segeln, Ski, Tennis), sehr vielseitig, vorwiegend musisch interessiert und aktiv, möchte mit ein... intelligent..., hübsch... und zuverlässig... Partner... bis 38, schlank bis mollig, warmherzig, d... neben dem Verständnis für den Beruf das gehörige Maß an Familiensinn und Sinn für gepflegte Häuslichkeit besitzt, eine lustige Familie gründen. Bitte Bildzuschrift an ■, DIE ZEIT

Arzt/Ärztin?

6

Gesucht: Gründungsmitglied

für eine fröhliche, eventuell zahlreiche Familie. .... sollte sein: 30–40 J. (led. oder verw.), humorvoll, aufgeschlossen, kinderlieb (Nachwuchs bereits vorhanden?), liberal bis linkslastig, möglichst Nichtraucher...., ist: 29 J., ledig, 1,70 m, Akademiker..., mäßig sportlich, interessiert an Musik, Zeitgeschichte, Literatur (vor allem der iberischen Halbinsel), z. Z. ansässig im Ruhrgebiet. Antworten (nicht unbedingt aus diesem Raum) bitte an ■, DIE ZEIT

ER/SIE?

7

Raum Düsseldorf

Apart... ....., 40/1,65, zierlich, jugendliche Erscheinung, dunkelhaarig, aufgeschlossen, tolerant, selbstbewußt, vielseitig interessiert (Reisen, Sprachen, Literatur, Kunst, gutes Essen), sucht liebevoll..., zärtlich..., aufmerksam..., intelligent..., großzügig... .... ab 1,80, schlank und möglichst gutaussehend mit gleicher Wellenlänge. Telefonangabe erwünscht. ■, DIE ZEIT

Er/Sie? Ihn/Sie?

8

Sensibl... ....

27/1,70, nachdenklich und etwas romantisch, mit Interesse an Literatur, Psychologie, Kunst und Pferden, sucht zärtliche., feinfühlige. Partne....
Bildzuschriften aus Raum 4/5 an ■, DIE ZEIT

Adam/Eva?

9

Bereich Frankfurt

Realistisch.. Träume...., Naturw., Math., mit (leider zu) vielen Interessen (Psychologie, Kunst, Musik, Sport, Philos.), 41/1,73/67, kritisch, entschieden, emotional etwas labil (aber am Arbeiten), ansonsten phantasievoll, reaktionsschnell bis sprunghaft, anstrengend; aber auch schmusig, anhänglich, zuverlässig; partnerschaftserfahren, sucht zu .... passend.. reizvoll-anregend... abwechslungsreich-vernünftig... ....,
d... Gefühle auch zeigen kann. Bildzuschriften an ■, DIE ZEIT

Träumer/Träumerin?
ihm/ihr? Mann/Weib?

4 Sucht man(n) frau oder frau man(n)? In den Anzeigen auf dieser Seite haben wir alle grammatischen und lexikalischen Hinweise auf das Geschlecht weggelassen. (Arbeitet in Kleingruppen oder zu Hause. Wählt aus.)

Hausaufgabe

Selbstbeschreibung

1 Wenn ihr Lust habt, könnt ihr zu Hause die in den Heiratsannoncen verwendeten sprachlichen Strukturen (Relativsätze, Partizipialkonstruktionen usw.) bestimmen. Wenn nicht, dann geht gleich zur nächsten Aufgabe über.

2 Versucht einmal, euch selbst zu beschreiben (z. B. um dadurch einen Partner/eine Partnerin zu finden) oder eine Beschreibung eures Idealpartners anzufertigen. (Ihr braucht dabei im Unterschied zu den Inserenten keine Anzeigenpreise zu berücksichtigen). Wenn ihr euch darauf einigt, daß jeder/jede sich selbst beschreibt, ohne den Namen auf das Blatt zu schreiben, könnt ihr ein kurzes Ratespiel anschließen: Die Selbstbeschreibungen werden eingesammelt und wieder ausgeteilt, so daß jeder/jede ein anderes Blatt erhält. Dann liest jeder/jede den Text vor, den er/sie in der Hand hält, und alle raten, wer ihn geschrieben haben könnte.

Spiel

Chinesisches Porträt

Habt ihr bemerkt, wie sehr wir bei der Beschreibung von Personen in ganz bestimmten Mustern gefangen sind?
Manchmal (zumindest im Spiel) gelingt es auch, die stereotypen Aussagen über andere Leute zu durchbrechen. Wir schlagen euch hier das Spiel „Chinesisches Porträt" vor: Ein Teilnehmer/eine Teilnehmerin verläßt den Raum. Die anderen einigen sich auf eine allen bekannte Person (eventuell ein Gruppenmitglied), die von ihm/ihr erraten werden soll. Dazu darf der/die Ratende – wieder hereingerufen – Fragen folgender Art stellen:
„Wenn die betreffende Person ein Auto (ein Haus, eine Pflanze, ein Tier, ein Musikstück usw.) wäre, **was für ein** Auto (Haus usw.) wäre sie dann?

Hier noch eine Variante dieses Spiels:

Chinesisches Selbstporträt

Manche Religionen lehren, daß der Mensch wiedergeboren wird und auch schon vor seinem „Menschsein" als ein anderes Wesen auf der Welt war. Einigt euch in der Gruppe auf einige Kategorien (Tier, Blume, Baum, Musikinstrument…) und jeder/jede schreibt dann für sich auf ein Blatt Papier, als was er/sie wiedergeboren werden möchte, wenn er/sie noch einmal zur Welt kommen könnte. Ein Teilnehmer/eine Teilnehmerin sammelt die Zettel ein, liest sie vor und läßt die anderen raten, wer was geschrieben hat.

In der Bundesrepublik Deutschland...

Drill

kere – bitten
kerekere – betteln
(wörter der fidschiinsulaner)
Die sprache der fidschi, heißt es, zeugt
von niederer kultur:
                    sie beruht
auf dem prinzip der wiederholung

Daher, tochter:
marschmarsch!   Reiner Kunze

Diskussion Das sagt man (so) nicht!

Wie in allen Sprachen gibt es auch im Deutschen eine Reihe von Wörtern, die „man nicht sagen darf". In der Kindersprache sind es BÖSE WÖRTER oder AUSDRÜCKE (berlinerisch). Um diese Wörter zu vermeiden, werden andere, „harmlosere" benutzt, die dasselbe meinen und oft ähnlich klingen. Auch im religiösen Bereich gibt es „tabuisierte" Wörter, die durch andere ersetzt werden, z. B. „Gottseibeiuns" oder „der Leibhaftige" für „Teufel".

Sau, sau, sauberes Mädchen,
hur, hur, hurtiges Kind,
schnall, schnall, schnall mir
mein Bündel
schick's, schick's, schick's
nach Berlin.

alte Volksweise

1 Im folgenden findet ihr einige typische Redensarten, die für ein anderes Wort stehen, das vermieden werden soll. Findet heraus, welches.

Für Kinder hört sich das so an:

- A-A machen
- Piepmatz
- pullern
- Popöchen
- ein Bächlein machen
- da unten
- Zipfelchen
- 'ne Wurst machen
- Pullermann
- Rolle machen
-

A – Das finde ich aber <u>bescheiden</u>, was du da gemacht hast!
– So ein <u>Scheibenkleister</u>! (oder: <u>Scheibenhonig</u>!)
– Ach du <u>Schande</u>!

Lösung: _____

B – Du <u>Armleuchter</u>!
– Du kannst mich mal <u>am Abend besuchen</u>!
– Du <u>kannst mich mal</u>!

Lösung: _____

C – Wo ist denn hier <u>das Örtchen</u>?
– Ich muß mal <u>verschwinden</u>.
– <u>Ich muß mal</u>!

Lösung: _____

D – Gestern ist Frau A. Maier im Alter von 82 Jahren <u>für immer von uns gegangen</u>.
– Einstein <u>ist alle</u>, Mao <u>ist nicht mehr</u>, Bob Marley hat neulich erst <u>den Löffel weggelegt</u> und mir ist auch schon ganz schlecht. *(Schülerspruch)*
– Nach langer Krankheit <u>hat ER sie zu sich genommen</u>.

Lösung: _____

2 Sucht tabuisierte Wörter in eurer Sprache. Bestimmt die Bereiche, denen sie angehören (z. B.: Religion, genitaler oder analer Bereich, Essen, Trinken, Aggressionen, Krankheiten, Tod...).

3 Warum geben wir uns soviel Mühe, neue Wörter und Umschreibungen zu finden, die doch die gleiche Sache meinen wie die tabuisierten, „verbotenen" Wörter? Sollte man diese Tabus abschaffen?

Ich möchte am Montag mal Sonntag haben

Hildegard Knef/Charly Niessen

Ich möchte am Montag mal Sonntag haben
und „Feierabend" vorm Aufstehn sagen,
ich möchte ganz sorglos verreisen können
und Erdteile wie meinen Garten kennen.
Ich möchte mal etwas ganz Nutzloses kaufen
und barfuß allein durch den Kongo laufen,
ich möchte mit dir nach Australien fliegen
und Sonnenbrand am Mississippi kriegen.
Ich möchte im Winter mal Sommer haben
und nachts in römischen Brunnen baden.
Ich möchte einmal in Juwelen wühlen
und mich als Schwan unter Enten fühlen.
Ich möcht meine eigenen Nerze züchten
und mich an die Brust eines Stierkämpfers flüchten,
ich möchte im Juli das Mittelmeer pachten
und von meiner Jacht die Küste verachten.
Ich möchte am Montag mal Sonntag haben
und nie mehr in drohenden Rechnungen graben,
ich möchte nach keiner Beförderung mehr streben,
und meinem Alltag den Abschiedskuß geben!

Beissel, der sich immer für Menschen interessierte und sich einen Spaß, ein Spiel daraus machte, sich auszumalen, welchen Beruf, welches Hobby, welche Vorzüge, Leidenschaften, Laster, Partner ihm zufällig Begegnende wohl haben möchten – Beissel würde gern, gar zu gern gewußt haben, wen er da vor bzw. neben sich hatte.

Bauern waren es gewiß nicht; dazu waren zwei von ihnen zu blaß, und sie hatten... zu gepflegte Hände... Und der dritte, der große Blonde, sah trotz seiner Rotbäckigkeit und Derbheit und trotz seines Lodenanzugs und seiner überdimensionalen Flossen auch eher wie ein Gutsverwalter oder Landwirtschaftsberater oder so was aus... Beamte?

Nein: dazu schmissen sie zu sehr mit Geld rum. Auf ihrem Tisch stand schon ein Dutzend Bierflaschen, und in einem Weinkühler neben dem Stuhl des Blonden kühlten zwei Sektflaschen. Sie hatten bestimmt bereits eine Drei- bis Vierhundert-Mark-Zeche. Das kam auch für höhere Beamte kaum in Betracht. Und wenn sie noch so bestechlich waren – sie würden ihr Schmiergeld sicher nicht in aller Öffentlichkeit auf den Kopf hauen... Unternehmer? Schon eher. Der Große vielleicht ein Bauunternehmer; der mit dem intellektuellen Habitus vielleicht Apotheker oder – ja, Arzt? Gynäkologe...? So zynisch, wie er manchmal guckte... Und der in der Mitte?

Schwer zu sagen, Kaufmann? Und welche Branche? Er war ganz gut angezogen... Textilien vielleicht. Oder war er Rechtsanwalt? Nein; dann wäre er großmäuliger, lauter, eitler... Wahrscheinlich doch Kaufmann... oder? Reisender? Ja - Vertreter! Na klar, das war ein Vertreter. Das sah man schon an seiner Art, sich anzupassen, devot zu lächeln, obwohl die beiden anderen offensichtlich gar nicht seine Kunden waren.

Solange auf der Bühne nichts los war, steckten die drei die Köpfe zusammen. Einer, meist der große Blonde, erzählte was – höchstwahrscheinlich zotige Witze, und dann fuhren sie mit brüllendem Gelächter auseinander, tranken, steckten wieder die Köpfe zusammen und bogen sich abermals vor Vergnügen... Nur daß eben der eine, der Kaufmann oder Vertreter, ganz deutlich nicht bei der Sache war und das Vergnügtsein nur spielte.

Vielleicht ist er krank? überlegte Beissel; hat er Schmerzen? Oder er hat Ärger in seinem Laden? Mit seiner Frau? Seinen Kindern? Möglicherweise ist sein Junge ein Radikaler und darf nun nicht Lehrer werden, und der brave, halbrechte Vater hat das ganze Studium vergebens bezahlt...? Oder die Tochter geht auf den Strich...? Ach, Geschichten, Geschichten! – Wenn eine Fee käme und mich fragte, was für drei Wünsche ich hätte, dann würde ich mir als erstes wünschen, in aller Leute Köpfe gukken zu können. Da hätte ich Stoff für tausend Erfolgsromane. Als zweites würde ich mir eine Brieftasche wünschen, die nie leer wird, in der immer so viel darin ist, wie ich gerade brauche... Eigentlich Quatsch! Dann wäre es gar nicht nötig, in aller Leute Kopf gucken zu können – denn dann brauchte ich gar keine Stoffe, um Erfolgsromane zu schreiben – wozu denn? Und als drittes...

Er kam nicht dazu, sich den dritten Wunsch auszudenken, denn die Lichter im Lokal wurden gedämpft. Aus dem Lautsprecher neben der Minibühne kam indische Musik. Ein Mann in schlecht sitzendem Smoking trat ins Scheinwerferlicht und kündigte in mühsamem Hochdeutsch, durch das ein schlecht vertuschter rheinischer Dialekt schimmerte, den Fakir Rabindranath an, der sogleich die weibliche Schlange Rakipunda oder so ähnlich mit seiner Flöte beschwören werde...

Aber in den Kopf des Vertreters möchte ich schon gucken können, dachte Beissel, als er wieder das erlöschende Gesicht Voigts am übernächsten Tisch sah.

Er konnte nicht ahnen, daß der Mann, der ihn so interessierte, ihn bald sehr beschäftigen würde. Um das ahnen zu können, hätte er sich als dritten Wunsch von seiner imaginären Fee den Blick in die Zukunft erfüllen lassen müssen... Aber wer, der einen Rest Verstand hat, wünscht sich das schon?

Aus: Hansjörg Martin **Der Kammgarn-Killer** Rowohlt

Schwarzweißkopf

Ich bin gut	Du bist schlecht
Fußball ist Klasse	Handball ist Quatsch
Lernen ist nützlich	Spielen ist schädlich
Lachen bringt uns Freud	Tränen bringen uns Leid
Ich will ein König sein	Ich will kein Bettler sein
Wer brav ist, der ist nett	Wer frech ist, kommt ins Bett
Autofahrer leben gefährlich	Fußgänger leben ungefährlich
Mädchen sind zuverlässig	Jungen sind unzuverlässig
Sessel sind bequem	Stühle sind unbequem
Neger sind faul	Chine sen sind fleißig
Schlaf tut gut	Ar beit macht krank
Lernen verbessert die Noten	Spielen verschlechtert die Noten
Kinder müssen die Klappe halten	Erwachsene dürfen das Maul aufreißen
Rothaarige suchen immer Streit	Schwarzhaarige haben immer Angst
Unsere Väter verdienen das Geld	Unsere Mütter geben das Geld aus
Ein schlauer Schüler macht seine Aufgaben gründlich	Ein dummer Schüler macht seine Aufgaben schlampig und falsch
Auf dem Land wird gespielt	In der Stadt wird nie gespielt
Unser Lehrer übersieht alles	Unsere Lehrerin bemerkt alles
Die Großen dürfen alles	Die Kleinen dürfen nichts
Männer haben Mut	Fra uen haben Angst
Die Jungen tanzen den Alten auf der Nase herum	Die Alten machen dauernd den Jungen unnötige Vorschriften
Männer sind stark	Frauen sind schwach
Brot gibt Kraft	Keks macht matt
Immer vorn	Nie hinten
So od	er so

Aus: **Wortwechsel 2. Sprachbuch für die Grundschule** Ernst Klett Verlag

A Vornamen

Eine Frau und ein Mann erwarten ein Kind und suchen nach einem Namen. Sie können sich jedoch nicht einigen, denn jedes Mal, wenn einer einen Vorschlag macht, hat der andere Einwände. Das hört sich dann etwa so an:

– „Werner? Nein, unter Werner stelle ich mir so einen Langen, Dürren vor, der furchtbar ordentlich und furchtbar trocken ist. Wie gefällt Dir denn Johann?"
– „Was? Bei Johann denkt doch jeder gleich an einen Diener!"
– usw.

Verbindet ihr auch mit bestimmten Vornamen bestimmte Eigenschaften?

1 Wenn ja, dann schreibt in die linke Spalte unten zwei oder drei Vornamen und gebt in der rechten Spalte an, was ihr mit diesen Namen verbindet.

Vornamen	Eigenschaften

2 Lest eure Eintragungen vor und versucht, der Gruppe zu erklären, wie ihr zu diesen Assoziationen gekommen seid.

3 Überlegt euch, ob ihr auf manche Namen spontan (negativ oder positiv) reagiert, ohne die Person, die diesen Namen trägt, zu kennen. Versucht herauszufinden, warum.

Kindernamen   Ausgesucht von Kurt Werner Peukert

Familie um 1900:
Helene & Wilhelm (Eltern)
    Adolf
    Helene
    Paul
    Frida
    Lydia
    Rosa
    Julie
    Martha
    Maria
    Klara
    Wilhelm
    Albert

Familie um 1940:
Josef & Ernestine (Eltern)
    Volker
    Siegfried
    Friedegard
    Walburga

Familie um 1970:
Dieter & Waltraud (Eltern)
    Annette
    Thomas

Familie um 1975:
Siegfried & Friedegard (Eltern)
    Sandra

Projekt

Wir und die anderen

1 Schreibt etwa fünf Begriffe auf, die euch zu DEUTSCHLAND, den DEUTSCHEN oder zu DEUTSCH einfallen. (Wer jetzt lieber malen will, kann auch einen „typischen" Deutschen/eine „typische" Deutsche zeichnen und das Bild im Klassenzimmer aufhängen.) Ihr könnt diese Aufgabe natürlich auch für ÖSTERREICH oder für DIE SCHWEIZ lösen.

2 Beauftragt eine kleine Gruppe damit, eine Liste anzufertigen, auf der die Eintragungen der einzelnen Gruppenmitglieder nach der Häufigkeit geordnet sind.

3 Überlegt euch, während die Kleingruppe die Liste anfertigt, welchen Ursprung eure Assoziationen haben (persönliche Erfahrung, Berichte anderer, Lektüre...).

4 Diskutiert dann in der Gruppe darüber.

5 Löst die Aufgaben 1 bis 4 für euer eigenes Land.

6 Arbeitet einen Fragebogen aus, mit dessen Hilfe ihr herausbekommen könnt, wie Leute in der Bundesrepublik Deutschland (oder in der DDR, in Österreich, in der Schweiz) sich selbst sehen und wie sie über eure Nation(en) denken.
Ihr könnt dazu eine Liste von Eigenschaften (vgl. Aufgabe 7) erstellen und fragen, welche dieser Eigenschaften die eine oder andere Nation am besten charakterisieren. Ihr könnt auch zusätzlich einige Äußerungen mit verdeckten Stereotypen (vgl. Kapitel 11, B) zusammenstellen und die Leute fragen, was sie dazu meinen.
Wenn ihr in einem deutschsprachigen Land seid, könnt ihr die Interviews an eurem Kursort selbst durchführen; sonst könnt ihr eure Korrespondenzpartner bitten, die Befragung für euch vorzunehmen oder die Fragen selbst zu beantworten.

7 Aus einer solchen Befragung geht nicht nur hervor, wie die Befragten sich selbst sehen, sondern auch, welche Eigenschaften sie für wie wertvoll oder für wie schlecht halten.
Versucht, aus dem von euch erarbeiteten Material die unterschiedlichen Werthierarchien abzuleiten. (Numeriert dazu jeweils die einzelnen Eigenschaften nach der Häufigkeit der Nennungen.)

Auf die Frage: Welche der angegebenen Eigenschaften bezeichnen nach Ihrer Meinung Ihr eigenes Volk am besten? antworteten 1948/49:

	Deutsche	Franzosen	Italiener	Engländer	Amerikaner
Sehr arbeitsam	90	46	67	57	68
Intelligent	64	79	80	52	72
Praktisch veranlagt	53	17	24	47	53
Eitel	15	30	24	11	22
Großzügig	11	62	41	48	76
Grausam	1	0	3	1	2
Rückständig	2	4	7	6	2
Tapfer	63	56	45	59	66
Selbstbeherrscht	12	12	5	44	37
Herrschsüchtig	10	4	8	6	9
Fortschrittlich	39	34	17	31	70
Friedlich	37	69	27	77	82

Aus: Buchanan/Cantril: **How nations see each other** University of Illinois Press, Urbana 1953

B Stereotyp oder nicht?

Bestimmt in Gruppenarbeit, welche der folgenden Äußerungen auf ein Denken in Stereotypen schließen lassen. Begründet eure Einschätzungen. Nehmt gegebenenfalls Umformungen vor, um die logische Struktur der Äußerungen durchsichtiger zu machen.

> Und „gemeinsam entwickelte Waffen", so schwärmt ein französischer Rüstungslobbyist in Bonn, „verkaufen sich besser als rein französische. Die Kombination aus deutscher Perfektion und französischer Genialität ist auf dem Waffenmarkt einfach unschlagbar"
>
> Der Spiegel 19/1979

1. Ich würde lieber eine Frau (einen Mann) aus meiner Gegend heiraten.
2. Der Norddeutsche ist wortkarg.
3. Über manche Dinge unterhalte ich mich lieber mit Frauen (Männern).
4. Er ist Schotte, aber neulich hat er allen einen ausgegeben.
5. In Physik ist Gisela allen Jungen überlegen.
6. In Frankreich gibt es auch Sex-Muffel.
7. Was die Ordnung angeht, da könnte sich manches Mädchen von ihm 'ne Scheibe abschneiden.
8. Ein Münchner sagt zu einem Japaner, der bei Rot über die Straße geht: „Saupraiß, japanischer!" (Praiß = dialektal für „Preuße")
9. Er ist stolz wie ein Spanier, weil er jetzt einen neuen Wagen fährt.
10. Nicht jeder Amerikaner ist materialistisch.
11. Er ist Italiener, aber er kann kaum 'ne Arie von 'ner Autohupe unterscheiden.
12. Das Wirtschaftswunder ist ein Beweis deutscher Tüchtigkeit.
13. An dem Staudamm-Projekt war auch deutsches Kapital beteiligt.
14. Die Grausamkeit des Verbrechens ließ zunächst auf einen Südländer als Täter schließen.
15. Ich bin kein Rassist, aber wo die Araber (Franzosen, …) hinkommen, ist es schmutzig.
16. Bei Gesprächen mit deutschen Männern fühle ich mich nicht als Frau behandelt.

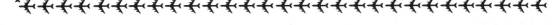

Fazit einer Europareise

In Spanien waren die Leute stolz wie die Spanier.
Die Franzosen sind so leichtlebig wie die Franzosen.
Die Engländer sind steif wie Engländer.
Die Polen trinken wie die Polen.
Die Deutschen sind wirklich so diszipliniert wie die Preußen.
In Italien haben sie tatsächlich mein Auto geknackt, aber das Essen war prima, das muß man zugeben.
In Irland gibt's tatsächlich 'ne ganze Menge Rothaarige.
Die Russen sind so schwermütig wie die Russen.
In Skandinavien ist es gar nicht so wie in Skandinavien.
Am billigsten war's in Griechenland.
In Portugal sind noch nicht alle Gegenden durch den Tourismus verdorben.
Heidelberg ist so malerisch...
Im großen und ganzen sind die Leute ja nett.
Aber: Zu Hause ist immer noch zu Hause.

17. Ein Autofahrer sagt zu seinem Beifahrer: „Dem darf man das nicht übelnehmen, der kommt aus Böblingen." *(Stadt in der Nähe von Stuttgart)*

18. ... er hat mir auch nie geglaubt, daß ich all die Jahre ohne Mann gelebt habe, er meinte, einer Engländerin könnte man das glauben, einer Schwedin nicht.

19. Ein Mann, ein Wort! Eine Frau, ein Wörterbuch. *(Sprichwort)*

20. Ein Passant zu Jugendlichen, die gegen die Jugendarbeitslosigkeit und Lehrstellenknappheit demonstrieren: „Ihr solltet lieber arbeiten als immer nur zu demonstrieren!"

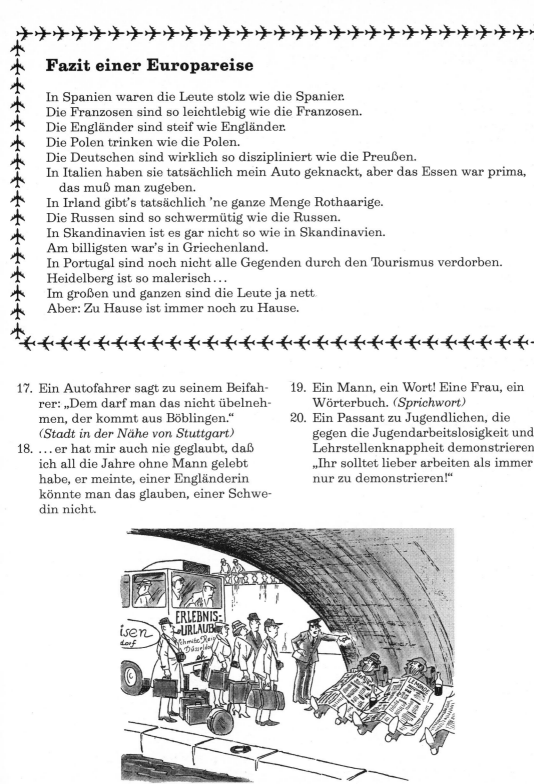

„Los, macht Platz, jetzt kommen die Amateurschläfer!"   Holz

 – Spiel

Vermutungen äußern

Stereotype beeinflussen unsere Vermutungen über Angehörige der betroffenen (stereotypisierten) Gruppe und sogar unsere Wahrnehmungen. Da sie meist unausgesprochen bleiben, kann der Betroffene sich – besonders bei oberflächlicher Bekanntschaft – kaum dagegen wehren. Bei dem folgenden Spiel könnt ihr erleben, was ihr dabei empfindet, wenn andere Vermutungen über euch anstellen, die ihr nicht korrigieren könnt.

Eure Vermutungen könnt ihr mit folgenden Wendungen einleiten.

Ich denke, daß du...

Ich vermute (fast/stark), daß...

Vermutlich... du...

Ich glaube, daß...

Ich bin der (festen) Überzeugung, daß...

Ich könnte mir vorstellen, daß...

Ich nehme (stark) an, daß...

Ich bin der Ansicht, daß...

Ich bin (ziemlich/fest/felsenfest) davon überzeugt, daß...

Ich stelle mir vor, daß...

Spielablauf:

Der erste Spieler wirft einem Gruppenmitglied einen Ball zu und spricht dabei eine Vermutung über dieses Gruppenmitglied aus. Der/die Angesprochene äußert sich jedoch nicht zu der Vermutung, sondern wendet sich dem nächsten Spieler zu, usw.

Hier einige Beispiele:

* Ich könnte mir denken, daß du dich hier in der Gruppe ziemlich allein fühlst.
* Ich könnte mir vorstellen, daß du dieses Spiel albern/saublöd findest.
* Ich vermute, daß du lieber fernsiehst

als selbst etwas zu unternehmen.
* Ich vermute, daß deine Kinder bei dir nichts zu lachen haben.
* Vermutlich bist du ein sehr guter Tänzer.

Spielt, solange es euch Spaß macht. Danach solltet ihr im Gruppengespräch zu den über euch geäußerten Vermutungen Stellung nehmen, die Vermutungen korrigieren und erklären, was ihr bei den einzelnen Äußerungen empfandet. Wie wirkte die Tatsache auf euch, daß ihr diese Vermutungen nicht gleich richtigstellen durftet?

In der Bundesrepublik Deutschland

Manchmal des Nachts

Franz Josef Degenhardt

1. Manchmal des Nachts, wenn ich aus meiner Kneipe komm', im
   Marschtritt durch die Straßen zieh',
   oder ich nicht schlafen kann, trommelnd an meinem Fenster steh',
   dann seh' ich die, die andern, die vielleicht nicht anders sind,
   dann seh' ich die, die andern, die vielleicht nicht anders sind.

2. Sie stehen rum wie Tiere vor den Augen der Besucher eines
   Sonntagszoos,
   und hören sie den Stiefelschritt der Ordnung, rennen sie gleich los
   und schimpfen auf die andern, die vielleicht nicht anders sind,
   und schimpfen auf die andern, die vielleicht nicht anders sind.

3. Manchmal des Nachts, dann steigen sie in Autos ein und fahr'n für
   eine Stunde weg.
   Dann kommen sie zurück und spucken dreimal in den Dreck,
   und meinen die andern, die vielleicht nicht anders sind,
   und meinen die andern, die vielleicht nicht anders sind.

4. Manchmal des Nachts, dann ziehen sie die Schuhe aus und träumen an
   der Häuserwand
   vom Ehemann, von Kindern, von 'nem Häuschen auf dem Land,
   vom Leben jener andern, die vielleicht nicht anders sind,
   vom Leben jener andern, die vielleicht nicht anders sind.

5. Manchmal des Nachts, dann sprechen sie mich an, und eine kenn' ich
   ganz genau.
   Sie hat mit mir im Sand gespielt und manchmal Mann und Frau.
   Jetzt steht sie bei den andern, die vielleicht nicht anders sind,
   jetzt steht sie bei den andern, die vielleicht nicht anders sind.

6. Manchmal des Nachts, wenn ich aus meiner Kneipe komm', im
   Marschtritt durch die Straßen zieh',
   oder ich nicht schlafen kann, trommelnd an meinem Fenster steh',
   dann seh' ich die, die andern, die vielleicht nicht anders sind,
   dann seh' ich die, die andern, die vielleicht nicht anders sind.

Diskussion Die anderen

1 Wer sind in dem Lied von Franz Josef Degenhardt „die andern"? Degenhardt wiederholt im Refrain immer wieder, daß „die vielleicht (auch) nicht anders sind". Wem will er damit widersprechen?

2 Warum verwenden wir eigentlich so viel Energie darauf, uns von anderen positiv abzugrenzen?

3 Welche Funktion kann es haben, andere schlecht zu machen (z. B. Studenten, Araber, Schwarze, Juden, Dicke, Dünne, Ausländer, Amerikaner, Kommunisten, die Jugend, Zigeuner, Händler, die Intellektuellen…)?

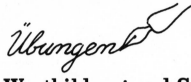

Wortbildung und Stereotyp

1 Zwei Personen werden Zeugen eines Unfalls. Beide fertigen ein Protokoll an.

> A schreibt:
> „... der Mercedesfahrer war schuld ...“

> B schreibt:
> „... der Fahrer des Mercedes beachtete die Vorfahrt nicht ...“

Welches Protokoll wird möglicherweise stärker beachtet werden? Warum? Welcher der beiden Zeugen setzt sich – vielleicht – dem Verdacht aus, in Stereotypen zu denken (und seine Wahrnehmung von ihnen beeinflussen zu lassen)? Wie äußert sich das sprachlich?

2 Seid ihr GESCHIRRWÄSCHER, wenn ihr zu Hause Geschirr wascht?

3 Welche Funktion hat das unterstrichene Kompositum in folgendem Auszug aus einem Gerichtsbericht?

„... Richter Z. ist ein Brillenbügelbeißer. Die Brille setzt er nur auf, wenn er vor oder neben sich etwas in den Unterlagen studiert. Stellt er eine Frage, so setzt er die Brille ab. Hört er zu, so nimmt er das Ende des linken Brillenbügels zwischen die Lippen. Der ein wenig angespannte Gesichtsausdruck, mit dem er dann dasitzt, könnte vom Angeklagten schon mißdeutet werden ...“

Der Spiegel, 48/1979

4 Welchen Denkfehler machte die Frau, die einen Holzbohrer für ihren Mann kaufen sollte und keinen fand?
Wie hätte der Mann das Mißverständnis vermeiden können?

der Bohrer

„Im Bastelgeschäft fand ich keine Holzbohrer, in der ganzen Stadt nicht. Die waren alle aus Metall oder sogar aus Hartmetall. Es gab zwar auch Steinbohrer, die wirkten aber auch metallisch. Aus Holz jedenfalls gibt es die, glaube ich, gar nicht.“

Aus: Eike Christian Hirsch **Deutsch für Besserwisser** Hoffmann und Campe

5 Welche Unterschiede habt ihr zwischen den Komposita (zusammengesetzte Wörter) und den aus mehreren Einzelwörtern bestehenden Ausdrücken festgestellt?

6 Bildet Gruppen und klärt mit Hilfe eines einsprachigen Wörterbuchs die Bedeutung der folgenden Komposita mit „Holz“.

Beispiel: Ein Holzbohrer ist ein zum Bohren von Holz geeigneter Bohrer (aus Metall).
(Formulieren von Definitionen: Kapitel 2, Seite 28/29.)

Was ist ein Holzfußboden
        eine Holzsäge
        eine Holzkiste
        ein Holzfäller
        die Holzindustrie
        ein Holzkopf
        ein Holzbildhauer **?**

Haben alle Wörter dieser Liste für euch einen inhaltlichen Zusammenhang mit Holz?

7 Was bedeutet Büroarbeit
            Tischlerarbeit
            Kinderarbeit
            Kopfarbeit
            Kurzarbeit
            Näharbeit
            Lederarbeit
            Präzisionsarbeit
            Pfuscharbeit
            Schwarzarbeit
            Riesenarbeit
            Sauarbeit
            Examensarbeit
            Handarbeit   **?**

Bildet Beispielsätze.

8 Ist eine Altstadt eine alte Stadt?
Setzt „Altstadt" bzw. „alte Stadt" ein:
Mainz ist eine schöne.................
Mainz hat eine schöne................

* Ist ein Kleinkind einfach ein kleines
  Kind?
* Wie groß ist ein Großvater?
* Wie alt ist eine Altstimme?
* Wie jung ist eine Jungfrau?
* Ist ein Weißbuch ein weißes Buch?
* Hat ein Grünschnabel einen grünen
  Schnabel?
* Ist Kleingeld einfach kleines Geld?
* Und wie groß ist ein Großverdiener?

Schlagt in einem einsprachigen Wörterbuch nach.
Versteht man Komposita immer, wenn
man ihre einzelnen Elemente versteht?
Das erste Element dieser Zusammensetzungen ist ein Adjektiv. Was für eine
Form hat es?

9 Schreibt mehrere von der Form her
mögliche Definitionen zu: Entsorgungspark – Bratkartoffelverhältnis – Fuchs-
schwanz – Hühnerhund – Kinderladen –
Kinderportion – Kotflügel – Kraftwerk –
Müllschlucker – Münzkopierer – Land-
streicher – Stadtstreicher – mexikani-
sches Reitersteak – Trittbrett – Trittbrett-
fahrer – Wegwerffeuerzeug – Wegwerfge-
sellschaft – Parkstudium – Pillenknick

Jede 6. Gemeinde ist eine Stadt
Köln (ddp)

Jede sechste Gemeinde in der Bundesrepublik ist eine Stadt, wie aus einer Übersicht des deutschen Städtetages in Köln hervorging. Danach führen von den 8518 Gemeinden des Bundesgebietes 1365 die Bezeichnung „Stadt", von denen wiederum 92 den Status einer kreisfreien Stadt haben. Insgesamt gibt es 1273 kreisangehörige Städte. Unabhängig von der Statusbezeichnung „Stadt" werden entsprechend ihrer Größe die 1556 Gemeinden mit 5000 bis 20 000 Einwohnern als Kleinstädte, die 416 Gemein-den mit 20 000 bis 100 000 Einwohnern als Mittel-städte und die 68 Gemeinden mit mehr als 100 000 Einwohnern als Großstädte registriert. Die Zahl der Kleinstädte ist durch die Gebietsreformen um 307, die der Mittelstädte um 162 und die der Großstädte um elf gestiegen.

Süddeutsche Zeitung, 10. 1. 1979

Sucht dann in einem einsprachigen Wörterbuch die „richtige", d. h. die etablierte
Bedeutung. Vielleicht sind einige „neuere"
Wörter (Neologismen) noch gar nicht in
eurem Wörterbuch zu finden.

10 Bildet Gruppen. Denkt euch Sketche
aus, in denen aufgrund unterschiedlicher
Interpretationen von Komposita Mißver-
ständnisse entstehen. Spielt die Sketche
den anderen vor.

11 Versucht eine Situation zu zeichnen,
der ein solches Mißverständnis zugrunde
liegt. Ihr könnt auch den mißverstande-
nen Gegenstand zeichnen. Hängt die Bilder auf und ratet das zugrunde liegende
Wort.
Schaut euch auch die Cartoons auf den
Seiten 181 und 183 noch einmal an.

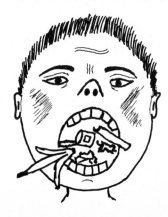

Tetsche

12 Welche Formen der Verknüpfung gibt es, wenn das erste Element eines Kompositums ein Substantiv ist? Unterstreicht bitte die Verbindungsstelle.

Kalb + Fleisch	→ Kalbfleisch	= Fleisch von einem Kalb
Schwein + Fleisch	→ Schweinefleisch	= Fleisch von einem Schwein
Urlaub + Reise	→ Urlaubsreise	= Reise während des Urlaubs; Reise in den Urlaub
Freund + Kreis	→ Freundeskreis	= Kreis (Gruppe) von Freunden
Münze + Fern-sprecher	→ Münzfernsprecher	= Fernsprecher, in den man Münzen einwerfen muß, um zu telefonieren
Familie + Name	→ Familienname	= Nachname, vererblicher Name
Herz + Tätigkeit	→ Herztätigkeit	= Arbeit des Herzens
Herz + Kummer	→ Herzenskummer	= seelischer Kummer, Liebeskummer
Pferd + Sport	→ Pferdesport	= Reiten; Sport, bei dem Pferde benutzt werden
Buch + Schrank	→ Bücherschrank	= Schrank, in dem Bücher aufbewahrt werden
Buch + Handlung	→ Buchhandlung	= Geschäft, in dem Bücher verkauft werden
Bild + Buch	→ Bilderbuch	= Buch mit vielen Bildern und wenig Text, besonders für Kinder
Land + Mann	→ Landmann	= Landbewohner, Bauer
	→ Landsmann	= Einwohner des gleichen Gebietes oder des gleichen Landes

Die Beispiele zeigen, daß es kaum sinnvoll ist, in Form von Regeln zu lernen, wann der eine oder andere Verknüpfungstyp angewandt wird. Im Zweifelsfall empfiehlt es sich immer, im Wörterbuch nachzuschlagen.

13 Sucht einen kurzen journalistischen Text (Zeitung oder Zeitschrift), unterstreicht darin die zusammengesetzten Substantive und analysiert sie unter folgenden Gesichtspunkten:
Aus welchen Einzelelementen bestehen sie? – Sind es geläufige Zusammensetzungen oder Zufallsbildungen? (Ein Indiz dafür ist meistens, ob sie in den großen Wörterbüchern aufgeführt werden.) – Welche Funktion haben die einzelnen Elemente? – Wie sind sie verbunden? – Setzt sich die Bedeutung des Kompositums aus der Bedeutung der Einzelwörter zusammen? – Könnte die Gesamtbedeutung auch ohne das Mittel der Zusammensetzung ausgedrückt werden? Welche Bedeutungsveränderungen ergäben sich dabei eventuell? – Lest den Text laut vor und achtet dabei besonders auf die Akzente.

14
> * geräucherte Fischfabrik
> * elektrischer Lokomotivführer

Warum sind diese Bildungen falsch? Wie könnte es richtig heißen? Analysiert genauso:

* automatischer Schalthebel

* gebratene Würstchenbude

* erwachsene Bildungseinrichtung

* kleine Kinderbetreuung

15 – „Wir sind heute an Sextanten praktisch ausgebildet worden." – schrieb ein Sohn an seine Eltern und bekam kein Geld mehr von ihnen. Warum?
Wäre das Problem in einem Gespräch auch aufgetaucht?

16

Wo liegt der Nordpol?
Wo liegt der Südpol?
Und wie ist es mit dem Monopol?

Wo nistet die Moorente?
Wo nistet die Stockente?
Und die Tangente?

Eine Aufgabe für Pferdekenner:
In welcher Gegend gibt's
Blumento-
pferde?

17 Lest die Überschrift dieser Zeitungs-
notiz laut vor. Lest dann leise den Text der
Meldung. Und jetzt lest die Überschrift
noch einmal laut vor:

Hoteliers und Gäste begießen Streikende mit Champagner

Süddeutsche Zeitung, 29. 4. 1979

Málaga (dpa)
Die Situation in den 18 Tage lang bestreikten
Hotels an der Costa del Sol hat sich am Donnerstag wieder weitgehend normalisiert, nachdem der Ausstand um Mitternacht beendet
worden war. In den Hotels begann am Morgen
das Personal, aufzuräumen und zu putzen. In
einer Reihe von Hotels feierten Geschäftsfüh-
rer und Gäste das Ende des Streiks mit Cham-
pagner.

Entrüstet Euch!

Slogan der Friedensbewegung in der Bundesrepublik Deutschland.
Laßt euch den Slogan von eurem Lehrer
oder eurer Lehrerin laut vorsagen.

. . . .

– „Was für ein Ticker ist ein P.......?" –
fragt Georg Kreisler in seinem Lied, das
ihr auf der Cassette hören könnt.

. . . .

18 Hört zuerst den folgenden Text, lest
dann mit und markiert dabei die Akzente
auf „Bücherschrank", „Bücherregal",
„Wohnschrank" usw. Lest dann den Text
mit verteilten Rollen laut vor.

⇩

Verkaufspsychologie

Personen: Verkäuferin (V), Kundin (K)

K: Guten Tag. Ich suche einen Bücherschrank.

V: Hier haben wir sehr schöne und praktische Regale.

K: Ich möchte aber kein Bücherregal, sondern einen Bücherschrank.

V: Hier haben wir auch noch etwas Besonderes: Einen Wohnschrank mit
Fächern für Plattenspieler, Fernsehgerät...

K: Entschuldigen Sie bitte! Ich will keinen Wohnschrank, sondern einen
Bücherschrank!

V: Wir führen leider keine Bücherschränke. Wir haben nur noch Büchervitrinen,
eingebaut natürlich, Regale und Büchertruhen.

K: Dann nehme ich vielleicht doch ein Bücherregal. Ein Bücherregal ist ja auch
viel praktischer und billiger als ein Bücherschrank.

Aus: R. Göbel **Phonetikübungen zur Akzentverschiebung** unveröffentlicht

---

Entwerft in Kleingruppen ähnliche
Sketche und spielt sie den anderen vor.

Ihr könnt eure Sketche auch auf Tonband
aufnehmen.

Dunkel war's, der Mond schien helle,
Schneebedeckt die grüne Flur,
Als ein Wagen blitzesschnelle
Langsam um die Ecke fuhr.

Drinnen saßen stehend Leute
Schweigend ins Gespräch vertieft,
Als ein totgeschossener Hase
Auf der Wiese Schlittschuh lief.

Und auf einer roten Bank,
Die blau angestrichen war,
Saß ein blondgelockter Jüngling
Mit kohlrabenschwarzem Haar.

Neben ihm 'ne alte Schachtel,
Zählte kaum erst sechzehn Jahr'.
Und sie aß ein Butterbrot,
Das mit Schmalz bestrichen war.

Droben auf dem Apfelbaume,
Der sehr süße Birnen trug,
Hing des Frühlings letzte Pflaume
Und an Nüssen noch genug.

```
* * * * * * * * * * * * * * * * * * * * *
*                                        *
*  „Hundefrisör"                         *
*                                        *
*  Jeder Teilnehmer/jede Teilnehmerin    *
*  hat zwei Zettel. Auf den einen        *
*  schreibt er/sie einen Beruf, auf den  *
*  anderen ein Tier. Die Zettel werden   *
*  eingesammelt, gemischt und wieder     *
*  ausgeteilt, so daß jeder/jede wieder  *
*  zwei Wörter hat, aus denen ein        *
*  Kompositum gebildet wird, also z. B.  *
*  „Pferdesekretärin". Danach wird       *
*  jeder/jede von den anderen über       *
*  „seinen/ihren" Beruf ausgefragt.      *
*                                        *
* * * * * * * * * * * * * * * * * * * * *
```

Fachtexte lesen und verstehen

C

Auf den Seiten 186/187 findet ihr verschiedene Fachtexte. Ein weiterer soziologischer Fachtext ist auf Seite 89 abgedruckt (Begemann, Von der patriarchalischen zur heutigen Familie). Ihr könnt aber auch andere Fachtexte aus Gebieten, die euch interessieren, nehmen.

1 Lest die Texte in Kleingruppen (eventuell zu Hause) und unterstreicht dabei alle Fachwörter (Fachtermini).

2 Tragt diese Fachwörter in Listen ein (eine Liste für Substantive, eine für Verben, eine für Adjektive/Adverbien).

3 Handelt es sich bei den Termini auf euren Listen um einfache Grundwörter, Zusammensetzungen, Ableitungen?
Beispiele für Ableitungen:
Flug – fliegen
arbeiten – verarbeiten (mit Vorsilbe)
rationalisieren – Rationalisierung (mit Nachsilbe)

4 Sucht die Wörter heraus, die in mehreren zusammengesetzten Substantiven (als Bestimmungswort oder als Grundwort) vorkommen, und analysiert ihre Bedeutung.

5 Welche Vorsilben und welche Nachsilben kommen mehrfach vor? Analysiert in Kleingruppen ihre Funktion und tragt dann der Gruppe eure Ergebnisse vor.

Zahlungsbilanz

Die Zahlungsbilanz eines Staates gibt Auskunft über die gesamten außenwirtschaftlichen Transaktionen innerhalb eines bestimm-
5 ten Zeitraums. Dabei werden alle über die Staatsgrenze hinaus wirksamen Wertveränderungen nach dem Prinzip der doppelten Buchführung erfaßt. Die Zahlungsbilanz setzt sich aus verschiedenen Teilbilanzen zusammen.
10 Die Handelsbilanz weist die Im- und Exportbewegungen aus. In der Dienstleistungsbilanz werden Transportentgelte, der Reiseverkehr, Lizenzgebühren, Kapitalerträge von Ausländern und aus dem Ausland sowie der grenz-
15 überschreitende Zahlungsverkehr im allgemeinen gegeneinander aufgerechnet. Handels- und Dienstleistungsbilanz zusammen gelten als Leistungsbilanz. Von der Grundbilanz oder der Bilanz der laufenden Posten spricht man,
20 wenn die Leistungsbilanz, die Übertragungsbilanz (Bilanz der unentgeltlichen Leistungen, z. B. Wiedergutmachungszahlungen) und die Bilanz des langfristigen Kapitalverkehrs zusammengefaßt werden. Aus der Struktur
25 der Grundbilanz und den Einzelbilanzen ist die wirtschaftliche Situation eines Landes ablesbar. Hohe Salden in den Teilbilanzen weisen auf erhebliche binnenwirtschaftliche Störungen hin, die man durch wirtschaftspolitische
30 Maßnahmen auszugleichen sucht. Manche Fachleute sind der Meinung, daß der Begriff „Zahlungsbilanz" in der Literatur unglücklich gewählt ist, da in ihr Stromgrößen (sie haben die Dimension „Geldeinheiten je Zeitraum")
35 und nicht Bestandsgrößen („Geldeinheiten am Stichtag") registriert werden, so wie in einer Jahresabschlußbilanz. Ebensowenig werden in der Zahlungsbilanz nur Zahlungen erfaßt. Der Ausdruck „Zahlungsbilanz" kann aber
40 kaum mehr geändert werden, da er zur festen Vorstellung wirtschaftlichen Vokabulars gehört.

Aus: **Aktuelles Lexikon** Süddeutscher Verlag 1979

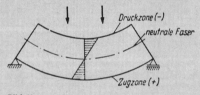

Bild 41.
Belastung und Beanspruchung eines Biegeträgers.

Aus: P. Sahml/H.-J. Velt **Grundlagen der Gestaltung geschweißter Stahlkonstruktionen** Deutscher Verlag für Schweißtechnik ⁵1976

Soziolinguistik

Funktionale Varietäten unterscheiden sich von den bisher genannten Varietäten darin, daß ihr Gebrauch quer durch die Dimensionen der
5 Standard-Varietät, des Soziolekts oder des Dialekts verläuft. Sie können gebunden sein an spezifische Interaktionen, an Institutionen oder an Verhältnisse des Arbeitsplatzes, an formale oder an informale Situationen, an
10 Eigenheiten von Sprechern etc. Sprecher gebrauchen die von ihnen erlernten Varietäten funktional: die Varietät A in diesem, die Varietät B in jenem Bereich. So werden im Dialekt aufgewachsene Studenten an der Universität
15 in der Regel Hochdeutsch reden, während sie in der Familie weiter Dialekt sprechen können. Funktionale Varietäten sind häufig Fachsprachen, Spezialsprachen, Argots oder Handelssprachen; unter den letzteren sind vor allem
20 das französische und englische „Pidgin" bekannt geworden, die in Kolonialländern heute noch gesprochen werden (vgl. u. a. DeCamp: 1971b). Funktionale Varietäten sind die kleinsten Varietät-Einheiten. Es mag
25 unendlich viele funktionale Varietäten geben.

Aus: N. Dittmar **Soziolinguistik** Athenäum Verlag 1973

Schweißtechnik

2.4. Biegung und Schub

Wird ein Balken senkrecht zu seiner Längsachse durch äußere Kräfte belastet, so biegt er
5 sich durch – er wird auf Biegung beansprucht. Während die Normalkräfte nur Längenänderungen in der Stabachse verursachen, tritt bei Biegung eine Krümmung des Trägers ein.

Durch die dargestellte Verformung des Trä-
10 gers, Bild 41, entstehen an der Oberseite Verkürzungen (Druckspannungen) und an der Unterseite Verlängerungen (Zugspannungen). Da die Spannungen im Bereich bis zur Proportionalitätsgrenze (siehe Spannungs-Deh-
15 nungs-Linie) den Dehnungen proportional sind, treten in den äußeren Fasern die größten Spannungen auf. Zwischen diesen beiden Höchstwerten verläuft die Spannungsverteilung geradlinig. Die mittlere Faserschicht in
20 der Höhe des Schwerpunktes ändert ihre Länge nicht, so daß in ihr keine Spannungen auftreten. Man spricht von der neutralen Faser oder Null-Linie.

Wohnungsplanung – Städteplanung

Die Wohnungstür zu ebener Erde

- Die Ebenerdigkeit der Wohnung ermöglicht
5 den schnellen und häufigen Wechsel zwischen Innen und Außen.
- Dadurch benutzen die Bewohner den Freiraum sehr oft. Das Leben der Arbeiter verlängert sich häufig nach draußen und wird
10 dadurch öffentlich.
- Die Zugänglichkeit der Haustür, die den raschen Wechsel zwischen Innenraum und Außenraum ermöglicht, ist besonders wichtig für Kinder in bestimmten Aufwuchspha-
15 sen: sie brauchen den häufigen und raschen Kontakt mit der Mutter, um Sicherheit beim Lernen und die Bestätigung ihrer Person zum Aufbau ihres Selbstbewußtseins zu gewinnen.
20 - Die Kinder fühlen sich im Nahbereich der Mutter geborgen.
- Sie sind unter Aufsicht. Das beruhigt die Mutter.
- Die Kinder können schnell mit anderen Kin-
25 dern Kontakt aufnehmen. Die Gruppenbildung wird gefördert.
- Die Kinder sind nachweislich häufiger in der frischen Luft.

Die Haustürstufen

30 Die Haustürstufen bilden seit altersher eine der wichtigsten Szenerien im Freiraum.
- Voraussetzung für die Benutzbarkeit ist, daß man über sie verfügen kann, daß es der eigene Eingang ist. (Das ist unabhängig von
35 Eigentumsverhältnissen.) Wo ständig viele Leute hindurchlaufen, wird es zur Belästigung für alle, wenn sich z. B. Kinder auf die Stufen setzen. Wo jedoch die drei Stufen nur zu einer Wohnung gehören, kann man
40 beobachten, daß Kinder hier oft und lange spielen.
- Die Wirksamkeit der Szenerie hängt nicht davon ab, wie aufwendig sie gestaltet ist, sondern wie nützlich sie für die Realisierung
45 der normalen individuellen und sozialen Bedürfnisse ist. Wertvolle Gestaltung hält geradezu vom Benutzen ab. Je einfacher etwas ist, desto weniger Hemmungen haben die Leute, es zu benutzen – desto
50 mehr steigt die Häufigkeit, daß es benutzt wird.

Aus: I.-M. Greverus (Hrsg.) **Denkmalräume – Lebensräume**, Wilhelm Schmitz Verlag 1976

Volkswirtschaft

§ 3. Der Wirtschaftsplan der Unternehmung
1. Die unternehmerischen Entscheidungen

Eine Unternehmung wurde als Dauerveran-   5
staltung zwecks Ertragserzielung und die für eine bestimmte Periode getroffenen Entscheidungen als Wirtschaftsplan der Unternehmung für diese Periode bezeichnet. Grundlage aller Entscheidungen ist Gegenüberstellung   10
von Geldgrößen, und zwar der Kosten der zum Einsatz gebrachten Leistungen gegen erzielte Erlöse; „Reinertrag" (Gewinn) ist die auf die Periode bezogene Differenz zwischen Gesamterlös und Gesamtkosten (Gesamtaufwand).   15

Kostenaufwand ist durchweg „Investierung", nämlich Hingabe flüssiger („liquider") Geldmittel zur Beschaffung von Rechten, Gütern, Diensten usw., die durch Nutzung und Verkauf verwertet, d. h. in Geldform zurück-   20
verwandelt werden und dabei einen Überschuß erbringen sollen. Die Umwandlung von Geld in „reale" Investierungen ist immer eine zeitliche Bindung der vollen Handlungsfreiheit, ein Verzicht auf volle Liquidität, und ist   25
im Hinblick auf die Ungewißheit des künftig erzielbaren Ertrages notwendig mit Risiken verknüpft, denen eine ausreichende Ertragschance gegenüberstehen muß.

Die Unternehmung als Dauerveranstaltung   30
braucht „Anlagen" (Gebäude, Maschinenausstattung, langfristige Kontrakte usw.), durch deren Beschaffung und Erhaltung Geldmittel („Kapital") langfristig gebunden sind. Größe und Veränderung dieser Anlagen, welche die   35
„Kapazität" der Unternehmung bestimmen, sind daher Gegenstand des langfristigen Wirtschaftsplans der Unternehmung.

Aus: Paulsen **Allgemeine Volkswirtschaftslehre II**
Walter de Gruyter 1966

Probiert es auch einmal! Es macht Spaß.

Günther Weisenborn

Erinnerungen an die Zeit der Haft, nach dem Ende der Haft niedergeschrieben.

Als ich abends gegen 10 Uhr um mein Leben klopfte, lag ich auf der Pritsche und schlug mit dem Bleistiftende unter der Wolldecke an die Mauer. Jeden Augenblick flammte das Licht in der Zelle auf, und der Posten blickte durch das Guckloch. Dann lag ich still.

Ich begann als Eröffnung mit gleichmäßigen Takten. Er erwiderte genau so. Die Töne waren fein und leise wie sehr entfernt. Ich klopfte einmal = a, zweimal = b, dreimal = c.

Er klopfte unregelmäßig zurück. Er verstand nicht.

Ich wiederholte, er verstand nicht.

Ich wiederholte, er verstand nicht.

Ich wiederholte hundertmal, er verstand nicht.

Ich wischte mir den Schweiß ab, um meine Verzweiflung zu bezwingen. Er klopfte Zeichen, die ich nicht verstand, ich klopfte Zeichen, die er nicht verstand.

Ratlosigkeit.

Er betonte einige Töne, denen leisere folgten. Ob es Morse war? Ich kannte nicht Morse. Das Alphabet hat 25 Buchstaben. Ich klopfte für jeden Buchstaben die Zahl, die er im Alphabet einnahm: für h achtmal, für p sechzehnmal. Es tickten andere Takte herüber, die ich nicht begriff. Es schlug zwei Uhr. Wir mußten uns unbedingt verständigen. Ich klopfte:

. = a, . . = b, . . . = c

Ganz leise und fern die Antwort:

— —.— — —.—..

Keine Verständigung. In der nächsten Nacht jedoch kam es plötzlich herüber, ganz leise und sicher: .,. . ,. . . Dann die entscheidenden Zeichen: zweiundzwanzig gleiche Klopftöne. Ich zählte mit, das mußte der Buchstabe „v" sein. Dann fünf Töne. Es folgte ein r, das ich mit atemlos kalter Präzision auszählte. Danach ein s, ein t, ein e, ein h, ein e!

„. . . verstehe . . ."

Ich lag starr und glücklich unter der Wolldecke. Wir hatten Kontakt von Hirn zu Hirn, nicht durch den Mund, sondern durch die Hand. Unser Verstand hatte die schwere Zel-

Erinnerungen an die Zeit vorher, während der Gestapo-Haft auf Tütenpapier notiert.

Es ist Sonntagmorgen. D. schläft noch. Sie liegt neben mir, der Ärmel ihres Nachthemdes ist bis zur Schulter hinaufgerutscht. Ihr Gesicht ist blaß und entspannt. Sie sieht ganz anders aus jetzt, kindlicher, fast grübelnd. Ich stehe leise auf, bade und ziehe mich an, es ist neun Uhr. Ich wecke sie nicht. Sie schläft gern bis mittags, sie ist ein Nachtmensch. Dann gehe ich lautlos hinaus. Unten wandre ich ein wenig durch die trüben, kühlen Straßen Berlins, die leer sind. Am Savignyplatz hat eine Konditorei eine kleine Terrasse. Dort hantiert bereits eine Kellnerin. Ich lasse mir ein Frühstück geben. Mit Behagen esse ich das weiße Brot und die Eier und trinke den starken Kaffee. Die Zeitungen sind alle dick und ganz unberührt, und da es Sonntag ist, haben sie alle eine weihevolle, anspruchsvolle Kulturseite.

Ich sitze da und weiß, daß ich ziemlich glücklich bin. Draußen in den grünen Bäumen des Platzes pfeifen Finken und Spatzen. Ich lasse die Zeitungen sinken, der Rauch meiner Pfeife steigt zartblau in den Sonntagmorgen. Andächtige, leise Orgelmusik kommt irgendwo aus dem Radio. Es ist ein Großstadtsonntagmorgen, still, voll von grauem Frieden und matter Erfüllung. Eine schöne Frau liegt nicht weit von hier und schläft. Bald wird sie mich zu Hause anrufen, damit wir zusammen Mittagessen gehen. Ich werde mir plötzlich bewußt, daß ich diese graue Frühlingsatmosphäre nicht vergessen werde, nach aller nächtlichen Leidenschaft jetzt die vogeldurchzwitscherte Eintracht eines sauberen harmonischen Sonntagmorgens. Die tiefgrünen Bäume rauschen leise im Sommerwind auf.

Dann gehe ich davon.

Es ist einem einzelnen unmöglich, einen Gedanken zu Ende zu denken. Die letzte Verlängerung eines Gedankens ist nicht verfolgbar, nicht erjagbar. Denken ist ein Massenprozeß der Menschheit. Der einzelne liefert nur Teilstücke dazu.

lenmauer des Gestapokellers überwunden. Ich war naß vor Schweiß, überwältigt vom Kontakt. Der erste Mensch hatte sich gemeldet. Ich klopfte nichts als: gut!

Es war entsetzlich kalt, ich ging den Tag etwa zwanzig Kilometer in der Zelle auf und ab, machte im Monat 600, in neun Monaten 5400 Kilometer, von Paris bis Moskau etwa, wartende Kilometer, fröstelnd, auf mein Schicksal wartend, das der Tod sein mußte. Ich wußte es, und der Kommissar hatte gesagt, daß bei mir „der Kopf nicht dran" bleiben würde.

Die zweite Aussage lag eben vor, daran war nichts zu ändern. Es war nur eine Hoffnung, wenn K. diese Aussage zurücknehmen würde.

In der Nacht klopfte ich ihn an:

„Du – mußt – deine – Aussage – zurücknehmen."

Es klopfte zurück:

„Warum?"

Ich: „Ist – zweite – Aussage – gegen – mich – bedeutet – Todesurteil –"

Er: „Wußte – ich – nicht –"

Ich: „Wir – sind – nicht – hier – um – Wahrheit – zu – sagen –"

Er: „Nehme – zurück –"

Ich: „Danke –"

Er: „Morgen –"

Ich: „Was – brauchst – du? –"

Er: „Bleistift –"

Ich: „Morgen – Spaziergang –"

Es wurde plötzlich hell. Das Auge der SS blickte herein. Ich lag still unter der Decke.

Es wurde wieder dunkel. Ich hatte Tränen in den Augen. „Nehme zurück!" Das werde ich nie vergessen. Es kam ganz fein und leise taktiert durch die Wand. Eine Reihe von kaum wahrnehmbaren Tönen, und es bedeutete, daß für mich die Rettung unterwegs war. Sie bestand diese Nacht nur im Gehirn eines Todeskandidaten, drüben in Zelle 8, unsichtbar, winzig. Morgen würden es oben Worte werden, dann würde es ein unterschriebenes Protokoll im Büro sein, und eines Tages würde dies alles dem Gericht vorliegen. Dank in die Ewigkeit, K.

Ach, die großen Straßen der Welt, die erregten Schluchten der Städte, es ist schön in ihnen zu gehen unter den Menschen. Die Calle Florida in Buenos Aires, auf der um 5 Uhr der große Korso stattfindet, die kreolischen Damen, die eleganten, zehntausend Brillanten an zimtfarbenen Hälsen, oder der Wenzelsplatz in Prag, oder die Esplanati-Katu in Helsinki, in deren Pavillon die Musik nachmittags spielt. Die herrliche Maria-Theresien-Straße in Innsbruck, auf die die schneebedeckten Berge blicken oder der schöne Platz Vittorio Emmanuelo in Florenz, der sommerliche Jungfernstieg in Hamburg, die Praia in Lissabon, die elegante Kärntnerstraße in Wien, der Limmat-Quai in Zürich, die unvergeßliche Copa-Cabana in Rio, der Kurfürstendamm in Berlin, der Odeonsplatz in München, die Hohe Straße in Köln, und endlich die längste Straße der Welt, der Broadway, von der Battery bis Sing-Sing, die große Passage in Neapel, der Markt in Krakau mit den Tuchlauben, die Strand in London, durch alle bin ich gegangen, und in allen wird gelacht, geliebt, gebettelt, gestritten und gestorben. Es rollt alles dahin, es stolziert die gealterte Eleganz, die noble Verkommenheit, die billige Verführung, die aschgraue Armut. In diesem Augenblick, in dem ich hier unten einsam sitze, fliegen Schwärme von glitzernden Blicken von Gesicht zu Gesicht. Es wird gelächelt, sich abgewandt, genickt. Die flehenden Blicke der Not und des wimpernlosen Vorwurfs, der starrenden Verzweiflung, die satten Blicke der Selbstgerechtigkeit, des Hasses, des Abscheus, der Bitterkeit, fliegen hin und her. Die Blicke wandern, Millionen von Blicken, glitzernde Schwärme von Blicken, Gewitter von Blicken, die jetzt durch die Straßen fahren in aller Welt, indes ich niemand sehe hier und nichts.

Aus: Günther Weisenborn **Memorial** Röderberg

„Stimmt es, daß der Italiener von nebenan ein Auto gestohlen hat?"

„Im Prinzip ja, doch war es erstens kein Auto, sondern ein Roller, zweitens war es nicht der Italiener von nebenan, sondern seine deutsche Freundin, und drittens hat sie den Roller nicht gestohlen, sondern in der Tombola gewonnen."

A Argumentationsstrategien

1 Hört bitte das Gespräch zwischen Vater und Sohn. Versucht dann gemeinsam, den Text zu rekonstruieren.

 ## Rassismus

Eugen Helmlé

SOHN: Papa, Charly hat gesagt, sein Vater hat gesagt, bei uns gibt's immer noch...
5 VATER: Na, was gibt's immer noch?
SOHN: Ich weiß nicht mehr. Ich glaube, Bassisten.
VATER: Bassisten? Warum soll's die auch nicht mehr geben? Ich glaube, du ver-
10 wechselst das. Meinst du vielleicht was anderes?
SOHN: Vielleicht hat Charly auch gesagt Rassisten. Gibt's das?
VATER: Ja, das gibt's, Rassisten, aber die
15 gibt's überall, nicht nur bei uns.
SOHN: Warum sagt denn Charlys Vater, es gibt sie immer noch? Soll's sie nicht mehr geben? Was sind denn Rassisten eigentlich?
20 VATER: Naja, wie soll ich dir das erklären, Rassisten, das sind Leute, die behaupten, daß es Rassen gibt, die mehr wert sind als andere Rassen. Daß die weiße Rasse zum Beispiel der schwarzen überlegen ist.
25 SOHN: Und das stimmt nicht?
VATER: Also in der Form, wie die Rassisten das behaupten, stimmt es nicht. Zum Beispiel hat der Rassismus irgendwie keine wissenschaftliche Basis, das heißt, wis-
30 senschaftlich ist die Überlegenheit unserer Rasse über die anderen noch nicht bewiesen.
SOHN: Und warum gibt es dann den Rassismus?
35 VATER: Warum gibt es ihn? So einfach läßt sich diese Frage nicht beantworten. Einerseits kann man verstehen, wie der Rassismus entstanden ist, ich meine, vom allgemein menschlichen Standpunkt: jeder ver-
40 sucht den anderen abzuwerten, um sich aufzuwerten, das gilt für den einzelnen wie für Gruppen. Andererseits ist er natürlich zu mißbilligen, vor allem dort, wo er

zur Ideologie geworden ist und fast aus-
45 schließlich aus Vorurteilen besteht.
SOHN: Und was tun Rassisten?
VATER: Sie versuchen, die Angehörigen anderer Rassen zu unterdrücken und manchmal sogar auszurotten.
50 SOHN: Werden bei uns auch Schwarze unterdrückt?
VATER: Nein, das gibt es bei uns nicht. In Amerika gibt's das, in Südafrika, da herrscht Apartheid, das heißt soviel wie
55 strenge Rassentrennung. Aber bei uns in Deutschland, da gibt es keine Spannungen zwischen Schwarz und Weiß, da kann so was nicht passieren. Wir haben nichts gegen Neger, wir haben eben keine Ras-
60 senvorurteile.
SOHN: Aber Charlys Vater sagt, bei Hitler hat es das auch gegeben.
VATER: Ja, aber mit Schwarzen hat das weniger zu tun gehabt. Das ist auch schon
65 lange her. Das war während der Nazizeit. Im Krieg. Einerseits waren damals andere Zeiten und andererseits hat die Bevölkerung auch nichts davon gewußt.
SOHN: Wären die Leute dagegen gewesen,
70 wenn sie es gewußt hätten?
VATER: Ganz bestimmt. Also wenn ich es gewußt hätte, aber ich war ja damals noch viel zu jung, ich wäre ganz sicher dagegen gewesen. He, du, puste mir nicht in die
75 Briefmarken. Und faß mir bloß keine an, mit deinen schmutzigen Fingern. Sag mal, du könntest dir ruhig ab und zu mal die Hände waschen.
SOHN: Du, Papa, krieg ich die eine Brief-
80 marke, hier, die ausländische, die du doppelt hast?
VATER: Nein.
SOHN: Warum nicht?
VATER: Warum, warum. Frag nicht so däm-
85 lich. Du weißt genau, daß ich die zum Tauschen brauche.
SOHN: Du, Papa?
VATER: Ja, was ist?

SOHN: Du hast doch vorhin gesagt, daß es bei uns keine Rassenvorurteile gegen Schwarze gibt.
VATER: Richtig. Gibt es ja auch nicht.
5 SOHN: Und warum vermietet dann Frau Seidel nicht an Neger?
VATER: Wo hast du denn das her?
SOHN: Hat Charly gesagt. Hat Frau Seidel zu seiner Mutter gesagt. Die Neger nimmt
10 sowieso keiner, die müssen lange suchen, ehe sie einer nimmt, und dann müssen sie auch mehr bezahlen als Weiße.
VATER: Das ist doch ausgemachter Quatsch. Weiße haben es genauso schwer bei der
15 Wohnungssuche. Mit Rassismus hat das gar nichts zu tun. Es ist nur, weil die Wohnungen etwas knapp sind.
Aber die meisten Schwarzen sind eben überempfindlich, die bekommen alles
20 gleich in den falschen Hals. Dabei ist Deutschland ein Land, wo man auch als Schwarzer leben kann, wenn man sich anständig benimmt und sich an Recht und Gesetz hält.
25 SOHN: Sag mal, Papa, warum sind denn die einen eigentlich weiß und die andern schwarz oder rot und so?
VATER: Das kann ich dir auch nicht sagen!
SOHN: Sonst weißt du immer alles.
30 VATER: Meine Güte, das mit den Hautfarben, das ist noch nicht so genau erforscht. Vielleicht liegt es an klimatischen Einflüssen, man weiß es nicht.
SOHN: Gibt es außer der Hautfarbe sonst
35 keine Unterschiede?
VATER: Sicher gibt es noch andere Unterschiede.
SOHN: Was für Unterschiede sind das denn?
VATER: Also Neger zum Beispiel, die sind
40 körperlich stärker. Deshalb findet man auch so viele gute Sportler unter ihnen, Läufer, Weitspringer, Boxer und so weiter. Darin sind sie uns wirklich überlegen, das muß man ganz ehrlich anerkennen. Auch
45 Musiker gibt es ganz gute unter ihnen. Vor allem bei ihrer eigenen Musik, dem Jazz, da sind sie ganz groß.
SOHN: Aber neulich hast du doch gesagt, daß du Neger-Musik nicht magst?
50 VATER: Na und? Was hat das damit zu tun? Komm, komm, bleib mir von meinen Brief-

marken weg, da hast du nichts zu suchen. Ich bin eben mehr für ernste Musik, für Oper und so. Und gerade da gibt es ja ganz ausgezeichnete schwarze Sänger. 55
SOHN: Gibt es auch was, wo Weiße besser sind?
VATER: Selbstverständlich. In geistiger Hinsicht zum Beispiel. Alle oder fast alle kulturellen und technischen Leistungen stam- 60 men von Weißen.
SOHN: Sind die Weißen intelligenter?
VATER: So pauschal kann man das nicht sagen. Aber nach den Leistungen zu urteilen, kann man es durchaus annehmen. Mit 65 Rassismus hat das natürlich nichts zu tun. Sag mal, kannst du nicht ruhig auf deinem Stuhl sitzen bleiben?
SOHN: Du, Papa, Charlys Schwester sagt, daß sie später einmal einen Neger heira- 70 ten will.
VATER: So? Hat sie das auch schon ihrem Vater beigebracht?
SOHN: Ja. Der hat gesagt, ihm ist das egal. Sie muß selber wissen, was sie tut. 75
VATER: Na ja, bei diesen Leuten darf einen das nicht wundern.
SOHN: Wieso?
VATER: Weil die Einstellung von Charlys Vater völlig verantwortungslos ist. So ein- 80 fach kann man sich die Sache nicht machen.
SOHN: Wieso Papa? Ist das nicht gut, wenn man einen Schwarzen heiratet?
VATER: Im Prinzip ist natürlich nichts dage- 85 gen zu sagen. Aber man muß sich doch vor Augen halten, daß ein weißes Mädchen, das hier mit einem Schwarzen geht, daß das bald unten durch ist. Außerdem gehen solche Ehen selten gut aus, sie wer- 90 den nämlich weder von den Schwarzen noch von den Weißen akzeptiert.
SOHN: Wieso?
VATER: Weil es eben besser ist, wenn Schwarz und Weiß unter sich bleibt. 95
SOHN: Warum sollen sie denn unter sich bleiben? Du hast doch vorhin gesagt, die Neger können in Deutschland gut leben.
VATER: Sicher, das können sie ja auch. Aber das heißt noch nicht, daß Schwarze und 100 Weiße gleich heiraten sollen. Das führt doch zu nichts anderem als zum Rassen-

chaos. Die Leidtragenden sind schließlich immer nur die Kinder, die aus solchen Verbindungen hervorgehen. Die haben es überall schwerer als andere.

5 SOHN: Warum haben sie's schwerer? Sind sie dümmer?

VATER: Ja, zum einen, weil sie dümmer oder sagen wir besser geistig bedürfnisloser sind und zum andern, weil Mischlinge, und
10 das ist allgemein bekannt, das kann man in jedem Lehrbuch über Vererbungslehre nachlesen, weil Mischlinge eben in der Regel die schlechten Eigenschaften beider Rassen mitbekommen.

SOHN: Dann bist du dafür, daß jede Rasse 15 für sich bleiben soll?

VATER: Genauso ist es, mein Junge.

SOHN: Aber in Amerika und Südafrika, hast du gesagt, sind die Rassisten für Rassentrennung... 20

VATER: Nun, jaaa...

SOHN: Ist man dann nur in Amerika und Südafrika, wenn man für Rassentrennung ist, ein Rassist?

* * *

2 Arbeitet in Kleingruppen mit dem geschriebenen Text und sucht die sprachlichen (und anderen) Mittel heraus, die der Vater verwendet, um
– seine eigenen Aussagen als gesichert, nicht hinterfragbar hinzustellen,
– seine eigenen Aussagen als logische Schlußfolgerungen erscheinen zu lassen.

3 Analysiert die Aussagen des Vaters unter dem Gesichtspunkt: Was scheint er zu sagen und was „sagt er wirklich"?
Beispiel:
„Also, in der Form, wie die Rassisten das behaupten, stimmt es nicht."

Scheinbar: Die Rassisten haben Unrecht.
Wirklich: Die Rassisten übertreiben nur ein bißchen oder irren sich in der Form. Im Grunde haben sie Recht.

4 Die Diskussion zwischen Vater und Sohn läuft nach einem bestimmten Schema ab. Versucht, es herauszufinden. Die folgende Liste von Argumentationstechniken kann euch dabei helfen.

5 Sucht euch Themen aus und bereitet in Kleingruppen Sketche vor, in denen ihr die Argumentationstechniken und Gesprächsstrategien von Vater und Sohn verwendet. Spielt die Szenen im Plenum vor oder macht eine Tonband-(oder Video-)Aufnahme.

Argumentationstechniken

jemandem	ein falsches Verständnis der Sache, eine falsche Interpretation oder Schlußfolgerung	vorwerfen/vorhalten
	ein pauschales/differenziertes Urteil stereotype Vorstellungen	abgeben/fällen ausdrücken
	Beispiele/Gegenbeispiele	anführen/angeben
	eine Ausnahme, einen Einzelfall, ein Prinzip	zitieren/anführen
	den Begriff, um den es geht,	definieren
sich auf	die Wissenschaft, den gesunden Menschenverstand, eigene Erfahrungen	berufen

In der Bundesrepublik Deutschland...

In der Bundesrepublik Deutschland...

B Behauptungen

> **A** hat sich gegenüber **B** darüber beklagt, daß Frauen in der Bundesrepublik Deutschland nach wie vor nicht gleichberechtigt sind. Als Beweis für ihre These hat sie die Tatsache angeführt, daß Frauen mit 51 Abgeordneten nur 10 % der Mitglieder des 1983 gewählten Bundestages stellten, obwohl über 50 % der Bevölkerung Frauen sind.
>
> ↓
>
> **Mögliche Antworten von B:**
>
> B1: Frauen sind für verantwortliche Tätigkeiten eben weniger geeignet als Männer. Deswegen findet man sie auch weniger in führenden Positionen.
>
> B2: Frauen, die nun einmal weniger für verantwortliche Tätigkeiten geeignet sind als Männer, findet man deswegen auch weniger in führenden Positionen.
>
> B3: Ja, es stimmt, daß weniger Frauen in führenden Positionen tätig sind, weil sie nämlich auch weniger für verantwortliche Tätigkeiten geeignet sind als Männer.
>
> B4: Warum sind die Frauen denn auch so wenig für verantwortliche Tätigkeiten geeignet?
>
> B5: Ja, es stimmt, daß weniger Frauen in verantwortlichen Positionen tätig sind als Männer. Sie sind ja auch weniger dafür geeignet.
>
> B6: Das stimmt schon, daß weniger Frauen in Leitungspositionen tätig sind als Männer. Sie sind eben einfach weniger dafür geeignet.

1 Die Antworten B1 bis B6 enthalten Behauptungen. Unterstreicht mit verschiedenen Farben diejenigen sprachlichen Mittel, die hier verwendet werden,

a) um die Behauptung zu begründen,
b) um sie als unbestreitbar hinzustellen, so daß eine Begründung überflüssig ist.

Was für sprachliche Mittel sind das? Kennt ihr noch andere?

2 Welche impliziten Behauptungen enthalten folgende Äußerungen?
Formuliert sie explizit (mündlich):

○ Kommst du schon wieder zu spät?

▶ _____

_____

○ Tag, Herr Meier. Sie sind ja heute direkt mal pünktlich.

▶ _____

_____

○ Sie waschen nicht mit „Schneeweiß"? Und ich dachte immer, Sie seien eine gute Hausfrau und Mutter!

▶ _____

_____

○ Wir haben für das Zimmer schon einen anderen Bewerber, einen Deutschen. Wissen Sie, wir sind tagsüber nicht zu Hause, und da müssen wir uns darauf verlassen können, daß die Mieter selbst auf Ordnung und Sauberkeit achten.

▶ _____

_____

○ Seit wann nimmst du denn Rücksicht auf andere?

▶ _____

_____

3 Stellt euch vor, diese Behauptungen wären an euch gerichtet. Weist sie zurück. Notiert die Antworten bei ▶.

Übung

Das sind ja aber doch nur ganz kleine Wörter!

Der Satz „Er lebt schon seit zwei Jahren in der Bundesrepublik Deutschland." ist banal und für fortgeschrittene Deutschlerner sicherlich kaum von Interesse.

Habt ihr schon einmal überlegt, was man mit so einem einfachen Satz alles ausdrükken kann, wenn man Akzent und Intonation verändert und Partikeln einfügt, z. B.:

| aber | also | auch | bloß | denn | doch | eben | etwa | ja | mal | noch | nun | nur | sogar |

Für die Reihenfolge bei der Kombination mehrerer Partikeln im Satz gelten in den meisten Fällen die folgenden sechs Positionsklassen:

(1) denn, doch, ja
(2) aber, also, eben, nun
(3) doch, schon
(4) auch
(5) bloß, nur
(6) noch

Beispiel:
Er besucht uns eben doch nur noch selten.[*]
(mit Ziffern 2, 3, 5, 6 über eben, doch, nur, noch)

[*] vgl. dazu: Helbig/Buscha **Deutsche Grammatik. Ein Handbuch für den Ausländerunterricht** VEB Verlag Enzyklopädie Leipzig, 1974, S. 445.

Weydt u. a. **Kleine deutsche Partikellehre.** Ein Lehr- und Übungsbuch für Deutsch als Fremdsprache. Ernst Klett Verlag, Stuttgart 1983

1 Der Satz „Er lebt schon seit zwei Jahren in der Bundesrepublik Deutschland." kann durch die Verwendung von Partikeln (und veränderte Intonation) verschiedene Intentionen und unterschiedliche inhaltliche Zusammenhänge ausdrücken.

1) Der Satz ist die Antwort auf den Satz: „Jean-Paul spricht viel besser Deutsch als du."

a) Ihr wollt ausdrücken, daß das nicht Jean-Pauls Verdienst, sondern nur eine natürliche Folge seines Deutschlandsaufenthalts ist.

b) Ihr wollt das Gleiche ausdrücken, zusätzlich aber den Vorwurf, der in dem Satz „Jean-Paul spricht viel besser Deutsch als du" enthalten ist, noch stärker zurückweisen.

c) Ihr wollt das Gleiche ausdrücken wie in a), wollt aber gleichzeitig zu verstehen geben, daß ihr über diese Frage nicht weiter diskutieren wollt; ihr habt euch mit Jean-Pauls Vorsprung abgefunden.

2) Der Satz „Er lebt schon seit zwei Jahren in der Bundesrepublik Deutschland." folgt als Bestätigung oder Schlußfolgerung auf eine vorangegangene Äußerung, z. B. auf: „Jean-Paul ist 198– in die Bundesrepublik gekommen."

3) Der Satz ist die Reaktion auf den Satz: „Janine lebt schon seit einem Jahr in der Bundesrepublik Deutschland und hat immer noch keinen richtigen Freundeskreis." Er soll ausdrücken, daß das, was über Janine gesagt wird, noch viel stärker für Jean-Paul gilt.

2

„Komm bitte her!"

– Findet ihr diese Aufforderung schön?

1) Nehmt ihr die Schärfe.

2) Könnt ihr eine Drohung daraus machen?

3) Stellt euch doch mal vor, ihr wärt in die angesprochene Person ungeheuer verliebt.

3 Verändert die Frage: „Kommt Christine auch zu unserer Fete?"

1) Die Frage interessiert euch wirklich.

2) Christine hat sich lange nicht entscheiden können, ob sie kommen soll oder nicht. Nun möchtet ihr es endlich wissen.

3) Ihr könnt Christine nicht ausstehen und wollt nicht an die Möglichkeit glauben, daß sie tatsächlich kommt.

C Sprichwörter und Redensarten

1 Einigt euch auf ein oder zwei Themen, die oft Gegenstand von Sprichwörtern sind (z. B. Arbeit, Faulheit/Fleiß, Frau/Mann, Ehe, Kinder(-erziehung), Familie, Essen und Trinken, Freunde...).
Schreibt dazu Sprichwörter in eurer (euren) Muttersprache(n) auf und übersetzt sie ins Deutsche.
Sammelt deutsche Sprichwörter zum gleichen Thema.

Vergleicht die darin enthaltenen „Weisheiten".

2 Schreibt mal eine Geschichte zu einem der Sprichwörter aus der Sprichwortpyramide und laßt die andern das gemeinte Sprichwort erraten.

Ohne Fleiß kein Preis.

Unkraut vergeht nicht.

Gedanken sind zollfrei.

Sich regen bringt Segen.

Der Ton macht die Musik.

Lügen haben kurze Beine.

Das dicke Ende kommt nach.

Ordnung ist das halbe Leben.

Auf Regen folgt Sonnenschein.

Lange Haare, kurzer Verstand.

Dem Tüchtigen gehört die Welt.

Morgenstund' hat Gold im Mund.

Ein Unglück kommt selten allein.

Wo ein Wille ist, ist auch ein Weg.

Schuster, bleib bei deinem Leisten.

Lehrjahre sind keine Herrenjahre.

Der Apfel fällt nicht weit vom Stamm.

Wer andern eine Grube gräbt, fällt selbst hinein.

Wer im Glashaus sitzt, soll nicht mit Steinen werfen.

Die dümmsten Bauern haben die größten Kartoffeln.

In einem gesunden Körper wohnt ein gesunder Geist.

Wenn einer eine Reise tut, dann kann er was erzählen.

Sag mir, mit wem du gehst, und ich sage dir, wer du bist.

Morgen, morgen, nur nicht heute, sagen alle faulen Leute.

Lieber den Spatz in der Hand als die Taube auf dem Dach.

Was du heute kannst besorgen, das verschiebe nicht auf morgen.

Wer einmal lügt, dem glaubt man nicht, und wenn er auch die Wahrheit spricht.

Welche Sprichwörter passen zu den Bildern?

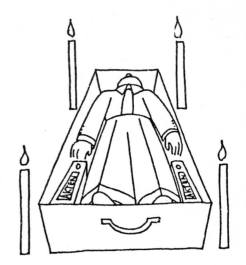

Zeichnungen: Buchegger und Rothmund

Sprichwörter als „Argumente"

D

1 Setzt passende Sprichwörter aus der Sprichwortpyramide ein.

---

1) Vater: Na, wie war's denn heute?

   Sohn: Beschissen. Ich habe wieder mal die meiste Zeit gefegt und Bier geholt. Findest du das etwa in Ordnung?

   Vater: Na ja _____

   _____

---

2) Kleines Kind: Du, Mutti, ich möchte die Hausaufgaben erst morgen machen. Wir spielen heute Fußball, und morgen habe ich doch sowieso frei.

   Mutter: Nein, _____

   _____

---

3) Kind: Warum soll ich denn nicht mehr mit Monika spielen? Sie kann doch nichts dafür, daß ihre Mutter gestohlen hat, und s i e ist in Ordnung.

   Mutter: Nein, du weißt ja, _____

   _____

---

4) Sie: Du, der Schulze ist schon wieder befördert worden; dabei war der doch im Studium gar nicht so gut, und du hast immer noch die gleiche Stelle.

   Er: Das beeindruckt mich gar nicht. Du weißt doch, _____

   _____

---

5) A: Warum soll ich denn nicht versuchen, das Abitur nachzumachen? Ich fühle mich in meinem jetzigen Beruf unterfordert. Wenn ich mir vorstelle, daß ich d e n Job noch 30 Jahre machen soll…

   B: Du kennst ja meine Meinung dazu: _____

   _____

2 Diskutiert bitte folgende Fragen: Welche Funktion erfüllen die Sprichwörter und Redensarten unter dem Gesichtspunkt der Argumentation? Bringen sie ein Gespräch inhaltlich weiter? Welche Reaktionen lassen sie zu? (Was könnte man in den vorangegangenen Beispielen auf sie erwidern?)

Spiel mit Sprichwörtern

Ein Gruppenmitglied verläßt den Raum. Die Gruppe einigt sich auf ein Sprichwort, das derjenige, der/diejenige, die den Raum verlassen hat, anschließend erraten muß. Dazu stellt er/sie den Gruppenmitgliedern reihum beliebige Fragen. Die erste Antwort muß das erste Wort des Sprichwortes enthalten, die zweite Antwort das zweite Wort usw.

Beispiel: *Lügen haben kurze Beine.*
            1   2   3   4

1. Frage: Wie geht es dir?   Antwort: Da müßte ich lügen.
2. Frage: Was machst du heute abend?   Antwort: Wir haben noch nichts Bestimmtes vor.

(Der/die Ratende darf die Antworten aufschreiben.)

»Zweite Kultur! So wie die aussehen, haben sie schon von der ersten nichts mitgekriegt!«

Zeichnung: Buchegger

Was beweist das?

E

1 Lest bitte den folgenden Text.
Welche Wörter benutzt der Schüler, um seinen Einwand zu begründen?
Was kann der Lehrer erwidern? Welchen Fehler hat der Lehrer gemacht?
Wie findet ihr das Verhalten des Schülers?

> Lehrer: ...Das Bundesgebiet ist in 248 Wahlkreise eingeteilt. Aus jedem Wahl-
> kreis wird ein Abgeordneter mit den Erststimmen der Wähler in den
> Bundestag gewählt. Eine gleiche Anzahl von Abgeordneten wird mit den
> Zweitstimmen über sogenannte Landeslisten gewählt, so daß insgesamt
> 518 Abgeordnete in den Bundestag einziehen.
>
> Schüler: Ja, aber..., wenn es 248 Wahlkreise gibt und die doppelte Zahl von
> Abgeordneten im Bundestag sitzt, dann sind es doch 496 und nicht 518!

2 Analysiert die folgende Argumentation. Überprüft die von A aufgestellte Rechnung.
Wer hat RECHT?

> A und B sind Besucher der Friedensausstellung „Es ist so schön, Soldat zu sein",
> die 1976 in Tübingen gezeigt wurde.
>
> A: Hier steht, daß in einem modernen Krieg nur 2 % der Opfer Soldaten und 98 %
> Zivilisten wären. Das bedeutet ja, daß man als Soldat sicherer als die Zivili-
> sten lebt.
>
> B: Sie begehen hier einen Rechenfehler. Diese Zahlen beziehen sich nicht auf den
> Prozentsatz der Verluste einer jeden der beiden Gruppen. Sie beziehen sich
> auf den Anteil an der Gesamtzahl der Opfer! Abgesehen von der moralischen
> Seite eines solchen Kalküls.

3 Was fällt euch an der folgenden Argumentation auf? Was ist für den jeweiligen Sprecher Gegenstand der Auseinandersetzung? Wer hat RECHT?

> Sie: Du, darf ich dich daran erinnern, daß du gestern zum vierten Mal meinen
> Geburtstag vergessen hast?
>
> Er: Wir kennen uns doch erst seit drei Jahren, da kann es doch erst das dritte
> Mal gewesen sein.

4 Analysiert die Argumentation des Staatsanwalts im folgenden Beispiel. (Der Angeklagte ist Journalist. Er wurde 1971 wegen übler Nachrede verurteilt, nachdem er die Zustände in der Gefängnisküche des Tegeler Gefängnisses in West-Berlin in einem Zeitungsartikel beschrieben hatte.)

🔲 Der Angeklagte:	Im Küchentrakt hausen etwa 100 Mäuse, die das Brot ständig anknabbern und bekoten. Das Pulver für Kartoffelklöße war mit Mäusekot und halb verwesten Mäusekadavern 5 durchsetzt. Zahlreiche Pakete hatten sich zu Mäusefriedhöfen verwandelt. Das Pulver mußte dennoch verwandt werden.	**der Trakt** größerer Gebäudeteil **hausen** (unter schlechten Bedingungen) wohnen **(an)knabbern** mit kleinen Bissen von etwas abbeißen; kauen **bekoten** mit Kot (Exkrementen) beschmutzen **der Kloß** zur Kugel geformte Speise **verwesen** sich zersetzen, verfaulen
Der Staatsanwalt:	Es waren nicht ständig 100 Mäuse im Küchentrakt. Das Brot wurde nicht ständig 10 angeknabbert und bekotet. Im Pulver für Kartoffelklöße befand sich nur eine tote Maus.	
Der Angeklagte:	Die Gefangenen wissen nicht, daß morgens Hundertscharen von Schaben aus allen Ritzen 15 und Rissen der Essenkübel krauchen. Dutzende Tierchen schaffen es oft nicht: sie werden mit verkocht.	**die Schar** Gruppe, Menge **die Schabe** in Ritzen lebendes Insekt **die Ritze** schmale Öffnung, Spalt **der Kübel** großes Gefäß
Der Staatsanwalt:	Zeugenaussagen bestätigen zwar, daß nach dem Kochen manchmal Schabenpanzer aus 20 den Kesseln entfernt wurden; ein Mitverkochen ist jedoch schon rein biologisch nicht möglich, da die Schaben einen Chitinpanzer haben, den man nicht zerkochen kann.	**der Kessel** großes Gefäß zum Kochen von Wasser oder Speisen **krauchen** kriechen **Chitinpanzer** Schaben haben einen Panzer aus Chitin, der ihren Körper bedeckt.

Zitiert nach: Utz Maas **Sprachliches Handeln II. Argumentation** In: Funkkolleg Sprache, Bd. 2, Fischer Taschenbuch Verlag

5 Faßt die Ergebnisse der Diskussion zu den Aufgaben 1–4 unter folgenden Gesichtspunkten an der Tafel (oder auf Overheadfolie) zusammen.

	Lehrer	Schüler	A	B	usw.
Argumente (verkürzt wiedergegeben)					
Formallogisch richtig (r)/falsch (f)					
Eingehen auf Partner und dessen Argumentationsebene					
Wer hat RECHT?					

Das habe ich nicht gesagt!

F

1 Analysiert die folgenden Argumentationsbeispiele. Versucht, die Argumentationsstrategie herauszufinden, die allen Beispielen zugrunde liegt.
(Welcher Zusammenhang besteht jeweils zwischen der Feststellung/Behauptung des ersten Sprechers und der Erwiderung?) Versucht, den jeweiligen Ort, an dem die Gespräche stattfinden, und Eigenschaften der Sprecher zu bestimmen.

- Herr Ober, das Brot ist schimmelig.
- Nach dem Krieg wären wir froh gewesen, wenn wir schimmeliges Brot gehabt hätten.

!

- Mama, ich bin doch gar nicht müde.
- Aber es ist doch schon 9 Uhr!

!

- Ich möchte doch nur mal meinen Urlaub in Frankreich oder so verbringen. Warum gibt's denn bei uns nicht wenigstens dieselben Freiheiten wie in Westdeutschland?
- Sind Sie etwa für die Freiheit von Militaristen und Kriegsverbrechern?

!

So, demonstrieren wollt ihr? Geht doch nach drüben, wenn's euch hier nicht paßt!

!

- Hormone im Fleisch, Rückstände von Pflanzenschutzmitteln in der Muttermilch und in Lebensmitteln... Finden Sie es vielleicht richtig, daß man uns aus Profitstreben allmählich vergiftet?
- Sie wollen doch nicht etwa, daß Lebensmittel wie vor hundert Jahren produziert werden? Vergessen Sie nicht, daß ein Hektar Ackerland heutzutage viel mehr Menschen zu ernähren hat als früher.

Berlin/DDR, 10. April

„Bei uns stellt die Jugend nicht in erster Linie die Frage: Wohin kann man reisen?, sondern: Wie sicher ist der Frieden?" Dieser Satz von Egon Krenz, Politbüro-Kandidat der SED und Erster Sekretär der staatlichen DDR-Jugendorganisation FDJ, gibt die Wirklichkeit nicht richtig wieder. Denn die Jugendlichen in der DDR, die selbstbewußt auftreten, gut informiert sind und sich durchaus nicht gläubig alles erzählen lassen, stellen beide Fragen gleichrangig nebeneinander. Krenz will suggerieren, daß der Drang von DDR-Jugendlichen, sich in der Bundesrepublik umzusehen und sich ein eigenes Bild von dem zu machen, was ihnen in den Medien der DDR, in der Schule und in der Propaganda nur entstellt dargeboten wird, gar nicht so stark sei. Jeder Kenner der DDR weiß das anders.

Süddeutsche Zeitung, 11. 4. 1979

---

2 Könnt ihr euch an Situationen erinnern, in denen jemand euch gegenüber so oder so ähnlich argumentiert hat? Versucht, eine weitere Regel für faires Argumentieren zu formulieren, mit der man solchen FOULS begegnen kann.

3 Erprobt in Rollenspielen mögliche Fortsetzungen zu den hier abgedruckten Argumentationsbeispielen oder zu anderen Beispielen, an die ihr euch erinnert.

Die Grille wetzt zu laut

Bernhard Katsch über einen aktuellen Lärmpegelstreit

Sehr geehrter Herr Mausebach!

Ihren Brief mit der Forderung: „Stellt den Lärm ab oder ich dreh durch!" haben wir aufmerksam gelesen. Mitarbeiter unseres Horchkommandos gingen den von Ihnen benannten Lärmquellen nach und fanden Ihre Klagen vollauf berechtigt. Dennoch müssen wir Ihnen mitteilen, daß eine Abhilfe nicht möglich ist. Wir empfehlen Ihnen ersatzweise die Umbewertung des „Lärms" in „Geräusche, die mit dem Ablauf des täglichen Lebens unweigerlich verbunden sind". Im einzelnen bedeutet das:

1. Fluggeräusche, insbesondere von tieffliegenden Militärmaschinen, beweisen – mag auch der eine oder andere Dachziegel fallen! – die Verteidigungsbereitschaft der NATO und sind zu begrüßen, schützen sie uns doch letztlich vor drohenden Gefahren für Demokratie, Freiheit und Eigentum.

2. Jeder Straßenverkehr hat den ihm zukommenden Pegel. Eine dynamische Generation junger Automobilisten nutzt ihre Mobilität, denn Bewegung ist Freude! Was würden Sie denn sagen, wenn statt der Otto-Motoren Tausende von Pferden vor Ihrem Wohnzimmerfenster wieherten? Bremsgeräusche wiederum bedeuten in den meisten Fällen Rettung von Menschenleben. Sollte man, statt quietschend anzuhalten, krachend ineinanderfahren?

3. Eine Fabrik ist kein Friedhof. Das „gutturale Röhren" der Anton Schluck AG kündet von der Konjunktur wenigstens noch dieses Gewerbezweiges. Die akustische Bestätigung des Tatbestandes, daß bei Anton Schluck Vollbeschäftigung statt Arbeitslosigkeit herrscht, sollte Sie nicht mißmutig, sondern – auch im Hinblick auf die Altersrente! – eher euphorisch stimmen.

4. „Wo man singt, da laß dich ruhig nieder!" lautet ein Sprichwort. Freuen Sie sich über die in Ihrer Nähe gelegene Schankwirtschaft und lassen Sie sich in die aus vollen Herzen angestimmten „Prosits der Gemütlichkeit" einhüllen! Fremde Geselligkeit wird zur eigenen, wenn man ihr als akustischer Zaungast gutwillig zustimmt.

Eine Ausnahme macht unseres Erachtens lediglich der Lärm der zahmen Grille Ihres Wohnungsnachbarn Zeulenberg. Wir glauben Ihnen gern, daß das metallische Wetzen der Insektenbeine am Chitinpanzer auf Dauer unerträglich wird, und empfehlen Ihnen in dieser Sache den Weg der Privatklage.

Mit hilfreichem Gruß

Ihr Lärmschutzbeauftragter
Karl M. Leisegang

Süddeutsche Zeitung, 16. 6. 1978

- Herr Doktor, ich glaub, ich bekomme eine Grippe.
- Da können Sie aber froh sein. Die letzte Patientin hatte nämlich Krebs.

- Mama, ich will nicht nach Amerika.
- Sei ruhig, schwimm weiter!

Hausaufgabe

Leserbriefe

Eine Textsorte, in der häufig (oft allerdings auch nicht) argumentiert wird, ist der Leserbrief. Im folgenden ist eine Auseinandersetzung über die Anerkennung eines Kriegsdienstverweigerers wiedergegeben.

1 Informiert euch mit Hilfe des Lehrers/der Lehrerin über das Thema „Kriegsdienstverweigerung in der Bundesrepublik Deutschland".*

2 Lest die Texte auf dieser und der folgenden Seite zu Hause; benutzt dabei möglichst ein einsprachiges Wörterbuch.

3 Arbeitet die wichtigsten Punkte der verschiedenen Argumentationen heraus und bringt sie in eine Übersicht. Diskutiert darüber, wer hier angemessen oder mit Tricks argumentiert, und begründet eure Stellungnahmen.

Bei dem ersten Text handelt es sich um einen Auszug aus einem „Spiegel"-Artikel. Ein Prüfungsausschuß für die Anerkennung von Kriegsdienstverweigerern hatte den Antrag eines Wehrpflichtigen u. a. mit folgender Begründung abgelehnt:

Weiter hat der Antragsteller ausgeführt, daß möglicherweise die Vereinigten Staaten bei einem Erdölboykott durch die Opec-Staaten zur Waffe greifen würden, um ihre Interessen zu schützen und zu verteidigen. Nach Meinung des Prüfungsausschusses hat der Antragsteller diese Situation auch nicht richtig beurteilt, sondern verkannt, daß durch eine solche Blockade die gesamte westliche Welt durchaus in eine notstandsähnliche Situation geraten könnte... Es ist durchaus möglich, daß die davon betroffenen Staaten eine solche Maßnahme nicht hinnehmen würden, sondern durch eine Besetzung die weitere Versorgung mit diesem wichtigen Produkt aufrechterhalten würden. Nach Meinung des Prüfungsausschusses könnte sich der Antragsteller, wenn er sich die hier interessierenden Fragen eingehend durchdenken würde, auch an einer solchen Besetzung durchaus beteiligen, wenn er bedenken würde, daß dabei viele Tausend und Millionen Menschenleben auf dem Spiel stehen würden, diese Menschenleben sind aber schutzwürdiger als wirtschaftliche Einrichtungen, die durch Boykott oder Blockade der dort arbeitenden Menschen nicht bedient werden.

Der Spiegel, 36/1979

* Aus dem Grundgesetz der Bundesrepublik Deutschland:

Grundrechte Artikel 4, Absatz 3
Niemand darf gegen sein Gewissen zum Kriegsdienst mit der Waffe gezwungen werden.
Grundrechte Artikel 12 a, Absatz 2
Wer aus Gewissensgründen den Kriegsdienst mit der Waffe verweigert, kann zu einem Ersatzdienst verpflichtet werden. Die Dauer des Ersatzdienstes darf die Dauer des Wehrdienstes nicht übersteigen. Das Nähere regelt ein Gesetz, das die Freiheit der Gewissensentscheidung nicht beeinträchtigen darf und auch eine Möglichkeit des Ersatzdienstes vorsehen muß, die in keinem Zusammenhang mit den Verbänden der Streitkräfte und des Bundesgrenzschutzes steht.

Der Artikel löste eine Flut von Leserbriefen aus, von denen zwei hier wiedergegeben sind. (Die anderen argumentierten ähnlich.) Schreibt auch Leserbriefe zu dem Spiegel-Artikel.

Da dürfen wir ja nur noch auf die Knie fallen und Gott danken, daß Länder der Dritten
5 Welt uns nicht schon in einen „Verteidigungskrieg" verwickelt haben; denn ihnen fehlen Lebensmittel, Arz-
10 neimittel und so weiter. Und diese Dinge benötigen die Menschen der Dritten Welt, so wie wir unser tägliches Öl!

A. N., Wolfsburg (Nieders.)

Bei uns Tradition

Erschütternd ist nicht nur die schlichtsinnige Kurzschlüssigkeit der Entscheidung.
Wenn Krieg zur Deckung des tatsächlichen oder vorgeblichen Lebensbedarfs nur Verteidigung ist, dürften 5
sich die Entwicklungsländer, in denen jährlich 15 Millionen Kinder sterben, das Lebensnotwendige in den Ländern gewaltsam holen, die jährlich Teile ihrer Ernten vernichten, weil nicht profitabel absetzbar.
Wir hoffen, daß die kommenden Atommächte der Drit- 10
ten Welt einsichtiger sind als die Gewissensprüfer aus Kiel.
Beängstigend ist die unverhohlene Neuauflage eines Gedankens, der sich in der Naziideologie mit dem Begriff „Volk ohne Raum" verbindet; Motto: Hol dir, was 15
du meinst zu brauchen! – „Volk ohne Öl".
Die Methode, Werte und Begriffe (hier: Verteidigung) in ihr schlichtes Gegenteil zu verwandeln, hat bei uns eine Tradition, aus der sich Völkermord und ein Europa in Schutt, Blut und Asche erklären. Auch der Krieg 20
gegen Polen und die UdSSR war vorgeblich ebenso Abwehr wie die Maßnahme gegen das Judentum.
Daß sich die Urheber dieses Schwachsinnes eher wohlanständig als kriminell fühlen, liegt im Naturell dieser blutigen Unverbesserlichen. 25
Fazit: Die Bundeswehr muß zeigen, was sie von solchen Geistern hält.

K. B., Ludwigsburg (Bad.-Württ.)

Diskussion Rollenspiele

Rollenspiele bieten die Möglichkeit, Argumentationsverfahren spielerisch zu erproben – ohne negative Folgen, denn ihr habt ja keinen wirklichen Schaden. Die Situationen und Rollen sollten euren Interessen entsprechen und nicht von außen an euch herangetragen werden. So können Schüler und Studenten mit einer Arbeitssituation (Beispiel 2) vielleicht nichts anfangen und deshalb auch keine realistischen Argumente bringen.

Einigt euch auf einige Situationen, besorgt euch eventuell Sachinformationen zu dem Thema. Einigt euch auf Rollen und verteilt sie. Sammelt Argumente, mit denen sich die verschiedenen Positionen begründen lassen.

Ihr könnt auch Situationen wählen, in denen ihr euch selber spielt (Beispiel 4). Klärt für diese Situation vorher die Rechtslage: Was sagt das Mietrecht? Sollte man juristisch, moralisch, menschlich argumentieren? Natürlich wollen wir euch nicht vorschlagen, „Tricks" wie in den Teilen A und E einzuüben, aber wenn andere solche „Tricks" anwenden, sollte man sich dagegen wehren können. Versucht also entweder, fair zu argumentieren, oder einigt euch darauf, daß einer „Fouls" begeht, um Gegenstrategien erproben zu können.

Spielt nicht zu lange (10 Minuten höchstens). Nehmt die Rollenspiele auf Tonband oder Videoband auf und analysiert sie dann mit Hilfe der Gruppenmitglieder, die nicht mitgespielt haben.
Mögliche Gesichtspunkte für die Beobachtung und Auswertung:

– verwendete Strategien
– Situationsangemessenheit und Eingehen auf Argumente des Partners
– formale Richtigkeit
– „Eigentore"

Beispiele für mögliche Rollenspielkonstruktionen:

1) Ihr habt eine Schallplatte gekauft und entdeckt erst beim Auspacken zu Hause, daß sie einen Kratzer hat. Der Verkäufer/die Verkäuferin will die Reklamation jedoch nicht anerkennen, weil ihr die Platte nicht gleich beim Kauf beanstandet habt.
Mögliche Rollen: Käufer(in) – Verkäufer(in) – eventuell Geschäftsführer(in)

2) Euer Arbeitgeber verlangt von euch, ein Werkzeug zu ersetzen, das euch kaputtging, weil ihr nicht richtig in den Umgang mit dem Werkzeug eingewiesen wurdet.
Mögliche Rollen: Arbeitnehmer(in) – Arbeitgeber/Meister – eventuell Betriebsratsmitglied

3) Der Besitzer eines neuen Autos beschuldigt euch, beim Einparken gegen seine Stoßstange gefahren zu sein.
Mögliche Rollen: Autofahrer(in) A – Autofahrer(in) B – eventuell Polizist – Zeuge/Zeugin

4) Euer Vermieter/eure Vermieterin untersagt euch, eure Freundin/euren Freund in eurem Zimmer übernachten zu lassen.
Mögliche Rollen: Mieter(in) – Vermieter(in)

5) Eure Bitte um Verlängerung der Aufenthaltserlaubnis oder um Erteilung einer Arbeitserlaubnis (für Leute aus EG-Mitgliedsstaaten nicht erforderlich) wird abschlägig beschieden. Die Beamten haben allerdings einen gewissen Ermessensspielraum. (Siehe auch Kapitel 7 E)
Mögliche Rollen: Beamter/Beamtin – Ausländer(in)

6) Wenn ihr in der Bundesrepublik Deutschland Deutsch lernt und Lust dazu habt, könnt ihr vielleicht auch einmal eine Verhandlung vor dem Prüfungsausschuß für die Anerkennung von Kriegsdienstverweigerern durchspielen. Vielleicht könnt ihr einen Kriegsdienstverweigerer um Hilfe bitten.
Mögliche Rollen: Kriegsdienstverweigerer – verschiedene Mitglieder des Prüfungsausschusses

Pro und Contra

Einigt euch auf ein Thema für eine Pro- und Contra-Diskussion. Es soll ein Thema sein, das möglichst alle interessiert und über das die Meinungen auseinandergehen.
Schlüpft in die Rollen von Experten oder Betroffenen oder diskutiert als ihr selbst. Sammelt zunächst Argumente. Für das eine oder andere Thema braucht ihr sicherlich eine längere Vorbereitungszeit, um Informationen zu sammeln. Wählt einen Moderator.

Hier einige Anregungen:

Die Kinopreise sollen erhöht werden. Es sprechen dafür oder dagegen: der Kinobesitzer – der Verleiher – der Jugendliche mit 10 DM Taschengeld – die Nachbarn, die neben dem Kino wohnen und sich über den Lärm der Autos ärgern – der Fernsehdirektor – die Schauspieler – die Kassiererin – die Kartenabreißerin – der Regisseur – der Bundeskanzler – die Reinemachefrau – eine Elterninitiative...

Weitere Themen:

Abschaffung der Zensuren in den Schulen – Einführung von Studiengebühren für Studenten – Atomkraftwerke...

Bei vielen Themen sind Sachinformationen nötig, wenn die Diskussion wirklich interessant werden soll, andere sind vielleicht nur dann interessant, wenn man direkt betroffen ist, so z. B.:

Schwangerschaftsabbruch – Sterbehilfe – technischer Fortschritt und Arbeitslosigkeit – Eröffnung einer Diskothek in einem Ort – Subventionen für Theater – verschiedene Formen der Partnerschaft...

Vielleicht fällt es euch schwer oder ihr habt keine Lust, über konkrete Themen zu diskutieren. Dann erfindet doch einfach „Phantasie-Probleme", z. B.:

Eure Regierung beschließt, die Wolken und den Himmel jeden Tag neu zu färben. Es sprechen: Die Regierung – die Opposition – die Landschaftsmaler – die Bauern – die Fotografen – die Hersteller von Farbmaterial – die Kinder – die Piloten – die Vögel...

Weitere Anregungen:

In jeder Badewanne soll ein Krokodil schwimmen. – Zwecks Rohstoffeinsparung soll das Essen mit Messer, Gabel und Löffel abgeschafft werden. – Das Eis in der Antarktis soll geschmolzen werden.

Ein ganz anderes Thema:

Worüber wollen wir sprechen? Wozu haben wir überhaupt Lust?

Kurt Tucholsky

HITLER UND GOETHE
(1932)

Ein Schulaufsatz

Einleitung

Wenn wir das deutsche Volk und seine Geschichte überblicken, so bieten sich uns vorzugsweise zwei Helden dar, die seine Geschicke gelenkt haben, weil einer von ihnen hundert Jahre tot ist. Der andre lebt. Wie es wäre, wenn es umgekehrt wäre, soll hier nicht untersucht werden, weil wir das nicht aufhaben. Daher scheint es uns wichtig und beachtenswert, wenn wir zwischen dem mausetoten Goethe und dem mauselebendigen Hitler einen Vergleich langziehn.

Erklärung

Um Goethe zu erklären, braucht man nur darauf hinzuweisen, daß derselbe kein Patriot gewesen ist. Er hat für die Nöte Napoleons niemals einen Sinn gehabt und hat gesagt, ihr werdet ihn doch nicht besiegen, dieser Mann ist euch zu groß. Das ist aber nicht wahr. Napoleon war auch nicht der größte Deutsche, der größte Deutsche ist Hitler. Um das zu erklären, braucht man nur darauf hinzuweisen, daß Hitler beinah die Schlacht von Tannenberg gewonnen hat, er war bloß nicht dabei. Hitler ist schon seit langen Monaten deutscher Spießbürger und will das Privateigentum abschaffen, weil es jüdisch ist. Das was nicht jüdisch ist, ist schaffendes Eigentum und wird nicht abgeschaffen. Die Partei Goethes war viel kleiner wie die Partei Hitlers. Goethe ist nicht knorke.

Begründung

Goethes Werke heißen der Faust, Egmont erster und zweiter Teil, Werthers Wahlverwandtschaften und die Piccolomini. Goethe ist ein Marxstein des deutschen Volkes, auf den wir stolz sein können und um welchen uns die andern beneiden. Noch mehr beneiden sie uns aber um Adolf Hitler. Hitler zerfällt in 3 Teile: in einen legalen, in einen wirklichen und in Goebbels, welcher bei ihm die Stelle u. a. des Mundes vertritt. Goethe hat niemals sein Leben aufs Spiel gesetzt; Hitler aber hat dasselbe auf dasselbe gesetzt. Goethe war ein großer Deutscher. Zeppelin war der größte Deutsche. Hitler ist überhaupt der allergrößte Deutsche.

Gegensatz

Hitler und Goethe stehen in einem gewissen Gegensatz. Während Goethe sich mehr einer schriftstellerischen Tätigkeit hingab, aber in den Freiheitskriegen im Gegensatz zu Theodor Körner versagte, hat Hitler uns gelehrt, was es heißt, Schriftsteller und zugleich Führer einer Millionenpartei zu sein, welche eine Millionenpartei ist. Goethe war Geheim, Hitler Regierungsrat. Goethes Wirken ergoß sich nicht nur auf das Dasein der Menschen, sondern erstreckte sich auch ins kosmetische. Hitler dagegen ist Gegner der materialistischen Weltordnung und wird diese bei seiner Machtübergreifung abschaffen sowie auch den verlorenen Krieg, die Arbeitslosigkeit und das schlechte Wetter. Goethe hatte mehrere Liebesverhältnisse mit Frau von Stein, Frau von Sesenheim und Charlotte Puff. Hitler dagegen trinkt nur Selterwasser und raucht außer den Zigarren, die er seinen Unterführern verpaßt, gar nicht.

Gleichnis

Zwischen Hitler und von Goethe bestehen aber auch ausgleichende Berührungspunkte. Beide haben in Weimar gewohnt, beide sind Schriftsteller und beide sind sehr um das deutsche Volk besorgt, um welches uns die andern Völker so beneiden. Auch hatten beide einen gewissen Erfolg, wenn auch der Erfolg Hitlers viel größer ist. Wenn wir zur Macht gelangen, schaffen wir Goethe ab.

Beispiel

Wie sehr Hitler Goethe überragt, soll in folgendem an einem Beispiel begründet werden. Als Hitler in unsrer Stadt war, habe ich ihn mit mehrern andern Hitlerjungens begrüßt. Der Osaf hat gesagt, ihr seid die deutsche Jugend, und er wird seine Hand auf euern Scheitel legen. Daher habe ich mir für diesen Tag einen Scheitel gemacht. Als wir in die große Halle kamen, waren alle Plätze, die besetzt waren, total ausverkauft und die Musik hat gespielt, und wir haben mit Blumen dagestanden, weil wir die deutsche Jugend sind. Und da ist plötzlich der Führer gekommen. Er hat einen Bart wie Chaplin, aber lange nicht so komisch. Uns war sehr feierlich zu Mute, und ich bin vorgetreten und habe gesagt Heil. Da haben die andern auch gesagt Heil und Hitler hat uns die Hand auf jeden Scheitel gelegt und hinten hat einer gerufen stillstehn! weil es fotografiert wurde. Da haben wir ganz still gestanden und der Führer Hitler hat während der Fotografie gelächelt. Dieses war ein unvergeßlicher Augenblick fürs ganze Leben und daher ist Hitler viel größer als von Goethe.

Beleg

Goethe war kein gesunder Mittelstand. Hitler fordert für alle SA und SS die Freiheit der Straße sowie daß alles ganz anders wird. Das bestimmen wir! Goethe als solcher ist hinreichend durch seine Werke belegt, Hitler als solcher aber schafft uns Brot und Freiheit, während Goethe höchstens lyrische Gedichte gemacht hat, die wir als Hitlerjugend ablehnen, während Hitler eine Millionenpartei ist. Als Beleg dient ferner, daß Goethe kein nordischer Mensch war, sondern egal nach Italien fuhr und seine Devisen ins Ausland verschob. Hitler aber bezieht

überhaupt kein Einkommen, sondern die Industrie setzt dauernd zu.

Schluß

Wir haben also gesehn, daß zwischen Hitler und Goethe ein Vergleich sehr zu Ungunsten des letzteren ausfällt, welcher keine Millionenpartei ist. Daher machen wir Goethe nicht mit. Seine letzten Worte waren mehr Licht, aber das bestimmen wir! Ob einer größer war von Schiller oder Goethe, wird nur Hitler entscheiden und das deutsche Volk kann froh sein, daß es nicht zwei solcher Kerle hat!
Deutschlanderwachejudaverreckehitlerwirdreichspräsident
dasbestimmenwir!

Sehr gut!

Makoto Sato (m, 14), Mittelschule, Tokio

„Was fällt dir ein, wenn du das Wort ‚Deutschland' hörst?" – Ein japanischer Schüler malte dazu dieses Bild.

Projekt

Mitreden

1 Überlegt, bei welchen anderen Textarten es besonders auf eine richtige und angemessene Argumentation ankommt.

2 Sammelt Flugblätter, Handzettel oder Informationsblätter (aus einem deutschsprachigen Land) und analysiert sie unter dem Gesichtspunkt der Argumentation. Gelingt es den Verfassern, die Leser anzusprechen und ihnen die Argumente einsichtig zu machen?

3 Greift einen Mißstand an eurem Kursort auf und entwerft dazu ein Flugblatt oder einen Leserbrief.

4 Wenn ihr in einem deutschsprachigen Land seid, könnt ihr einmal einen Gerichtsprozeß beobachten. Besorgt euch vorher die einschlägigen Gesetzestexte (die Gesetzbücher gibt es im Taschenbuchformat) und erarbeitet sie im Unterricht. Verteilt Beobachtungsaufgaben.

Beispiele für solche Aufgaben:
- Gesamtverlauf des Prozesses skizzieren
- Personenbeschreibung von einzelnen Prozeßbeteiligten anfertigen
- Argumentations- (Verteidigungs-, Verhandlungs-)Strategien von einzelnen Prozeßbeteiligten skizzieren

Trotzdem

Hans Adolf Halbey

Wenn die Mama morgens schreit:
Aufstehn, Kinder, höchste Zeit! –
sagt ein richtig braves Kind:
Die spinnt!

Zähneputzen, frische Socken
und zum Frühstück Haferflocken,
Vaters Sprüche: Das macht stark! –
alles Quark!

Wer am Morgen ohne Schimpfen,
Fluchen, Stinken, Naserümpfen
etwa brav zur Schule geht –
der ist blöd.

Lärmen, prügeln, Türen knallen,
allen auf die Nerven fallen,
grunzen, quieken wie ein Schwein –
das ist fein!

Rülpsen, Spucken, Nasebohren,
Nägel kauen, schwarze Ohren,
schlimme Worte jede Masse –
Klasse!

Und wenn Papa abends droht:
Schluß mit Fernsehn, Abendbrot! –
schreit doch jedes Kind im Haus:
Raus!
Trotzdem:
Kinder, schützt eure Eltern!

Kinder

Bettina Wegner

Sind so kleine Hände
winzge Finger dran.
Darf man nie drauf schlagen
die zerbrechen dann.

Sind so kleine Füße
mit so kleinen Zehn.
Darf man nie drauf treten
könn sie sonst nicht gehn.

Sind so kleine Ohren
scharf, und ihr erlaubt.
Darf man nie zerbrüllen
werden davon taub.

Sind so schöne Münder
sprechen alles aus.
Darf man nie verbieten
kommt sonst nichts mehr raus.

Sind so klare Augen
die noch alles sehn.
Darf man nie verbinden
könn sie nichts verstehn.

Sind so kleine Seelen
offen und ganz frei.
Darf man niemals quälen
gehn kaputt dabei.

Ist son kleines Rückgrat
sieht man fast noch nicht.
Darf man niemals beugen
weil es sonst zerbricht.

Grade, klare Menschen
wärn ein schönes Ziel.
Leute ohne Rückgrat
hab'n wir schon zuviel.

Hörtexte

Kapitel 7, Teil E: Amtsdeutsch

Gespräch zwischen einem deutschen Beamten (B) und einem Ausländer (A)

B: Der nächste...

A: Guten Tag, Herr – Polizei – äh – Herr Beamter...

B: Ja, guten Tag. Was wollen Sie denn?

A: Meine Name ist...................... Ich komme aus.......... Meine Aufenthaltserlaubnis am 20. Juni zu Ende.

B: Darf ich mal Ihren Paß sehen?

A: Ja, bitte sehr.

B: Danke. Ah, ja, am 20. Juni – ist die Aufenthaltserlaubnis abgelaufen. Was machen
Sie denn in Deutschland?

A: Jetzt ich wollen studieren, an – an den Universität Tübingen studieren. Aber jetzt
ich habe noch nicht Zulassung bekommen, aber bei mir gibt es – äh – eine Bescheinigung an – von, an – von Universität Tübingen.

B: Ja, von wem ist die Bescheinigung? Machen Sie hier'n Sprachkurs, oder...?

A: Ja, ich habe schon eine gemacht, aber jetzt ich lerne noch allein.

B: Ja, ich glaub, da kann ich aber nur was machen, wenn Sie mir ein Papier bringen,
wo draufsteht, daß Sie einen Sprachkurs besuchen, also mit Stempel, ein Papier mit
Stempel – –, verstehen Sie mich?

A: Ja.

B: Also, ein Papier mit Stempel.

A: Ja.

B: Stempel.

A: Ich habe verstanden, ja.

B: Ah, ja.

A: Ich habe noch ein Papier, noch eine Bescheinigung, ja. Bitteschön.

B: Danke. Da steht aber nur was von April. Und jetzt haben wir Juli.

A: Aber, wenn Sie wollen, ich kann bringen.

B: Ahja, gut. Machen wir das so: Sie bringet mir das Papier...

A: O.K.

B: ...und dann krieget Sie von mir einen Stempel in ihren Ausweis. Na?

A: O.K.

B: Also, je nachdem, gell, des Semeschter beginnt erst am nächsten Oktober, deshalb
kann ich nur einen Monat geben.

A: Ah, für mich eine Monat ist sehr kurz. Ich komme jeden Tag... ich komme immer
oft, ja.

B: Ja, da müssen Sie mir nach dem Monat nochmal so'n Papier bringen, mit Stempel.

A: Ja, ah – ja ich bringe, aber Sie können für mich 6 Monat Aufenthalt geben...

B: Ja wissen Sie, ich hab meine Vorschrift. Das geht nicht, ich kann nicht 6 Monate
geben, das geht nicht.

A: Warum für andere Leute Sie bringen!? Ich habe gehört, ja.

B: Für andere Leute? Ja -, neinneinneinnein. Das isch die Bestimmung: einen Monat nur.

A: Nein, ich habe... Er ist meine Freund, ja.

B: Ja - -

A: Er ist auch Ausländer.

B: Ist er Student?

A: Er ist... noch nicht Student, ja. Er ist auch mit mir.

B: Ja, und hier in Tübingen soll des sein?

A: Ja.

B: Ja, des...

A: Aber gibt es auf dem Paß, ja, Unterschrift innen.

B: Gut, also gut; Sie bringet mir zuerst das Papier mit der Bescheinigung, daß Sie einen Sprachkurs machen, dann können wir die Sache in Ruhe nochmal besprechen. Also, auf Wiedersehen, Herr - -

A: Auf Wiedersehen, Herr Beamter.

Kapitel 9, Teil A: Alltagsdialoge

Herr Neumann unterwegs:

– Hier, Frau Weber, nehmen Sie, die Linke kommt vom Herzen, und Hunde, die bellen, beißen nicht...

Hund bellt

→ ← Frau Weber: Ach ja.

geht weiter, da kommt ihm Herr Hoffmann entgegen

– Ach Herr Hoffmann, einen schönen guten Morgen, schon mit den Hühnern auf heute, was? Tja, Morgenstund' hat Gold im Mund!

→ ← Herr Hoffmann: Ja, heute schon...

geht weiter

– Tja, für Familie Klein haben wir heute nur den „Stern". Hier bitteschön. Nichts zu danken, macht drei fuffzig, haha...

→ ← Danke.

geht weiter

– Na, Erna, darfst du heute die Post annehmen? Ist aber nichts dabei für euch.

→ ← Erna: Schade, ich dachte, daß heute...

Tja, das Denken muß man den Pferden
überlassen, die haben größere Köpfe!
Hahaha...

geht weiter

– Hier, Frau Dr. Möller-Reimann, nehmen   → ←   Frau Möller-Reimann: Hoppla!
Sie, alles für Sie!   *(Einige Briefe rutschen ihr aus der*
                                                      Hand.)

Hahaha, ja, jeder hat drei Wurf heute!

geht weiter

– Und Sie, Frau Gehrig?   → ←   Frau Gehrig: Ach, Herr
                                    Neumann, wohin muß ich gehen
                                    wegen der Benachrichtigung?

Nicht verzagen, Neumann fragen!   → ←   Hier. Ich war die letzte Woche
Lassen Sie mal sehen.   nicht da, als ein Paket für mich
                                            kam.

Liegt auf Postamt 1, Schalter 4,
können Sie abholen. Wo waren Sie denn?   → ←   Zur Kur.

Und wie war's? Außer Spesen nichts
gewesen, was? Hahaha...

geht weiter

– Sie sehen aber verfroren aus, Herr
Polle, es ist ja heute auch wirklich
kälter als draußen, nicht wahr?   → ←   Herr Polle: Sie sagen es!
                                            (Eine Tür wird zugeschlagen.)

geht weiter

Kapitel 9, Teil C:
Das Entschuldigungs-Verabschiedungs-Ritual

Ehepaar Schröder zu Besuch bei Ehepaar Kaiser.

*Frau Schröder blickt Herrn Schröder
bedeutungsvoll an.*

Herr S: Ja, so langsam müssen wir, nicht wahr, Hilde?

Frau K: Wollen Sie wirklich schon gehen?

Herr K: Sie können ruhig noch etwas bleiben.

Frau S: Vielen Dank, es war sehr nett bei Ihnen, aber unsere Söhne müssen morgen früh raus, und da... *(erhebt sich langsam)*

Herr K: Versteht sich, wir stehen morgens auch sehr früh auf, tja... *(erhebt sich, alle stehen auf)*

Frau S: Wir wollten auch nicht lange bleiben.

Herr S: Ja, nochmals vielen Dank für den netten Abend! *(reicht Frau K und Herrn K die Hand)*

Frau K: Nichts zu danken, nett, daß Sie gekommen sind.

Frau S: Und das nächste Mal bei uns, nicht?

Frau K: Vielen Dank, vielleicht rufen Sie oder wir kurz vorher nochmal an oder schauen kurz mal 'rein.

Herr S: Ist gut, also dann, nochmals vielen Dank, auf Wiedersehen!

Frau S: Haben wir alles? *(blickt sich um)* Dann, auf Wiedersehen!

Herr K: Auf Wiedersehen, und kommen Sie gut nach Hause!

Frau K: Willi, sei doch so lieb und begleite unsere Gäste noch zum Auto. Und denk an die Gartentüre!

Herr S: *(rufend)* Danke, es geht schon!

Autoren- und Quellenverzeichnis

Aufgeführt werden die Autoren der literarischen Texte, die Liedermacher und Sänger der im Buch abgedruckten Lieder sowie Zeichner und Cartoonisten, die einer breiteren Öffentlichkeit bekannt sind. Weitere Bildnachweise befinden sich auf Seite 6.

Verlag und Autoren dieses Buches danken allen Autoren und Verlagen für die freundliche Genehmigung zum Abdruck ihrer Texte.

Bichsel, Peter

Geboren 1935 in Luzern (Schweiz). Lehrer, dann Schriftsteller und Publizist. Wurde mit seinem ersten Werk „Eigentlich möchte Frau Blum den Milchmann kennenlernen" (1964) schlagartig bekannt. Lebt in der Schweiz, engagiert sich politisch auf kommunaler und bundespolitischer Ebene. Seit einigen Jahren vorwiegend publizistisch-journalistische Arbeiten.

Ein Tisch ist ein Tisch   66
Aus: Kindergeschichten. (Sammlung Luchterhand Bd. 144) Luchterhand, Darmstadt und Neuwied 1974.

Böll, Heinrich

Geboren 1917 in Köln. Erzähler, Romancier, Hörspiel- und Fernsehspielautor, Essayist. Buchhändlerlehre, Krieg und Gefangenschaft. Germanistikstudium. Veröffentlichte 1949 sein erstes Buch „Der Zug war pünktlich". Seine ersten Werke sind vom Erleben des faschistischen Krieges geprägt. Von einem christlich-humanistischen Standpunkt aus setzt Böll sich in seinem umfangreichen Werk kritisch mit der westdeutschen Nachkriegsentwicklung auseinander. 1972 Nobelpreis für Literatur. Engagiert sich öffentlich in wichtigen politischen Fragen, z. B. Friedensbewegung. Lebt in der Nähe von Köln.

Anekdote zur Senkung der
Arbeitsmoral   23
Aus: Aufsätze, Kritiken, Reden. Kiepenheuer & Witsch, Köln 1967.

Auszug aus: Ansichten eines Clowns 135
Aus: Ansichten eines Clowns. Kiepenheuer & Witsch, Köln 1963.

Brecht, Bertolt

Geboren 1898 in Augsburg, gestorben 1956 in Berlin (DDR). Dramatiker, Lyriker, Erzähler, „Revolutions-Theoretiker", Regisseur.
Antibürgerliche Haltung, in den Zwanziger Jahren Studium des Marxismus. Erfinder des „Epischen

Theaters", in dem der Zuschauer sich nicht mit den handelnden Figuren identifizieren, sondern zum Nachdenken über gesellschaftliche Verhältnisse angeregt werden soll (u. a. durch das Mittel der Verfremdung). Während der Nazizeit Exil in mehreren europäischen Ländern und in den USA. 1948 Rückkehr nach Berlin (DDR). Arbeit mit dem „Berliner Ensemble" im Theater am Schiffbauerdamm.

59. Herr Keuner und die Flut   28
Der Hund   57
Vergnügungen   62
Der Zweckdiener   86
Auszug aus: Fünf Schwierigkeiten beim Schreiben der Wahrheit   155
Aus: Bertolt Brecht, Gesammelte Werke. Werkausgabe, Suhrkamp, Frankfurt/M. 1967.

Degenhardt, Franz Josef

Geboren 1931 in Schwelm (Westfalen). Jurastudium, Rechtsanwalt. Politisch engagierter Liedermacher und Schriftsteller. Lebt in Hamburg. 1963 erste Langspielplatte „Zwischen Null Uhr und Mitternacht". 1973 „Zündschnüre" (Roman).
Zahlreiche Schallplatten. Die Sammlung seiner Lieder enthält der Band „Kommt an den Tisch unter Pflaumenbäumen".

Manchmal des Nachts   178
Liedtext aus: Kommt an den Tisch unter Pflaumenbäumen. Alle Lieder von Franz Josef Degenhardt. C. Bertelsmann Verlag, München 1979. Langspielplatte 46593 LPHM: Rumpelstilzchen. Bänkel-Songs von und mit Franz Josef Degenhardt.

Fuchs, Günter Bruno

Geboren 1928 in Berlin, dort 1977 gestorben.
Mit 14 Jahren Luftwaffenhelfer, Kriegsgefangenschaft. Danach tagsüber Besuch der Berliner Hochschule für Bildende Kunst, abends Besuch der Ingenieurschule für Hochbau. Grafisch und literarisch für Verlage und Funk tätig.

Gestern   40
Aus: Blätter eines Hofpoeten. Carl Hanser Verlag, München 1967.

Gelberg, Hans-Joachim

Geboren 1930 in Dortmund. Buchhändler, Fachlehrer, Verlagslektor. Herausgeber mehrerer Anthologien, besonders der im Beltz Verlag erscheinenden Jahrbücher der Kinderliteratur.

Der kleine König   38
Aus: H.-J. Gelberg (Hrsg.), Neues vom Rumpelstilzchen. Beltz Verlag, Weinheim und Basel 1981, Programm Beltz und Gelberg.

Grass, Günter

Geboren 1927 in Danzig. Gelernter Steinmetz, Studium der Bildhauerei und Grafik. Epiker, Dramatiker, Lyriker. Engagierte sich in mehreren Wahlkämpfen für die SPD. Sein Roman „Die Blechtrommel" (1959) machte ihn weltweit bekannt.

Die Seeschlacht   64
Aus: Gleisdreieck. Gedichte. Luchterhand, Darmstadt und Neuwied 1960.

Grundmann, Siegfried

Geboren 1924 in der Weberstadt Langenbielau (Schlesien). Gelernter Schriftsetzer, jetzt Korrektor in einem Zeitungsverlag. Lebt in München. Erzählungen und Gedichte.

Abwertung   81
Erschienen in der Süddeutschen Zeitung, 25./26. 11. 1978. © Siegfried Grundmann.

Halbey, Hans Adolf

Geboren 1922 in St. Wendel/Saar. Studium der Kunstgeschichte, Geschichte, Literatur, Buchkunde. Leiter eines Museums. Veröffentlichte u. a. Bilderbücher.

Trotzdem   215
Aus: H.-J. Gelberg (Hrsg.), Geh und spiel mit dem Riesen. Erstes Jahrbuch der Kinderliteratur. Beltz Verlag, Weinheim und Basel 1971, Programm Beltz und Gelberg.

Handke, Peter

Geboren 1942 in Griffen (Kärnten/Österreich). Studium der Rechtswissenschaften. Lebte lange Jahre als Schriftsteller in Paris, seit 1979 wieder in Salzburg (Österreich).

Tagebuchnotizen 2.–5. März   17
Aus: Das Gewicht der Welt. Ein Journal. Residenz Verlag, Salzburg 1977.

Auszug aus: Selbstbezichtigung   64
Aus: Publikumsbeschimpfung und andere Sprechstücke. (Edition Suhrkamp 177), Suhrkamp, Frankfurt/M. 1966.

Hebel, Johann Peter

Geboren 1760 in Basel, gestorben 1826 in Schwetzingen (bei Heidelberg). Erzähler und Lyriker. Gilt als einer der Begründer der Anekdote in der deutschen Literatur. Gab von 1808–1811 die Kalenderblätter „Der Rheinländische Hausfreund" heraus. Seine eigenen Beiträge faßte er im „Schatzkästlein des Rheinländischen Hausfreunds" (1811) zusammen.

Der Vater stellte . . .   54
Aus: Johann Peter Hebel, Erzählungen und Aufsätze des Rheinländischen Hausfreunds. Gesamtausgabe zweiter Band, hrsg. von Wilhelm Zentner, C. F. Müller Verlag, Karlsruhe 1968.

Helmlé, Eugen

Geboren 1927 in Ensdorf/Saar. Dolmetscher- und Übersetzerstudium. Veröffentlichte zahlreiche Übersetzungen aus dem Französischen und dem Spanischen. Rundfunk-Essays und Hörspiele. Lebt in Sulzbach/Saar.

Rassismus   192
Aus der Senderreihe „Papa, Charly hat gesagt..." des Norddeutschen Rundfunks.
Textabdruck nach: Papa, Charly hat gesagt... Gespräche zwischen Vater und Sohn. rororo TB 1849, Rowohlt Verlag, Reinbek bei Hamburg 1982. © Fackelträger Verlag, Hannover 1974.
© der Hörfassung auf der Cassette: Norddeutscher Rundfunk (1972), Regisseur: Hans Rosenhauer.

Hirsch, Eike Christian

Geboren 1937. Theologiestudium. Rundfunkredakteur. Schreibt in der Illustrierten „Stern" unter der Rubrik „Deutsch für Besserwisser" Besinnliches und Heiteres über Entwicklungen der deutschen Gegenwartssprache.

Kernkraft   146
Aus: Der Stern, Nr. 9/1978. © Eike Christian Hirsch. Eine Auswahl der in dieser Rubrik erschienenen Artikel enthält: Eike Christian Hirsch, Deutsch für Besserwisser. Hoffmann und Campe, Hamburg 1979. Aus diesem Buch stammt das Textbeispiel S. 179.

Jandl, Ernst

Geboren 1925 in Wien. Kriegsgefangenschaft. Studium der Germanistik und Anglistik. Lebt – mit längeren Unterbrechungen – als Lehrer in Wien. Gedichtbände (Konkrete Poesie, Lautmalerei, Sprachspiele, zum Teil auf Schallplatten erhältlich), Hörspiele.

fünfter sein   11
familienfoto   13
Aus: der künstliche Baum. (Sammlung Luchterhand Bd. 9) Luchterhand, Darmstadt und Neuwied 1970.

Jaric, Melanie

Geboren 1928 in Baden/Österreich. Musik und Malerei, Entwurf sakraler Fenster. Lebt heute in Meerbusch bei Düsseldorf.

Wetter   115
Nach: Melanie Jaric, Geh mir aus der Sonne. Prosa. (Edition Suhrkamp 524) Suhrkamp, Frankfurt/M. 1972.

Knef, Hildegard

Geboren 1925 in Ulm, aufgewachsen in Berlin. Zunächst bekannt als Filmschauspielerin. Chansonsängerin, schreibt viele ihrer Texte selbst. Mehrere sehr erfolgreiche Bücher. Autobiographie: Der geschenkte Gaul, 1970. Lebt in USA.

Leg doch nur einmal den Arm um mich rum   109

Text: Charly Niessen. © Edition Tinta/Musikverlag Intersong, Hamburg. Langspielplatte LP 6303 106 D: Hildegard Knef, Ich bin den weiten Weg gegangen.

Ich möchte am Montag mal Sonntag haben   169

Text: Hildegard Knef. © Musikverlag Johann Michel, Frankfurt/Main. Langspielplatte SHZT 532: Hildegard Knef, Die neue Knef.

Kötter, Ingrid

Geboren 1934 in Hagen. Gelernte Großhandelskauffrau, Hausfrau. Lebt heute als freie Autorin in Tübingen, veröffentlicht Texte in Anthologien. Hörspiele für den Kinderfunk, Fernsehstücke für Erwachsene und Kinder, ein Theaterstück.

Kündigungsgedanken   14

Aus: Für eine andere Deutschstunde. Arbeit und Alltag in neuen Texten. Hrsg. vom Arbeitskreis Progressive Kunst, Anneliese Althoff u. a., Asso Verlag, Oberhausen 1972.

Kruse, Max

Geboren 1921 in Bad Kösen an der Saale. Studium. Kaufmann. Werbetexter. Seit 1958 freier Schriftsteller. Veröffentlichte Kindergedichte und viele Kinderbücher.

Mein Glück   76

Aus: H.-J. Gelberg (Hrsg.), Geh und spiel mit dem Riesen. Erstes Jahrbuch der Kinderliteratur. Beltz Verlag, Weinheim und Basel 1971. Programm Beltz und Gelberg © Max Kruse.

Kunert, Günter

Geboren 1929 in Berlin. Nach eigener Aussage „staatlich verpfuschte Kindheit". Studierte nach dem Krieg an der Hochschule für angewandte Kunst (Berlin). Lyriker, Funk- und Filmautor. Feuilletons und Kurzprosa, ein Roman. Lebte bis vor einigen Jahren in Berlin (Ost). Lebt heute in der Nähe von Hamburg.

Die Maschine   56

Aus: Kramen in Fächern. Geschichten und Parabeln. Aufbau Verlag, Berlin (DDR) 1968 © Günter Kunert.

Über einige Davongekommene   94

Aus: Erinnerungen an einen Planeten. Carl Hanser Verlag, München 1963.

Kunze, Reiner

Geboren 1933 in Oelsnitz/Erzgebirge. Studium der Philosophie und Journalistik in Leipzig; Assistent mit Lehrauftrag. Verließ die Universität aufgrund politischer Differenzen. Hilfsschlosser. Seit 1962 frei schaffender Schriftsteller. 1977, nach der Veröffentlichung von „Die wunderbaren Jahre" im S. Fischer Verlag in Frankfurt/M., Übersiedlung in die Bundesrepublik. Lebt in Bayern.

Menschenbild (II)   146

Aus: Die wunderbaren Jahre. Prosa. S. Fischer Verlag, Frankfurt/M. 1976.

Drill   167

Aus: Zimmerlautstärke. Gedichte. S. Fischer Verlag, Frankfurt/M. 1972.

Manz, Hans

Geboren 1931 in der Nähe von Zürich (Schweiz). Lehrer, Übersetzer, Satiriker, Drehbuchautor, Versemacher, Buchtexter. Vor allem Kinderliteratur.

Echo im Schwarzwald   32
Kleiner Streit   155
Achterbahnträume   156

Aus: H.-J. Gelberg (Hrsg.), Geh und spiel mit dem Riesen. Erstes Jahrbuch der Kinderliteratur. Beltz Verlag, Weinheim und Basel 1971, Programm Beltz und Gelberg © Hans Manz.

Marcks, Marie

Geboren 1922 in Berlin. Kunst- und Architekturstudium. Sehr bekannte Grafikerin und Cartoonistin. Lebt in Heidelberg.

Der Cartoon auf Seite 88 stammt aus dem Band „Vatermutterkind". Quelle und Meyer, Heidelberg © Marie Marcks.

Martin, Hansjörg

Geboren 1920 in Leipzig. Ursprünglich Maler und Grafiker. Wurde vor allem durch seine Kriminalromane bekannt, in denen auch die gesellschaftlichen Hintergründe des Verbrechens dargestellt werden.

Auszug aus: Der Kammgarn-Killer   170

Aus: Der Kammgarn-Killer. rororo-thriller 2481, Rowohlt Verlag, Reinbek bei Hamburg 1979.

Matsubara, Hisako

Geboren 1935 in Japan. Lebte einige Jahre in den USA. Studium in Zürich, Marburg und Göttingen. 1970 in Bochum Promotion zum Dr. phil. 1978 erster Roman „Brokatrausch". Lebt in der Bundesrepublik Deutschland.

Brief über das Küssen   106

Aus: Blick aus Mandelaugen. Ost-westliche Miniaturen. Albrecht Knaus Verlag, Hamburg 1980.

Meiselmann, Peter

Geboren 1950 in Wien. Filmjournalist und Regisseur. Lebt in Wien. Drehbücher und Trickfilmserie. Großer Preis von Milano beim internationalen Festival der X. Muse für seinen Film „Der Tod des dummen August".

Ein schöner Sonntag! 86
Aus: H.-J. Gelberg (Hrsg.), Geh und spiel mit dem Riesen. Erstes Jahrbuch der Kinderliteratur, Beltz Verlag, Weinheim und Basel 1971, Programm Beltz und Gelberg © Peter Meiselmann.

Molsner, Michael

Geboren 1939. Zunächst Gerichtsreporter. Autor von Kriminalromanen, Hörspielen und Fernsehkrimis.

Auszug aus: Rote Messe 144
Aus: Rote Messe. Kriminalroman. Heyne Buch Nr. 1892, Wilhelm Heyne Verlag, München 1980.

Peukert, Kurt Werner

Geboren 1931 in Reichenberg (Böhmen). Professor an der Pädagogischen Hochschule Reutlingen. Beiträge in Anthologien, Fachzeitschriften, Kinderbüchern.

Kindernamen 172
Aus: H.-J. Gelberg (Hrsg.), Menschengeschichten. Drittes Jahrbuch der Kinderliteratur. Beltz Verlag, Weinheim und Basel 1975, Programm Beltz und Gelberg.

Ringelnatz, Joachim (Pseudonym; eigentlich Hans Bötticher)

Geboren 1883 in Wurzen bei Leipzig, gestorben 1934 in Berlin. Seemann und verschiedene andere Berufe. Humorist, Lyriker, Erzähler.

Ich habe dich so lieb! 42
Aus: Und auf einmal steht es neben Dir. Henssel Verlag, Berlin 1981.

Rinser, Luise

Geboren 1911 in Pitzling (Oberbayern). Studium der Psychologie und Pädagogik. Tätigkeit als Lehrerin. Erster Roman „Die gläsernen Ringe" (1940). Berufsverbot und 1944 Verhaftung durch die Nazis („Gefängnistagebuch", erschienen 1946). Lebt als freie Schriftstellerin in Italien.

Auszug aus: Kriegsspielzeug. Tagebuch 1972–1978 17
Aus: Kriegsspielzeug. Tagebuch 1972–1978. S. Fischer Verlag, Frankfurt/M. 1978.

Auszug aus: Gefängnistagebuch. (Vorwort) 145
Aus: Gefängnistagebuch. S. Fischer Verlag, Frankfurt/M. 1973.

Schlote, Wilhelm

Geboren 1946 in Lüdenscheid. Kunsterzieher und Grafiker. Kinderbücher: „Superdaniel" (1972), „Fenstergeschichten" (1972). Lebt in Paris. Viele seiner Zeichnungen sind als Postkarten erhältlich.

Ohne Worte 211
Aus: H.-J. Gelberg (Hrsg.), Geh und spiel mit dem Riesen. Erstes Jahrbuch der Kinderliteratur. Beltz Verlag, Weinheim und Basel 1971, Programm Beltz und Gelberg © Wilhelm Schlote.

Schneider, Peter

Geboren 1941 in Lübeck. Germanistikstudium. Als Redner, Organisator, Flugblattschreiber aktiv in der Studentenbewegung. Zahlreiche Aufsätze und Erzählungen. (Lenz, 1973; … Schon bist du ein Verfassungsfeind, 1975).

Auszug aus: Rede an die deutschen Leser und ihre Schriftsteller 10
Verdeutschung einiger Verbotsschilder 123
Aus: Ansprachen. Reden, Notizen, Gedichte. Verlag Klaus Wagenbach, Berlin 1970.

Spohn, Jürgen

Geboren 1934. Grafik-Studium. Dozent für Grafik in Berlin (West). Bilderbücher, zu denen er auch die Texte schrieb.

Kindergedicht 113
Aus: H.-J. Gelberg (Hrsg.), Am Montag fängt die Woche an. Zweites Jahrbuch der Kinderliteratur. Beltz Verlag, Weinheim und Basel 1973, Programm Beltz und Gelberg.

Staeck, Klaus

Geboren 1938 in Pulsnitz bei Dresden. Jugend in der DDR; 1956 Übersiedlung nach Heidelberg. Jura- und Kunststudium; Rechtsanwalt und Grafiker. Klaus Staeck wurde insbesondere durch seine politischen Plakate bekannt, in denen die überraschende Verknüpfung von Bild und Wort ungewohnte Betrachtungsweisen vermittelt.

Bei der auf Seite 153 abgebildeten Postkarte „Würden Sie dieser Frau ein Zimmer vermieten?" handelt es sich ursprünglich um ein Plakat. Diesem Plakat liegt ein 1514 von Albrecht Dürer gezeichnetes Bild seiner Mutter zugrunde. Das Plakat wurde im Dürerjahr 1971 in der Dürerstadt Nürnberg an 300 öffentliche Litfaßsäulen angebracht und erregte großes Aufsehen.

Troll, Thaddäus (Pseudonym; eigentlich Hans Bayer)

Geboren 1914 in Stuttgart, dort 1980 gestorben. Studium. Militärdienst und britische Kriegsgefangenschaft. Nach dem Krieg Journalist und freier Schriftsteller. Bewußter Schwabe ohne Provinzialismus, politisch engagiert. Auch als Übersetzer erfolgreich.

„Rotkäppchen" 129

Aus: ROTKÄPPCHEN, in amtlichem Sprachgut beinhaltet. In: DER HIMMLISCHE COMPUTER und andere Geschichten von droben und drunten, von draußen und drinnen, von hüben und drüben, von daheim und unterwegs. Hoffmann und Campe, Hamburg 1978.

Tucholsky, Kurt

Geboren 1880 in Berlin, gestorben 1935 im schwedischen Exil. Vielseitiger Schriftsteller und Journalist. Brillanter Kritiker der in der Weimarer Republik bestehenden reaktionären Tendenzen und Gegner der Nationalsozialisten. 1933 von den Nazis ausgebürgert; seine Werke wurden von ihnen verbrannt.

Auszug aus: Zeitungsdeutsch und Briefstil 148

Aus: Gesammelte Werke in 10 Bänden, Band 3 (Seite 274). Rowohlt Verlag, Reinbek bei Hamburg 1960.

Hitler und Goethe (1932). Ein Schulaufsatz 212

ebenda (Seite 1058).

Waechter, Friedrich Karl

Geboren 1937 in Danzig. Grafiker, Cartoonist. Mitarbeiter bei Zeitschriften wie „Pardon", „Konkret", „Twen". Bilderbücher für Kinder. Seit 1974 auch Filme und Theaterstücke für Kinder.

Cartoon „Bär und Hamster" 129

Aus: Wahrscheinlich guckt wieder kein Schwein. (Club der Bibliomanen) Diogenes Verlag, Zürich 1978.

Wander, Maxie

Geboren 1933 in Wien. Lebte von 1958 bis zu ihrem Tod im Jahr 1977 in der DDR. Sie war als Sekretärin, Fotografin, Journalistin und Drehbuchautorin tätig und veröffentlichte Kurzgeschichten.

Gabi A., 16, Schülerin 72
Rosi S., 34, Sekretärin, verheiratet, ein Kind 162

Aus: Guten Morgen, du Schöne. Frauen in der DDR. Protokolle. Luchterhand, Darmstadt und Neuwied 1978 © Buchverlag Der Morgen, Berlin (DDR).

Wecker, Konstantin

Geboren 1947 in München. Musik- und Philosophiestudium. Seit 1974 bekannter Liedermacher und – nach eigener Aussage – „linker Poet, aber ein undogmatischer". Lebt in München und in der Toscana.

Hexeneinmaleins 47

Text aus: Ich will noch eine ganze Menge leben. Songs, Gedichte, Prosa, rororo TB 4797, Rowohlt Verlag, Reinbek bei Hamburg 1981 © Franz Ehrenwirth Verlag, München 1978.
Langspielplatte LP 2371 900: Konstantin Wecker, Ich will noch eine ganze Menge leben.

Wegner, Bettina

Geboren 1947 in Berlin (DDR). Bibliotheksfacharbeiterin (Berufsbezeichnung in der DDR), Schauspielschule. Inhaftierung und Exmatrikulation. Später freie Liedermacherin. Erhielt 1980 zusammen mit ihrem Mann, dem Schriftsteller Klaus Schlesinger, ein auf 3 Jahre befristetes Ausreisevisum.

Kinder 215

Text aus: Wenn meine Lieder nicht mehr stimmen. rororo TB 4399, Rowohlt Verlag, Reinbek bei Hamburg 1979.
Langspielplatte CBS 83507: Bettina Wegner, Sind so kleine Hände.

Wehrli, Peter K.

Geboren 1939 in Zürich (Schweiz). Studium der Kunstgeschichte. Journalistische Tätigkeit. Veröffentlichte Reisetexte, schrieb Clownnummern für einen Zirkus. Fernsehredakteur. Zahlreiche Reisen.

Tagebuchnotizen Nummern 1.–7. 16
Tagebuchnotiz Nummer 75. 87

Aus: Katalog der 134 wichtigsten Beobachtungen während einer Eisenbahnfahrt. Regenbogen-Verlag, Zürich.

Weisenborn, Günther

Geboren 1902 in Velbert (Rheinland), gestorben 1969 in Berlin (West). Studium der Medizin und Philologie. Verbot seiner Bücher im Nazi-Deutschland (1933). Schloß sich der Widerstandsbewegung an und wurde gefaßt. Zuchthaus 1942–1945.

Auszug aus: Memorial 189

Aus: Memorial. Röderberg Verlag, Frankfurt/M. 1976. Das Buch war 1948 zum ersten Mal erschienen.

Wondratschek, Wolf

Geboren 1943 in Rudolstadt (Thüringen). Germanistikstudium. Seit 1968 freischaffender Schriftsteller. Gedichte, Kurzprosa, Hörspiele. Publiziert in Zeitschriften und Anthologien. Lebt in München.

43 Liebesgeschichten 92

Aus: Früher begann der Tag mit einer Schußwunde. Carl Hanser Verlag, München 1979.

Zeiller, Martin

Geboren 1957 in Ehingen (Baden-Württemberg). Nach eigener Aussage „interdisziplinär künstle-